Eberhard Lindner
Evolution – Weltende – Freiheit

Eberhard Lindner

EVOLUTION
WELTENDE
FREIHEIT

Drei Schlüssel zum Sinn menschlichen Lebens

Natur- und geisteswissenschaftliche Synopse,
Beitrag zu einer neuen Anthropologie

M. Lindner Verlag, Karlsruhe
1979

Prof. Dr. Eberhard Lindner, geboren 1929 in Gumpertsdorf/Oberschlesien, lehrt heute an der Fachhochschule Karlsruhe.
Eine naturwissenschaftliche Berufsausbildung und ein abgeschlossenes Theologiestudium für Laien, insbesondere die jahrelange Beschäftigung mit der hier vorliegenden Thematik, befähigen den Autor, eine umfassende Synopse so weitverzweigter Wissensgebiete zu geben.

CIP-Kurztitelaufnahme der Deutschen Bibliothek

Lindner, Eberhard:
Evolution, Weltende, Freiheit: 3 Schlüssel zum
Sinn menschl. Lebens; natur- u. geisteswissenschaftl. Synopse, Beitr. zu e. neuen Anthropologie
/ Eberhard Lindner. – Karlsruhe: Lindner, 1979.
ISBN 3-921653-05-3

ISBN 3-921653-05-3

Alle Rechte, insbesondere das Übersetzungsrecht vorbehalten. Kein Teil dieses Buches darf in irgendeiner Form (durch Photokopie, Mikrofilm oder irgendein anderes Verfahren) ohne schriftliche Genehmigung des Verlages reproduziert werden.
© 1979 by M. Lindner Verlags-GmbH, Jahnstraße 22, Karlsruhe 1
Gesamtherstellung: Badendruck GmbH, Karlsruhe
Einbandgestaltung: D. Walchner, Karlsruhe

In Parallele zum Titel: „Evolution – Weltende – Freiheit"
ist dieses Buch

den suchenden,
den leidenden,
den bedrängten
Menschen unserer Zeit
gewidmet

Vorwort

Die Frage nach dem Sinn menschlichen Lebens stellt sich in jeder Zeit aufs neue. Erkenntnisse unserer Tage auf vielen Wissensgebieten haben interessante Teilaspekte zu diesen Urfragen der Menschheit zutage gefördert. Insbesondere die Naturwissenschaften haben uns gelehrt, das Werden und den Aufbau der Welt besser zu verstehen, und es fehlt nicht an Versuchen, aufgrund dieser Erkenntnisse Aussagen zu wagen, was das Wesen des Menschlichen ausmacht, welchen Sinn ein Menschenleben haben soll. Auf der anderen Seite hat insbesondere die Theologie [1] es von jeher als ihre Domäne angesehen, zu diesem Thema Entscheidendes auszusagen. Auch die Philosophie und viele andere wissenschaftliche Disziplinen, wie z. B. die Soziologie liefern wertvolle Beiträge zu diesem Thema.
Eine zeitgemäße Beantwortung der Frage nach dem Sinn des menschlichen Lebens kann aber sehr einseitig und damit verzerrt, ja unrichtig ausfallen, wenn man nur eine dieser vielen Disziplinen betrachtet und dabei andere Aspekte vernachlässigt. Und dies ist auch das Dilemma aller unserer wissenschaftlichen Bemühungen: Je genauer wir ein Teilproblem zu lösen versuchen und je stärker wir uns auf einen Punkt der Forschung konzentrieren, um so mehr entschwindet uns der Blick für das Ganze. Eine Flut von wissenschaftlichen Publikationen, eine rasche Aufeinanderfolge von neuen Erkenntnissen und Entdeckungen brechen über den heutigen Menschen herein. Alle diese Informationen geben aber nur Teilaspekte verschiedener Sachverhalte wieder, und oft ist man geneigt, diesen Ausschnitten der Wirklichkeit ein zu starkes Gewicht zu verleihen, sie nicht im Gesamtzusammenhang zu sehen.

So verlangt unsere Zeit nach synoptischen Überblicken [2] zu den wichtigsten Menschheitsfragen. Solch eine Gesamtschau soll eine wertvolle Orientierungshilfe in dem schier unübersichtlich gewordenen Gelände bieten. Sie ist, so meine ich, den öfter zu findenden Symposien vorzuziehen, wo von Autoren meist sehr heterogener Fachrichtungen ein Mosaik von verschiedenartigem Fachwissen präsentiert wird. Der Autor hofft, sowohl durch ein naturwissenschaftliches als auch durch ein abgeschlossenes geisteswissenschaftliches Studium, aber auch insbesondere durch die Beschäftigung seit vielen Jahren mit diesen Fragenkomplexen, die notwendigen Voraussetzungen für eine solche Gesamtschau mitzubringen.

Eine hier angestrebte Synopse gleicht der Erkundung eines großen Gebirgszuges: Sie zeigt uns in groben Zügen den Gesamtverlauf des Gebirges. Für diejenigen, die sich für bestimmte Einzelheiten interessieren, sind im Anhang besondere Übersichtswerke über wichtige Teilaspekte angeführt, die in der Regel auch eine große Zahl von Literaturstellen und Hinweise auf Originalpublikationen enthalten. Sie sollen, um im Bild zu bleiben, dem Leser einzelne Gebirgsketten oder den Verlauf von Gebirgsbächen besser erkennen helfen. Auch die in Klammern gesetzten Zahlen im Text geben Hinweise auf Anmerkungen, die am Schluß des Buches nicht nur auf besondere Literaturstellen verweisen, sondern, sofern diese Zahlen kursiv gedruckt sind, die angeschnittenen Aspekte näher beleuchten und die Gedanken vertiefend weiterführen.

Aber nicht nur eine synoptische Schau von vielen Wissenschaftsdisziplinen soll uns eine Antwort auf unsere Fragen finden lassen, auch die gleichzeitige Berücksichtigung von Vergangenheit, Gegenwart und Zukunft der Weltentwicklung soll den Überblick so umfassend wie möglich gestalten. Wir schauen in die Vergangenheit, suchen nach dem Woher der Welt, des Lebens und des Menschen; es ist die Frage nach der Weltentstehung sowie nach der hinter uns liegenden Evolution. Wir fragen danach, wohin die Weltentwicklung gehen kann, nach einem Ende des Kosmos; wir überlegen, ob es auch nach dem menschlichen Tode etwas geben könnte. Schließlich schauen wir auf die Struktur der Welt und die geistig-sittliche Situation des Menschen. Diese drei Blickrichtungen werden durch den Buchtitel: „Evolution – Weltende – Freiheit" symbolisiert.

Die hier zusammengefaßten Themen habe ich in vielen Vorträgen, Seminaren und Vorlesungen behandelt, und ich möchte mit diesem Buch dem Wunsch vieler Zuhörer nachkommen, diese Gedanken einmal im Zusammenhang zu publizieren. Das Buch ist vor allem für diejenigen geschrieben, die sich aufmachen wollen, um nach den tiefsten Werten des Menschlichen zu suchen, für diejenigen, die den eigentlichen Sinn im menschlichen Leben finden wollen. Um das Buch einem möglichst breiten Leserkreis zugänglich zu machen, wurde es so verfaßt, daß es ohne spezielle Vorkenntnisse verständlich wird. Dazu sollen auch die Fachworterklärungen im Anhang dienen. Dennoch hat das Buch durch die vertiefenden Ausführungen in den Anmerkungen und die Quellenhinweise einen wissenschaftlichen Charakter. So würde es mich freuen, wenn auch Kollegen dieses Buch lesen würden, denn sie werden zwar als Experten den „Berg ihres Faches" besser kennen als ich, dafür werden sie vielleicht nicht die anderen „Gebirgsketten" in gleicher Weise überblicken können und so aus dem hier zusammengetragenen Wissensgut auch einige Erkenntnisse ziehen können.
Das Ziel soll immer bleiben, die Wahrheit der Gesamtwirklichkeit, die uns umgibt, zu ergründen. Wie bei jedem wissenschaftlichen Bemühen ist besonders bei dem hier vorliegenden Thema die Bereitschaft notwendig, seine Ansichten, die man im Laufe der Zeit gewonnen hat, zu überprüfen, neu zu überdenken, und dabei stets eine Haltung zu bewahren, wie sie Charles R. Darwin treffend in seiner Autobiographie dargelegt hat: „Ich habe mich stets bemüht, meinen Geist frei zu erhalten, um jedwede Hypothese, so sehr ich sie auch geliebt haben mochte (und ich kann dem Drange nicht widerstehen, mir von allen Dingen eine solche zu bilden), aufzugeben, sobald nachgewiesen werden kann, daß ihr Tatsachen widersprechen"[3].

So werde ich auch alle Anregungen dankbar begrüßen, in einer steten Bereitschaft, die hier wiedergegebenen lebenswichtigen Fragen neu zu überdenken. Gedankt sei allen, die mir schon bei der Abfassung dieser Publikation nützliche Hinweise gegeben haben. Insbesondere möchte ich an dieser Stelle meiner Frau für ihre wertvolle Mitarbeit beim Entstehen dieses Buches danken.

Ich hoffe, daß die Lektüre dieses Buches dem Leser einigen Gewinn, ein wenig Nachdenken und auch etwas Freude bringen kann.

Karlsruhe, Dezember 1978 Eberhard Lindner

Inhaltsverzeichnis

	Seite
Einleitung	13

1. Weltentstehung und Evolution
- 1.1 Der Ursprung der Welt 20
- 1.2 Die Entstehung des Lebens 28
- 1.3 Die Auffaltung der Arten 47
- 1.4 Die Evolution zum Menschen 53
- 1.5 Philosophische Überlegungen 63
- 1.6 Die Welterschaffung in der Bibel 68
- 1.7 Natur- und geisteswissenschaftliche Synopse 79

2. Über das Weltende
- 2.1 Naturwissenschaftliche Prognosen 89
- 2.2 Biblische Prophetie zum Weltende 94
- 2.3 Vom Sinn der Weltentwicklung 98

3. Leben nach dem Tode?
- 3.1 Die Auferstehung Jesu Christi 115
- 3.2 Erscheinungen Verstorbener 138
- 3.3 Logische Überlegungen 141
- 3.4 Spekulatives über ein Leben nach dem Tode 147

4. Freiheit und Lebenssinn
- 4.1 Hat der Mensch Willensfreiheit? 155
- 4.2 Sinnverwirklichung und Sinnvernichtung 169
- 4.3 Die bedrohte Freiheit 170
- 4.4 Ist menschliche Freiheit neben einem allmächtigen Gott möglich? 173
- 4.5 Vom Sinn menschlichen Lebens 178

Epilog	185
Anmerkungen	193
Fachworterklärungen	223
Weiterführende Literatur	229

Abkürzungen

Neben den gebräuchlichen Dimensionsabkürzungen, wie km, °C, g, wurden u. a. verwendet:

K = Kelvin
kJ/mol = Kilojoule pro Mol
MeV = Mega-Elektronenvolt = 10^6 eV
ml = Milliliter

mV = Millivolt
μm = Mikrometer = 10^{-6}m
nm = Nannometer = 10^{-9}m

Bücher des Alten und Neuen Testaments

Apg = Apostelgeschichte
Apk = Apokalypse
4 Esr = 4. Esdrasbuch (außerkanonisch)
Ez = Ezechiel
Gal = Galaterbrief
Gen = Genesis
Hag = Haggai (Aggäus)
Hebr = Hebräerbrief
Jo = Johannesevangelium

Jr = Jeremia
Js = Jesaja
1 Kor = 1. Korintherbrief
2 Kor = 2. Korintherbrief
Lk = Lukasevangelium
Mk = Markusevangelium
Mt = Matthäusevangelium
2 Petr = 2. Petrusbrief
Ps = Psalm
Röm = Römerbrief

Sonstige Abkürzungen

DNA = Desoxyribonucleinsäure

lat. = lateinisch   gr. = altgriechisch   sem. = semitisch

Bildnachweis

Abb. 1–5: Aufnahmen des Mount Palomar Observatory, Pasadena, USA. Abb. 9 gezeichnet in Anlehnung an M. Eigen: Die Naturwissenschaften, 1971, S. 504. Abb. 10–13 wurden freundlicherweise von S. W. Fox, Miamy, Florida, USA, zur Verfügung gestellt. Abb. 17 wurde vereinfacht gezeichnet nach R. W. Kaplan: „Der Ursprung des Lebens", Stuttgart, 1978, S. 242. Abb. 19: angefertigt von D. Walchner nach Vorlagen von Leakey/Lewin: „Wie der Mensch zum Menschen wurde", S. 100–101, vgl. Anmerkung [40] vom 1. Kapitel. Abb. 20: gezeichnet nach einer Abb. (S. 11) aus G. Weber „Eine Welt f. d. Menschen", Verlag L. Auer, Donauwörth, 1972, (E. Müller). Abb. 21, 22, 24: Aufnahmen der Cappella S. Sindone, Torino, Italia. Abb. 25: gezeichnet (vereinfacht) in Anlehnung an J. C. Eccles, Die Naturwissenschaften, 1973, S. 170 u. 172. Abb. 27 u. 29: J. C. Eccles: „Facing Reality", Springer-Verlag, Heidelberg, 1970, S. 9 u. 23, mit freundlicher Genehmigung des Autors und des Verlages kopiert, desgleichen Abb. 28 aus: J. C. Eccles: „Wahrheit und Wirklichkeit", Springer-Verlag, Heidelberg, 1975, S. 16.

Einleitung

Das Fragen nach dem Sinn menschlichen Lebens muß beginnen bei dem Bestreben, die Gesamtwirklichkeit so zu erkennen, wie sie tatsächlich ist. Zur Gesamtwirklichkeit gehört zunächst einmal die uns umgebende stoffliche Welt, um deren Erforschung die Naturwissenschaften bemüht sind. Fragen wir zuerst danach, wie die materielle Welt aufgebaut ist und welche Ausmaße sie hat, denn diese Erkenntnisse werden in mehrfacher Hinsicht für spätere Überlegungen wichtig sein.

Der Gesamtkosmos ist so ungeheuer groß, daß man dies in voller Tragweite am besten durch einige leicht vorstellbare Vergleiche ermessen kann. Wenden wir unsere Blicke zuerst dem Mikrokosmos, also der Welt der Atome zu und versuchen nachher, die Weiten des Makrokosmos zu erfahren.

Die Welt ist aus Atomen aufgebaut. Wie groß sind diese Grundbausteine der materiellen Welt? Durch einen Vergleich wollen wir versuchen, uns von der Kleinheit dieser Gebilde eine gedankliche Vorstellung zu machen: Stellen wir uns vor, wir würden alle Atome, die sich in einem Glas Wasser (= 125 Milliliter Wasser) befinden, markieren und die so markierten Atome ins Meer gießen. Wenn diese Atome sich auf die gesamten Weltmeere gleichmäßig verteilten, dann enthielte jeder Liter der Weltmeere, gleichgültig, ob es im Stillen Ozean, im Atlantik oder im Indischen Ozean wäre, immer noch 9000 Atome aus dem ursprünglich markierten, von uns ins Meer gegossenen Wasser [4]. Nun versuchen wir uns vorzustellen, aus wieviel Atomen unser Körper besteht und wieviel Atome unsere Erde umfaßt [4].

Die Atome ihrerseits enthalten noch kleinere Bestandteile, und zwar in der äußeren Hülle die elektrisch negativ geladenen Elektronen und im Kern sowohl die elektrisch positiv geladenen Protonen als auch die elektrisch neutralen Neutronen [5]. Aber auch die Kernbestandteile, die Protonen und Neutronen, sind nach unseren heutigen Kenntnissen wahrscheinlich aus noch kleineren Bestandteilen, den Quarks zusammengesetzt [6]. Nachdem wir erahnen können, aus welch kleinen Bausteinen die uns umgebende materielle Welt besteht, sollen unsere Überlegungen den Weiten des Weltalls gelten. Auch hier zur besseren Erfassung der Größenverhältnisse einige Vergleiche:
Stellen wir uns die Erde so groß wie eine Erbse vor, so würde diese erbsengroße Erde eine kürbisgroße Sonne in einer Entfernung von etwa 70 Metern umkreisen. Der Mond wäre dann so groß wie ein Mohnsamenkorn, das sich in 16 Zentimetern Abstand um die Erde bewegte. Der nächste Fixstern (Alpha-Centauri) wäre dann von der kürbisgroßen Sonne 19 000 Kilometer entfernt, was einer Strecke von Europa nach Australien entspricht [7]. Und dieser Weltraum ist fast materieleer.
Man kann sich die gewaltigen Entfernungen noch an einem anderen Beispiel verdeutlichen: Das Licht legt in einer Sekunde etwa 300 000 Kilometer zurück, das entspricht etwa einem Weg, der siebeneinhalbmal um die Erde geht. Die mittlere Entfernung von der Erde bis zur Sonne beträgt ca. 150 Millionen Kilometer; das Licht kann diese Strecke in „nur" 8 Minuten zurücklegen. Bis zum nächsten Fixstern, dem Alpha-Centauri (ca. 40 Billionen Kilometer von uns entfernt) braucht das Licht immerhin schon 4,3 Jahre.
Unsere Sonne ist nur einer von ungefähr hundert Milliarden Fixsternen in unserem „Milchstraßensystem", das als riesiger Spiralnebel (Galaxie) eine ähnliche Gestalt haben mag wie in Abb. 1 (vielleicht mit etwas weiter ausgebreiteten Spiralarmen). Unser Milchstraßensystem gleicht einer Diskusscheibe und hat von der Seite her betrachtet eine Form, wie die in Abb. 2 gezeigte Galaxie. Auch unser Milchstraßensystem hat ähnliche Trabanten, wie die Sternenansammlung rechts in der Abb. 1,

Abb. 1 Galaxie Messier 51 in den Jagdhunden mit seinem kleinen Begleiter
Dieser Spiralnebel hat gewisse Ähnlichkeit mit unserem Milchstraßensystem

Abb. 2 Galaxie NGV 4565 im Sternbild Haar der Berinice
So sieht vielleicht unsere Milchstraße von der Seite her aus

nämlich die große und die kleine Magellansche Wolke, die unser Milchstraßensystem in etwas anderer Position und größerer Entfernung umgeben. Der Durchmesser des Milchstraßensystems beträgt etwa 100 000 Lichtjahre, das heißt, das Licht mit einer Geschwindigkeit von 300 000 Kilometer pro Sekunde wäre 100 000 Jahre unterwegs, um von einem Ende zum anderen Ende des Milchstraßensystems zu gelangen. Die Dicke dieses riesigen, diskusähnlichen Spiralnebels „Milchstraßensystem" ist in der Mitte etwa 16 000 Lichtjahre, an den Spiralarmen „nur" etwa 1000 Lichtjahre. Die Sonne ist ca. 30 000 Lichtjahre vom Mittelpunkt der Milchstraße entfernt und umkreist diesen Mittelpunkt mit einer Geschwindigkeit von etwa 270 Kilometern (etwa die Luftlinie Frankfurt–Basel) in einer Sekunde. Für eine Umrundung des Zentrums braucht die Sonne ungefähr 250 Millionen Jahre.

Aber unser Milchstraßensystem ist nur einer von vielen Spiralnebeln des gesamten Universums, eine von „Galaxien" verschiedenster Art und Form. Die Größe des gesamten Universums soll uns ein weiterer Vergleich verdeutlichen: Denken wir uns die Entferung von der Sonne zum nächsten Fixstern (dem Alpha-Centauri) – im Kürbismodell die Entfernung von Europa bis nach Australien – auf eine Strecke von nur einem Millimeter verkleinert, so wäre der Durchmesser des Milchstraßensystems 23 Meter, die Entfernung zum Andromeda-Nebel 580 Meter (= 2,5 Millionen Lichtjahre), der Radius des Weltalls mehr als viertausend Kilometer ($1,8 \cdot 10^{10}$ = 18 Milliarden Lichtjahre), was ungefähr einer Entfernung von der Nordsee bis zum Assuan-Staudamm entspräche.

Es mag nützlich sein, sich die Kleinheit der atomaren Grundbausteine und andererseits insbesondere die Größe des Gesamtkosmos vor Augen zu halten, um von der materiellen Welt her den Menschen in diese Gesamtwirklichkeit einordnen zu können. Demnach ist der Mensch ein kleiner, unbedeutender Organismus auf der Erde, auf einem „winzigen Stäubchen" im Gesamtkosmos. Aber die materielle Dimension des Menschen ist nicht die einzige, und so wird uns an späterer Stelle auch die geistige Dimension des Menschen ausführlicher beschäftigen.

Für die Suche nach dem Sinn des menschlichen Lebens ist es wichtig, die geschichtliche Entwicklung zu berücksichtigen. Aus solchen Überlegungen hat sich dann auch der Aufbau dieses Buches ergeben: Wir fragen im ersten Kapitel nach dem Woher, nach der hinter uns liegenden Zeit, nach der Entwicklungsgeschichte, die bis zum Menschen geführt hat. Läßt sich hieraus etwas ableiten, was uns Aussagen über die Natur des Menschen erlaubt? Im zweiten Kapitel interessieren wir uns für eine mögliche zukünftige Entwicklung: Läßt sich aus dem uns bekannten Verlauf der Weltentwicklung ein Ziel erkennen, in das alle Entwicklung mündet, um von hier aus eine Antwort auf die Sinnfrage finden zu können?

Eine Inangriffnahme eines solch umfassenden Themas ist unzureichend, wenn man nicht auch religiöse Aspekte hinzunähme. Insbesondere die Bibel, die Bücher des Alten und Neuen Testaments, enthalten viele Stellen, in denen Aussagen gemacht werden zu den hier behandelten Themen. Es werden dabei nicht nur die Erkenntnisse der modernen Bibelexegese berücksichtigt, die sich auf den Anfang und das Ende der Welt beziehen, sondern wir werden dazu im dritten Kapitel nach dem Kern der christlichen Botschaft fragen, nach der Auferstehung Jesu Christi und nach einem Fortleben des menschlichen Personenkerns nach dem Tode. Wir fragen: Gibt es Anhaltspunkte und verläßliche Hinweise für diesen in der Christenheit tief verwurzelten Glauben, die auch ein vornehmlich naturwissenschaftlich orientierter Mensch akzeptieren kann? Oder: Gibt es sogar handfeste, mit naturwissenschaftlichen Methoden erreichbare und nachweisbare Indizien oder Auswirkungen auf die stoffliche Welt, wodurch die Realität der Auferstehung Christi und ein Leben des Menschen nach dem Tode wahrscheinlich gemacht oder sogar bestätigt werden könnte?

Im letzten, dem vierten Kapitel wird schließlich nach der geistig-ethischen Situation des Menschen in dieser Welt gefragt.

Sollte sich aus der Struktur dieser Welt etwas ableiten lassen, was es den Menschen zur Pflicht macht, gewisse Gesetzmäßigkeiten und Normen zu respektieren, sollte sich daraus die Pflicht für ein sinnvolles ethisches Handeln ergeben? Und würde aus der Befolgung solcher Gesetzmäßigkeiten so etwas erwachsen, was wir als das Glück des Menschen ansehen können?

1. Weltentstehung und Evolution

Im ersten Kapitel fragen wir zunächst nach unseren heutigen naturwissenschaftlichen Kenntnissen über die Entstehung der Welt, des Lebens, der Arten und des Menschen. Daran knüpfen sich einige logische (philosophische) Überlegungen. Weiterhin wird nach den Aussagen der Bibel zur Entstehung der Welt und des Menschen gefragt. Ein Vergleich der naturwissenschaftlichen, philosophischen und theologischen Aussagen sowie eine Abgrenzung und Wertung ihrer Aussageinhalte soll das erste Kapitel beschließen.
Erfahrungsgemäß bereiten die physikalischen und chemischen Sachverhalte einem naturwissenschaftlich nicht vorgebildeten Leser größere Schwierigkeiten. Leider werden aber gerade diese naturwissenschaftlichen Aspekte den Ausgangspunkt unserer Überlegungen in den ersten drei Unterkapiteln bilden. Ich habe versucht, diesen Schwierigkeiten Rechnung zu tragen, indem ich an zwei Stellen den Leser auffordere, die detaillierten Ausführungen zunächst einmal zu überschlagen. Man kann auch die etwas schwerer verständlichen ersten drei Unterkapitel ganz übergehen und gleich bei 1.4 (Die Evolution zum Menschen), S. 53 beginnen.
Die Aussagen der ersten drei Unterkapitel, in wenigen Sätzen zusammengefaßt, sind folgende: Nach unseren heutigen Kenntnissen hat die Welt einmal einen Anfang gehabt; sie ist wahrscheinlich vor etwa 18 Milliarden Jahren entstanden und ist seit dieser Zeit ständig in Entwicklung begriffen. Auf der Erde konnte Leben entstehen, weil die Materie gerade die dazu geeigneten Eigenschaften aufweist und weil die Bedingungen auf der Früherde für die Entstehung des Lebens günstig waren. Aus

dieser gemeinsamen Wurzel haben sich alle heute auf der Erde vorhandenen Arten von Lebewesen durch einen gewaltigen Evolutionsprozeß entwickelt. Wie aus dieser Entwicklung schließlich der Mensch hervorgegangen ist, wird dann im Unterkapitel 1.4 näher beschrieben.

1.1 Der Ursprung der Welt

Es sind verschiedenartige Theorien über die Entstehung des Kosmos entwickelt worden. Die meisten dieser Modelle gerieten im Laufe der Zeit in Widerspruch zu den jeweils neu entdeckten Beobachtungsergebnissen. Wenn eine Entstehungstheorie richtig sein soll, muß sie alle Beobachtungsergebnisse widerspruchsfrei in sich vereinigen können. Es ist heute zu früh, von einer endgültig gesicherten Kosmologie [1] zu sprechen, dennoch scheint sich alles zugunsten einer auf Gamow zurückgehenden, im Laufe der letzten Jahre erheblich modifizierten und verfeinerten Weltentstehungstheorie zu wenden. Möglicherweise wird auch diese Kosmologie durch neue Forschungsergebnisse in der einen oder anderen Richtung abgewandelt werden müssen.

Wir wollen hier in dreierlei Weise auf die heute als am wahrscheinlichsten geltende Kosmologie eingehen: Zuerst soll in kurzen Umrissen dargestellt werden, wie sich der Kosmos zu seiner heutigen Gestalt entwickelt haben könnte; im Anschluß daran sollen die wichtigsten Indizien genannt werden, auf die sich diese Weltentstehungstheorie stützt; schließlich soll dargestellt werden, welche Schwierigkeiten mit einer solchen Kosmologie verbunden sind.

Vor etwa 18 Milliarden Jahren hat mit einem riesigen „Urknall" (Gamow nannte es "big bang") der Kosmos seinen Anfang genommen. Seit dieser Zeit zeigt das Weltall eine gewaltige Expansion. Galaxien haben sich aus der beim Urknall entstandenen Materie gebildet und entfernen sich voneinander. Wie es zur Bildung der vielen, verschieden aussehenden Galaxien kommen konnte, ist heute noch weitgehend ungeklärt. Im allgemeinen wird die Auffassung vertreten, daß die Galaxien sich durch Kondensation aus der beim Urknall entstandenen Materie entwickelt haben. Solche Galaxien findet man vielfach in größeren Galaxienhaufen vergesellschaftet, wie es die den „Virgo-Haufen" darstellende Abb. 3 zeigt.

Abb. 3 Galaxienhaufen im Sternbild Jungfrau

Es gibt aber eine entgegengesetzte Ansicht, die heute insbesondere von Ambarzumjan verfochten wird: Aufgrund verschiedener Beobachtungsergebnisse wird angenommen, daß Materie sich ständig in den Zentren der Galaxien neu bildet; die Galaxienhaufen könnten dann nach dieser Auffassung durch Teilung solcher „aktiver" Galaxienkerne entstanden sein [2].
Die beim Urknall gebildete (oder bei den vermuteten Materiequellen in den Galaxienkernen eventuell ständig neu entstehende) Materie ist zum größten Teil Wasserstoff, aber zu einem

erheblichen Teil auch Helium und enthält außerdem einige schwerere Elemente. Diese Materie verdichtete sich unter der Wirkung der gegenseitigen Massenanziehung, der Gravitation zu Sternen und erhitzte sich dabei so stark, daß es in ihrem Innern zu Kernverschmelzungsprozessen kommen konnte. Bei solchen „Kernfusionen" vereinigen sich je vier Wasserstoffkerne (Protonen) zu einem Heliumkern [3]. Die hierbei frei werdende Energie dient den Sternen als Strahlungsquelle. Es stellt sich sehr bald ein Gleichgewicht ein, bei dem durch Kernverschmelzung gerade soviel Energie erzeugt wird, wie der Stern nach außen abstrahlt.

Ist ein erheblicher Teil des Wasserstoffvorrats verbraucht, so wird das „Wasserstoff-Brennen" vom Sterninnern nach außen verlagert, während das im Inneren befindliche Helium sich weiter zusammenzieht und sich dabei so weit aufheizt, daß schließlich Temperaturen erreicht werden, bei denen auch Heliumkerne zu Kohlenstoffkernen verschmelzen können. Durch Einfang weiterer Heliumkerne werden schließlich Elemente mit schweren Kernen bis hin zur Größe des Elements Eisen aufgebaut [4].

Ist ein Stern wesentlich massereicher als die Sonne (die Anfangsmassen müssen drei- bis zehnmal so groß sein wie bei der Sonne), so kommt es in der Spätphase beim Aufbau der höheren Elemente zu Instabilitäten. Beim Explodieren eines solchen Sternes (Supernova-Explosion) werden sehr große Energien freigesetzt und Materie in den Raum hinausgeschleudert. Der Reststern wird zu einem „Neutronenstern", das ist eine ungeheure Zusammenballung der Materie auf kleinstem Raum, mit Dichten von etwa hundert Millionen Tonnen je Kubikmeter. Es würde bedeuten, daß die Sonne auf einen Durchmesser von ungefähr zehn Kilometer zusammenschrumpfen würde. Das sind Dichten, wie sie in Atomkernen herrschen. Der Reststern im Zentrum des Crab-Nebels (Abb. 4) ist ein solcher Neutronenstern. Er dreht sich etwa dreißigmal in einer Sekunde um seine eigene Achse, sendet gerichtete elektromagnetische Wellen aus, die uns, ähnlich wie bei einem Leuchtturmfeuer,

Abb. 4 Crab – Nebel
Die heute zu beobachtenden Reste einer Supernovaexplosion

jeweils dreißigmal in einer Sekunde erreichen, und wird wegen dieser periodischen, uns erreichenden Impulse elektromagnetischer Wellen auch als „Pulsar" bezeichnet.
Bei Supernova-Explosionen entsteht ein sehr großer Neutronenfluß. Die vielen plötzlich freigesetzten Neutronen werden von Atomkernen eingefangen. So können sich aus bereits vorhandenen Elementen (z. B. aus Eisen) weitere, noch mehr Kernbestandteile (Protonen und Neutronen) enthaltende chemische Elemente aufbauen. Auf unserer Erde anzutreffende „schwere" Elemente, wie z. B. das Uran mit 92 Protonen und 146 (bzw. 143) Neutronen im Kern wurden einmal früher, vor der Existenz unserer Erde durch die eben beschriebenen Prozesse

gebildet, d.h. die unsere Erde bildende Materie gehörte früher einmal anderen Sternen an. Denn die Erde ist etwa gleichzeitig mit der Sonne und den anderen Planeten des Sonnensystems „erst" vor knapp fünf Milliarden Jahren entstanden.

Die eben skizzierte Entstehungsgeschichte des Kosmos wird durch eine Reihe von Beobachtungsergebnissen wahrscheinlich gemacht. Besonders wichtige Stützen für diese Kosmologie sind die Fluchtbewegung der Galaxien und die kosmische Hintergrundstrahlung, auch 3 K Strahlung genannt. Wegen der großen Bedeutung sollen diese Phänomene etwas näher beschrieben werden. Der nicht an diesen Details interessierte Leser überschlage den kleingedruckten Text und lese weiter auf S. 28.

a) Fluchtbewegung der Galaxien
Im Jahre 1929 berechnete Hubble die Fluchtgeschwindigkeit der Galaxien aus der *Rotverschiebung der Spektrallinien* und stellte dabei fest, daß diese Fluchtgeschwindigkeit um so größer ist, je weiter diese Galaxien von uns entfernt sind. Verfolgt man die Fluchtgeschwindigkeit in umgekehrter Richtung zurück, so kommt man zu dem Schluß, daß das Weltall vor Milliarden von Jahren auf einem winzigen Raum vereinigt gewesen sein muß und seit dieser Zeit unaufhörlich auseinanderfliegt. Durch verbesserte Beobachtungen und genauere Analysen haben sich die Berechnungsergebnisse im Laufe der Jahre erheblich geändert. Heute nimmt man an, daß das Universum ein Alter von etwa 18 Milliarden Jahren hat.
Die Rotverschiebung der Spektrallinien ist eine einwandfrei gesicherte Tatsache. In physikalischer Hinsicht bedeutet das folgendes: Die Atome chemischer Elemente senden bei Anregung durch entsprechende Energien ganz bestimmte Spektralfarben aus (Emissionsspektren), so zum Beispiel Calciumatome, die bei Feuerwerken zu sehenden, ziegelroten Spektralfarben. Schickt man dieses Licht durch ein Prisma, so kann man einzelne, scharf begrenzte Linien erkennen. So zeigt das Element Calcium unter vielen anderen vor allem zwei charakteristische Linien, die H- und die K-Linie.
Die Farbe des Lichtes wird durch die Wellenlänge bedingt. Kurzwelliges Licht empfinden wir als blau, bei immer größeren Wellenlängen erscheint das Licht grün, gelb und schließlich rot. Andere chemische Elemente zeigen andere charakteristische Linien. Die einzelnen chemischen Elemente kann man an der Lage der verschiedensten Spektrallinien zueinander erkennen.
Befinden sich Calciumatome zwischen den Sternen, die ein kontinuierliches Spektrum aussenden, und uns, den Beobachtern, so werden genau die gleichen

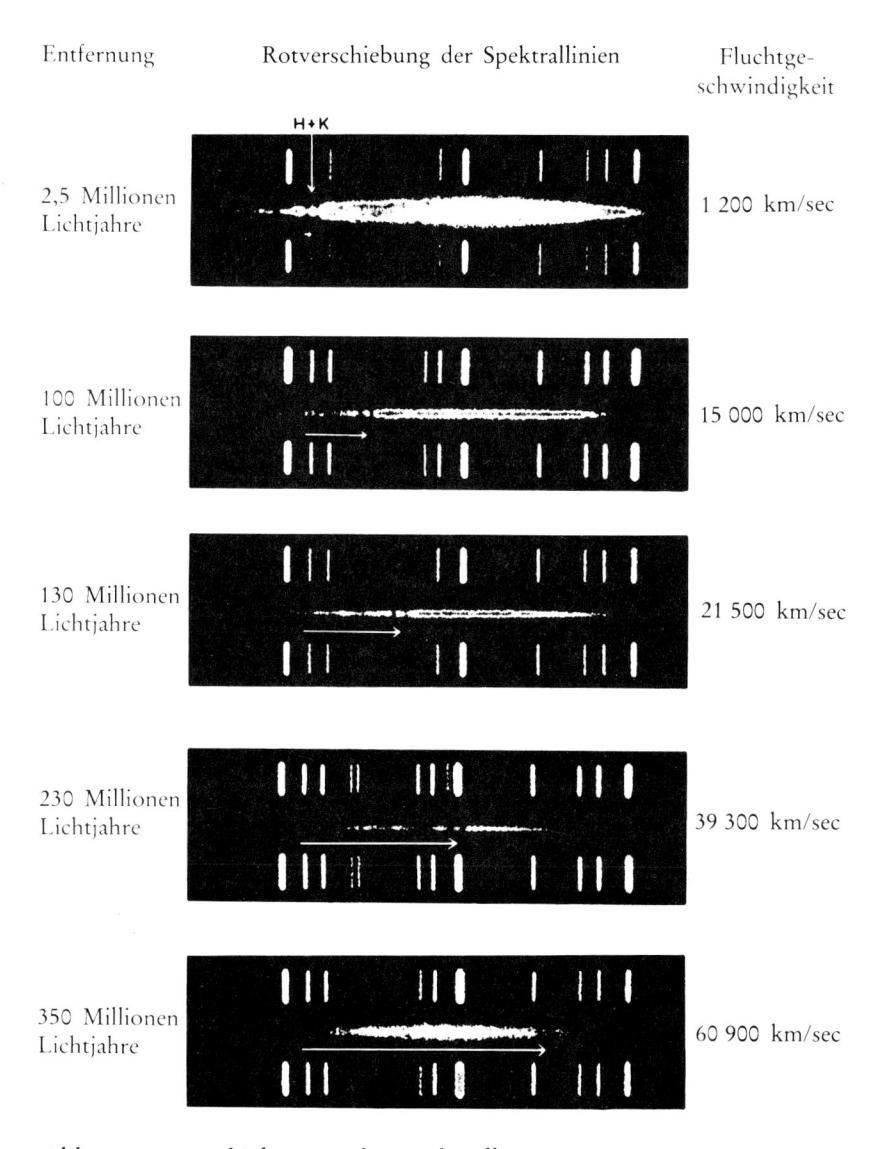

Entfernung	Rotverschiebung der Spektrallinien	Fluchtgeschwindigkeit
2,5 Millionen Lichtjahre	H+K	1 200 km/sec
100 Millionen Lichtjahre		15 000 km/sec
130 Millionen Lichtjahre		21 500 km/sec
230 Millionen Lichtjahre		39 300 km/sec
350 Millionen Lichtjahre		60 900 km/sec

Abb. 5 Rotverschiebungen der Spektrallinien
Je weiter die Galaxien von uns entfernt sind, desto größer ist die Rotverschiebung und damit die Fluchtbewegung von uns weg: Ein Beweis für die Expansion des Universums

Wellenlängen, die beim Emissionsspektrum (z. B. Feuerwerk) als helle Linien vor einem dunklen Hintergrund zu sehen sind, als Absorptionsspektren, d. h. als dunkle Linien vor einem hellen Hintergrund erscheinen.
Hubble fand nun, daß in Absorptionsspektren von entfernten Galaxien die Spektrallinien nach den langwelligeren Bereichen hin verschoben waren, und diese „Rotverschiebung" ist um so stärker, je weiter die Spiralnebel von uns entfernt sind (vgl. Abb. 5). Die einzige stichhaltige Deutung dieses Phänomens als Doppler-Effekt [5] bedeutet, daß die Galaxien sich von einander wegbewegen und zwar mit um so größerer Geschwindigkeit, je weiter sie von uns entfernt sind. Demnach muß das Weltall expandieren.

b) Die kosmische Hintergrundstrahlung oder die 3 K-Strahlung
1964 hat R. H. Dike gefolgert, daß bei der Annahme eines Urknalls, eine kosmische Reststrahlung noch heute vorhanden sein müßte, die der Strahlung eines schwarzen Körpers von der Temperatur von etwa 3 Kelvin (= 3 K = ca. –270 °C) entsprechen müßte [6]. Tatsächlich konnte ein Jahr später, im Jahre 1965 von A. H. N. Penzias und R. W. Wilson eine solche Strahlung festgestellt werden, die gleichmäßig und aus allen Richtungen zu uns kommt, also keinem einzelnen kosmischen Objekt zugeordnet werden konnte. Dieses merkwürdige Phänomen ist folgendermaßen zu erklären: Wenn es einen Urknall gegeben haben soll, mußten nach entsprechenden Berechnungen unmittelbar danach sehr hohe Temperaturen von etwa $1{,}8 \cdot 10^{12}$ K geherrscht haben. Dabei war die Strahlungsdichte sehr viel größer als die Materiedichte. Im Verlaufe der Expansion des Weltalls verringerte sich die Strahlungsdichte bei zunehmendem Weltradius mit der vierten Potenz, die Materiedichte jedoch nur mit der dritten Potenz: Die Strahlungsdichte nahm also stärker ab als die Materiedichte. Nach etwa einer Million von Jahren waren dann Strahlungs- und Materiedichte gleich groß, die Temperatur auf etwa 3000 K gesunken. Nach theoretischen Überlegungen müßte uns heute die Strahlung erreichen, die ausgesendet wurde, als die Strahlungsdichte gleich der Materiedichte war, denn seit dieser Zeit ist die Wechselwirkung von Strahlung und Materie bereits so gering, daß das expandierende Weltall „durchsichtig" werden konnte.
Nun ist aber bekannt, daß hochtemperierte Materie, z. B. glühendes Eisen elektromagnetische Wellen (Licht) aussendet, aber nicht einzelne Spektrallinien, sondern Licht in einem weiten Wellenlängenbereich. Die Lage des Aussendungsmaximums solcher Strahlen verschiebt sich mit fallender Temperatur zum langwelligeren, also roten Bereich: Bei 1200 °C sieht Eisen weißglühend, bei 600 °C dunkelrot glühend aus.
Wir erinnern uns aus den vorhergehenden Überlegungen zur Expansion des Weltalls, daß uns das Licht mit einer Rotverschiebung erreicht, wenn die Lichtquelle sich von uns wegbewegt. So ist auch die Strahlung, die wir heute im Falle, daß sich ein Urknall ereignet hat, von einer Frühphase des Universums isotrop (gleichmäßig) aus allen Richtungen empfangen, infolge der

Expansion des Weltalls soweit zu langwelligeren elektromagnetischen Wellen verschoben, daß sie einer Strahlung entspricht, die ein schwarzer Körper bei einer Temperatur von etwa 3 K = –270 °C aussendet. Da die elektromagnetische Strahlung von schwarzen Körpern bei hohen Temperaturen nicht aus einzelnen Linien, sondern aus einem breiten Wellenlängenbereich mit einem bestimmten Maximum besteht, müßte das heute feststellbare Maximum dieser kosmischen Strahlung in Wellenlängenbereichen von ca. 30 bis 0,03 cm vorhanden sein, und zwar, wie Abb. 6 zeigt, bei der Wellenlänge von ca. 0,3 cm ihr Maximum haben. Weite Bereiche dieser Wellenlängen werden jedoch von der Atmosphäre absorbiert; lediglich die Strahlen mit Wellenlängen oberhalb von einem Zentimeter können die Atmosphäre durchdringen. Die Abb. 6 zeigt die tatsächlich gefundenen Meßwerte im durchgezogenen Kurventeil. Im punktiert gezeichneten Bereich konnte man entsprechende Zahlenwerte durch indirekte Messungen bestätigen. [7]. Beim gestrichelt gezeichneten Kurventeil jedoch werden die Strahlen durch die Erdatmosphäre verschluckt, so daß hier nur Messungen von Satelliten oder wenigstens von Ballonen (nahezu außer-

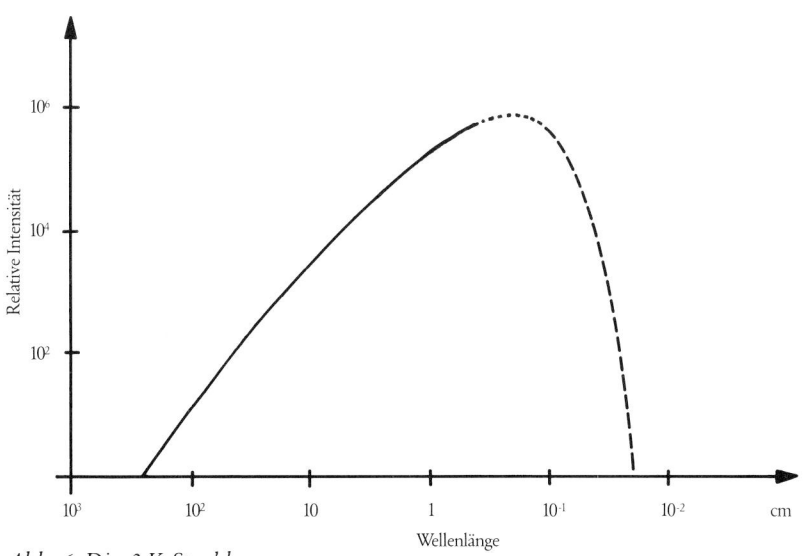

Abb. 6 Die 3 K-Strahlung
Wichtiges Indiz für die „Urknalltheorie". Auf der Erdoberfläche kann nur der durchgezogene Teil durch direkte Messungen und der punktierte Teil durch indirekte Messungen (Absorptionsspekten der CN-Radikale) erfaßt werden. Im rechten Ast der Kurve (gestrichelter Teil) werden die Strahlen durch die Atmosphäre absorbiert. Die Messungen müssen von Ballonen oder Satelliten aus erfolgen.

halb der Erdatmosphäre) aus erfolgen können. Für die Entdeckung der kosmischen Hintergrundstrahlung haben Penzias und Wilson 1978 den Nobelpreis für Physik erhalten.

Nach diesen speziellen Begründungen für die Weltentstehungstheorien sollen schließlich die prinzipiellen Schwierigkeiten und die letzten Grenzen aufgezeigt werden, die mit solchen Kosmologien verbunden sind.

Die Kosmologien versuchen, aus den Beobachtungsergebnissen abzuleiten und zu beschreiben, wie sich der Kosmos entwickelt haben könnte. Dabei geht man streng vor nach den Prinzipien von Ursache und Wirkung, unter der Voraussetzung des Erhaltungssatzes von Materie und Energie. Bei der Verfolgung dieser Prinzipien muß man jedoch erkennen, daß man an Grenzen naturwissenschaftlicher Aussagbarkeit stößt. Wohl kann man nachrechnen und mit naturwissenschaftlichen Beschreibungen den Weg zurückverfolgen bis zum Urknall (oder bis zur angenommenen Materie-Entstehung in den Galaxien-Kernen). Die eigentliche Entstehung der Materie bleibt der naturwissenschaftlichen Erkenntnis nicht zugänglich, es sind „Singularitäten" *[8]*, die nicht mit den bekannten Gesetzen der Naturwissenschaften beschreibbar sind. Selbst, wenn es gelingen sollte, noch einen Schritt weiter zurückzugehen und etwas zu entdecken, was noch vor dem heute berechneten Anfang stand, auch dann müßte man wieder auf Singularitäten stoßen. Anders ausgedrückt: Die Beschreibung des Anfangs der Welt und die Materieentstehung wird uns wohl für immer verborgen bleiben, läßt sich letzten Endes mit naturwissenschaftlichen Beschreibungen nicht ausdrücken.

1.2   Die Entstehung des Lebens

Die Erde existiert seit knapp fünf Milliarden Jahren. Auf ihr ist Leben wahrscheinlich vor mehr als 3,5 Milliarden Jahren entstanden. Wir besitzen heute Funde von Resten einzelliger Lebewesen, die vor rund 3,2 Milliarden Jahren gelebt haben *[9]*.

Was ist Leben? Diese Frage ist sehr schwierig zu beantworten. Unsere derzeitigen Kenntnisse reichen nicht aus, um dieses komplexe Phänomen umfassend erklären zu können. Dennoch kann man Lebensvorgänge durch biochemische Vorgänge beschreiben. Leben ist gebunden an organische Materie, also an Verbindungen des Elements Kohlenstoff *[10]*. Lebende Oganismen werden aus einer Vielzahl äußerst komplizierter organischer Moleküle aufgebaut. Besonders charakteristisch ist der hohe Organisationsgrad; dabei haben die Teile und strukturellen Untereinheiten in einem solchen Organismus einen bestimmten Zweck oder eine bzw. mehrere Funktionen im Hinblick auf den Gesamtorganismus.

Zwei Erscheinungen, an denen Leben zu erkennen ist, treten besonders hervor: 1) das Phänomen des Stoffwechsels und 2) das Reduplikationsvermögen.

1) Stoffwechsel
   Stoffwechsel bedeutet, daß lebende Organismen in der Lage sind, bestimmte chemische Stoffe in andere Stoffe umzuwandeln. Die dazu benötigte Energie wird aus der Umgebung entweder in Form von chemischer (energiereiche Moleküle) oder physikalischer Energie (Licht) entnommen. Bei diesem Stoffwechsel können komplizierte Moleküle aus einfachen aufgebaut oder umgekehrt komplizierte Moleküle in einfache zerlegt werden. Die nicht mehr benötigten chemischen Verbindungen werden aus dem Organismus ausgeschieden.
2) Reduplikation
   Lebende Organismen zeigen ein Reduplikationsvermögen; Individuen oder Zellen sind in der Lage, sich zu verdoppeln, aus einer Mutterzelle kann eine exakt gleiche Tochterzelle entstehen.

Bevor wir uns an die Frage wagen wollen, wie das Leben auf unserer Erde entstanden sein konnte, wollen wir uns erst über den Aufbau, insbesondere über die chemischen Bestandteile lebender Zellen, Klarheit verschaffen.

Im einfachsten Fall ist Leben gebunden an Materie, die in einer einzigen Zelle vereinigt ist. Eine solche lebende Zelle enthält zweierlei verschiedene Stofftypen: einmal sind es kleine, nur aus wenigen Atomen bestehende Moleküle (Mikromoleküle), zum zweiten sind es Makromoleküle, die aus sehr vielen Atomen aufgebaut sind.

Die *Mikromoleküle* sind für alle Lebewesen gleich. Insgesamt kommen in allen uns bekannten Lebewesen weniger als 3000 Molekülarten vor. Diese Moleküle werden für den Stoffwechsel benötigt, sie liefern die Energie für Lebensvorgänge oder dienen als Bausteine zum Aufbau der Makromoleküle.

Die *Makromoleküle* hingegen sind von Lebewesensart zu Lebewesensart verschieden, ja, sie können sich sogar von einem Individium zu einem anderen Individium der gleichen Art unterscheiden. Die Unterschiede bestehen offenbar darin, daß verschiedene Grundbausteine in ganz spezifischer Reihenfolge aneinander gebunden sind. Bei diesen Makromolekülen unterscheiden wir zwei verschiedene Typen, einmal die Eiweißstoffe, auch Proteine genannt, und zum zweiten die Nucleinsäuren. So unterschiedlich der Aufbau und die Eigenschaften dieser Makromoleküle bei den einzelnen Lebewesen auch sein mögen, diese Makromoleküle enthalten nur sehr wenige Grundbausteine, und zwar die Nucleinsäuren nur vier, die Proteine nur zwanzig Grundbausteine. Genau so, wie man mit ungefähr dreißig Buchstaben und Satzzeichen eine unermeßlich große Zahl von Wörtern und Sätzen formulieren kann, verschiedene Gedanken wiedergeben kann, indem man die Buchstaben und Satzzeichen in genauer, spezifischer Reihenfolge aneinanderreiht, so entstehen die ganz speziellen, für jede Lebewesensart spezifischen Eigenschaften dieser Makromoleküle dadurch, daß die vier bzw. zwanzig Grundbausteine in bestimmter, unverwechselbarer Reihenfolge aneinandergereiht sind.

Die vier Bausteine der Nucleinsäuren – es sind die Nucleotide – bestehen ihrerseits aus drei Einzelbestandteilen, nämlich aus einer bestimmten Zuckermolekülart (Ribose oder Desoxyribose), ferner aus Phosphorsäure und schließlich aus jeweils einer der vier charakteristischen „Basen". Ein Nucleotid als Grundbaustein umfaßt dabei eine Anzahl von ca. 35 Atomen, die Grundbausteine der Eiweißstoffe dagegen – es sind die Aminosäuren – enthalten 10 bis ca. 30 Atome.

Fassen wir also das eben beschriebene in der folgenden Übersicht zusammen:

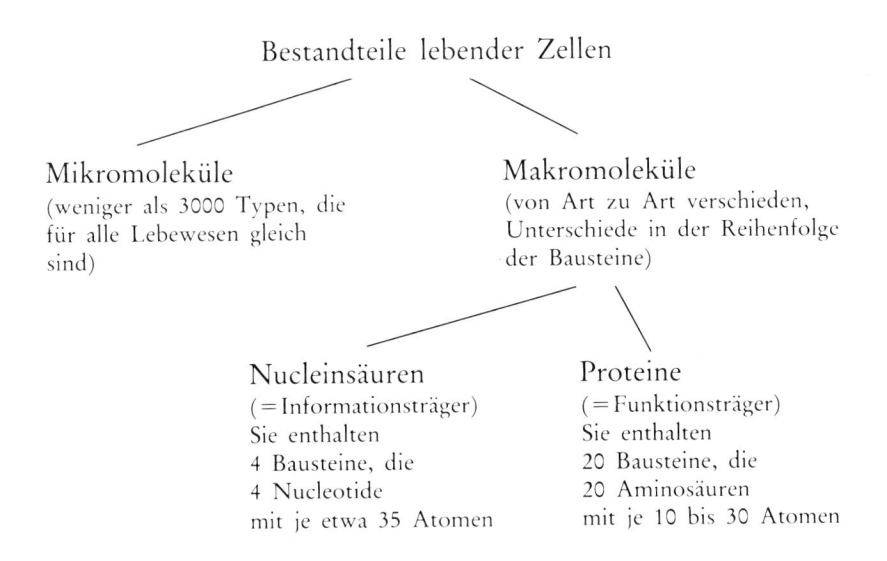

Bestandteile lebender Zellen

Mikromoleküle
(weniger als 3000 Typen, die für alle Lebewesen gleich sind)

Makromoleküle
(von Art zu Art verschieden, Unterschiede in der Reihenfolge der Bausteine)

Nucleinsäuren
(= Informationsträger)
Sie enthalten
4 Bausteine, die
4 Nucleotide
mit je etwa 35 Atomen

Proteine
(= Funktionsträger)
Sie enthalten
20 Bausteine, die
20 Aminosäuren
mit je 10 bis 30 Atomen

Damit Leben auf unserer Erde entstehen konnte, mußten erst viele Voraussetzungen erfüllt werden, und zwar:
a) Es mußten sich zunächst einmal alle zum Leben notwendigen Grundbausteine, also die kleinen Moleküle (Mikromoleküle), insbesondere die Aminosäuren und die Nucleotide, gebildet haben.
b) Diese Grundbausteine mußten sich dann in ganz bestimmter Reihenfolge zu lebensnotwendigen Makromolekülen („Biopolymere") aneinandergeknüpft haben.
c) Schließlich muß sich aus dem ungeordneten Nebeneinander in abgeschlossenen Gebilden ein sinnvolles Aufeinander-

Abgestimmtsein verschiedener Stoffe eingestellt haben, also ein Organismus entstanden sein, der dann schließlich durch Stoffwechsel und Reduplikation die entfachte Lebensfackel von einer Generation auf die andere übertragen konnte.
Was weiß man heute über diese einzelnen Teilschritte? Ich möchte versuchen, in kurzen Umrissen den Weg, der zur Entstehung von Leben auf der Erde geführt hat, aufzuzeigen. Dabei muß ich einige Details ausführlicher beschreiben, denn ohne diese Einzelheiten kann man den Sachverhalt kaum erklären. Leser, die nicht an dieser Argumentation, sondern nur am Ergebnis interessiert sind, mögen die nächsten Seiten überschlagen und auf S. 44 „d) Folgerungen" weiterlesen.

a) Die Entstehung der lebensnotwendigen Mikromoleküle
Im Jahre 1953 gelang es Stanley Miller in einem aufsehenerregenden Versuch, die zum Aufbau der Eiweißstoffe notwendigen Aminosäuren durch einfache physikalisch-chemische Reaktionen aus anorganischen Stoffen unter den Bedingungen, die vor ungefähr vier Milliarden Jahren auf unserer Erde einmal geherrscht haben mögen, herzustellen: Er versuchte, im Labor die noch sauerstofffreie Uratmosphäre [11] nachzuahmen, füllte gemäß seinen damaligen Annahmen die Gase Ammoniak, Methan und Wasserstoff in eine Glasapparatur, sorgte für eine kräftige Wasserdampfentwicklung in diesem Behälter und ließ elektrische Funkenentladungen durch dieses Gasgemisch gehen, denn auf der Früherde gab es wegen des anwesenden Wasserdampfes sicherlich auch Gewitter, ferner konnte eine starke ultraviolette Strahlung, die noch nicht wie heute durch eine Ozonschicht abgeschirmt wurde [12], ähnliches bewirken, nämlich Energie für die dabei stattfindenden chemischen Reaktionen zu liefern. Nach relativ kurzer Zeit konnte Stanley Miller viele der Aminosäuren, die unsere heutigen Eiweißstoffe bilden, in dem Reaktionsgefäß nachweisen [13]. Die Versuche wurden in abgewandelter Form verschiedentlich wiederholt, mit dem Ergebnis, daß praktisch alle zum Leben notwendigen kleinen organischen Moleküle auf diese Weise hergestellt werden konn-

ten. Also mußte es unter den damaligen irdischen Bedingungen möglich gewesen sein, daß sich die einfachen organischen Grundbausteine durch chemische Reaktionen gebildet haben. Diese chemischen Verbindungen müssen also in den Urmeeren vorhanden gewesen sein [14].

b) Bildung von Makromolekülen (Biopolymere)
Damit sich lebende Organismen bilden konnten, mußten zunächst einmal aus den kleinen Molekülen, insbesondere aus den Aminosäuren und den Nucleotiden größere Einheiten, kettenförmige Makromoleküle bilden. Solche Ankoppelungsreaktionen sind aber unter den Bedingungen, wie sie damals sicherlich auf der Erde geherrscht haben, ohne weiteres möglich. Wahrscheinlich haben auch, wie durch Laboratoriumsexperimente bestätigt werden konnte, verschiedene mineralische Stoffe, insbesondere Tonmineralien diese Ankoppelungsreaktionen begünstigt. Man kann annehmen, daß sich zunächst einmal „oligomere" Moleküle gebildet haben, das sind Moleküle, die nur einige dieser Aminosäuren bzw. Nucleotide enthielten; erst später wird die Kettenlänge weiter gewachsen sein. Eiweißstoffe in heute lebenden Organismen können Kettenlängen aufweisen, die aus Hundert bis Tausend Aminosäuren bestehen.
Fragen wir zunächst danach, wie viele Möglichkeiten es gibt, um aus den 20 verschiedenen Aminosäuren Eiweißketten zusammenzufügen, die eine Kettenlänge von nur 100 Aminosäuren haben? Dies wäre vergleichbar mit der Aufgabe, aus 20 verschiedenen Wagentypen Eisenbahnzüge zusammenzustellen, die eine Zuglänge von 100 Wagen haben sollen: Es ergibt die ungeheuer große Zahl von 20^{100}, also ungefähr 10^{130} Möglichkeiten. Alle diese 10^{130} verschiedenen Eiweißmoleküle unterscheiden sich voneinander durch die Reihenfolge, in der die Aminosäuren miteinander verknüpft sind. Wegen dieser unterschiedlichen Reihenfolge der Grundbausteine haben diese Eiweißstoffe auch unterschiedliche chemische Eigenschaften. Wie unermeßlich groß diese Zahl der Möglichkeiten ist, kann man durch anschauliche Vergleiche zeigen: Der gesamte Kos-

mos enthält wahrscheinlich nicht mehr als 10^{80} Atome! Oder ein anderes Beispiel: Die Erde existiert seit ca. 10^{17} Sekunden. Wenn in jeder Sekunde seit Bestehen der Erde immer nur eine dieser vielen Möglichkeiten durchprobiert worden wäre, so wäre das bis zum heutigen Tage erst der 10^{113}-te Teil aller dieser Möglichkeiten!
Nun zeigen aber gut fundierte Überlegungen [15], daß die Wahrscheinlichkeit zur Bildung von funktionstüchtigen Proteinen entschieden größer gewesen sein mußte, wenn man dabei berücksichtigt, daß solche Proteine aus kürzeren Molekülketten bestanden haben, wobei dann ihre Funktionstüchtigkeit (wie später gezeigt wird, ist es eine Katalysatorwirkung) wesentlich vermindert und ungenauer war: Es brauchten ferner nur noch an wenigen entscheidenden Stellen in der Kette ganz bestimmte Aminosäuren vorhanden gewesen zu sein. Bei solchen und noch anderen Voraussetzungen steigt dann die Wahrscheinlichkeit zur Bildung von wirksamen Proteinen soweit an, daß eine sehr große Zahl von funktionstüchtigen Polymeren auf recht kleinem Raum vorgelegen haben mögen. Kaplan [15] konnte z.B. so berechnen, daß ein Gehalt von 20 Funktionspolymeren bereits bei Stoffmengen von 0,1 Gramm zu erwarten gewesen wäre.

Eine andere Frage stellt sich bei diesen Überlegungen: Haben sich zuerst die Nucleinsäuren oder die Proteine gebildet? Dies entspricht etwa der berühmten Frage: War zuerst das Ei oder das Huhn da? Um die Bedeutung dieser Problematik besser verstehen zu können, wollen wir uns zunächst kurz mit den Rollen beschäftigen, die diese beiden Biopolymer-Arten (die Proteine und die Nucleinsäuren) im lebenden Organismus spielen: Nucleinsäuren beinhalten durch die Reihenfolge, in der die vier Nucleotide, die vier Grundeinheiten miteinander verknüpft sind, eine Informationsspeicherung: In den Zellen von heute lebenden Organismen haben die Nucleinsäuren die wichtige Aufgabe, die Erbinformationen von einer Generation zur anderen zu übertragen; sie sorgen dafür, daß aus einer Zelle eine identisch neue werden kann.

Die Weitergabe der Erbinformationen von einer Generation zur anderen geschieht durch den folgenden einfachen Mechanismus: In heute existierenden Lebewesen liegen die Erbinformationsträger, die Desoxyribonucleinsäuren oder gekürzt DNA [16], wie in Abb. 7a angedeutet, als Doppelstrang-Makromoleküle vor. Die oben erwähnten vier Grundbestandteile der DNA, die vier charakteristischen Basen sind in der Abb. 7a durch einfache Symbole gekennzeichnet: Adenin (A) als großes, rundes, weißes Zeichen; Thymin (T) als kleines, rundes, weißes Zeichen; Guanin (G) ist groß, eckig, schwarz und Cytosin (C) klein, eckig, schwarz. Wie man sehen kann, zeigen diese Basen die Besonderheit, daß sich jeweils immer nur A mit T und ebenso immer nur G mit C durch schwache Bindungskräfte verknüpfen (gestrichelte Linien) können.

Bei der Zellteilung, der Reduplikation, muß sich der Erbinformationsträger verdoppeln, um in beiden Zellen vorhanden zu sein. Das geschieht, wie aus Abb. 7a ersichtlich ist, durch Auflösen der schwachen Bindungskräfte (gestrichelte Linien) zwischen den Basen und Anlagerung neuer Nucleotide an die vorhandenen Einzelstränge, wobei sich immer A mit T und G mit C paart (vgl. rechte Seite der Abb. 7a). Wie man sich leicht überzeugen kann, enthalten die beiden auf der rechten Seite von Abb. 7a gezeichneten neuen DNA-Stränge exakt die gleiche Reihenfolge der Basen (Basensequenz).

Eine Zelle enthält außer den DNA-Strängen noch andere Nucleinsäuren, die man Ribonucleinsäuren nennt, abgekürzt RNA. Diese werden mit ihrer spezifischen Basen-Reihenfolge an der DNA (dem Erbinformationsträger) gebildet, sie bestehen jedoch meist aus Einzelsträngen und enthalten anstelle der Base Thymin (T) das chemisch nahe verwandte Uracil (U), das in Abb. 7b schraffiert gezeichnet ist. Ribonucleinsäuren erfüllen wichtige Funktionen bei der Proteinsynthese in der Zelle.

Wie aus Abb. 8 zu ersehen ist, geben jeweils Dreier-Kombinationen dieser vier Basen (sogenannte Basentripletts) einer solchen RNA die Anweisung für den Einbau einer der zwanzig

Abb. 7 Nucleinsäuren

7a) Die Reduplikation der DNA

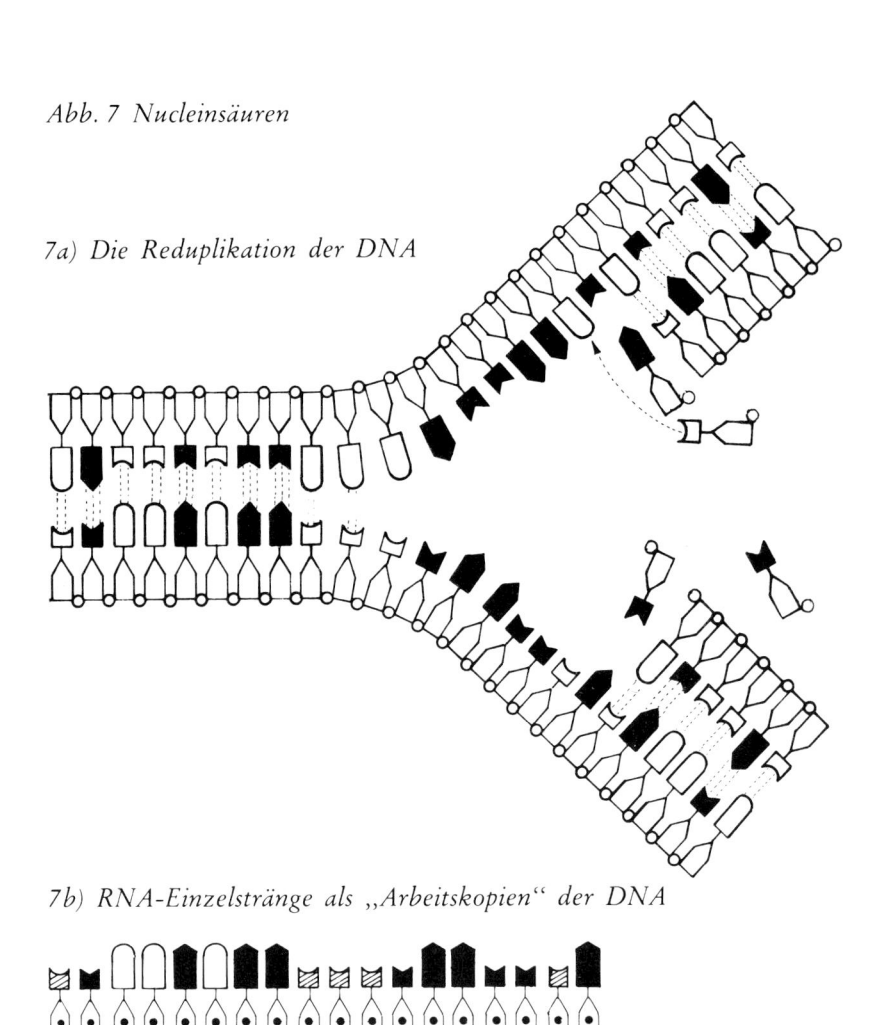

7b) RNA-Einzelstränge als „Arbeitskopien" der DNA

Zeichenerklärung

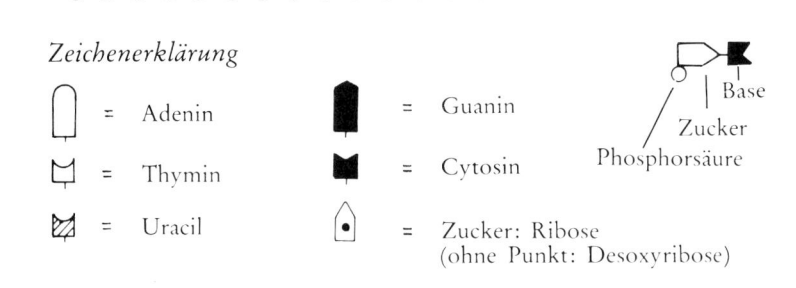

⌐⌐ = Adenin   ■ = Guanin

⌐⌐ = Thymin   ◀ = Cytosin

▨ = Uracil   ⌐•⌐ = Zucker: Ribose
                        (ohne Punkt: Desoxyribose)

| Base
/ Zucker
Phosphorsäure

Erläuterungen zu Abb. 7a) und 7b) von S. 36

7a) Aus dem Doppelstrang einer DNA (linker Teil der Abb. 7a) entstehen durch Lösen der schwachen Bindungskräfte (gestrichelte Linien) und Anlagerung neuer Nucleotide zwei identisch gleiche, neue Stränge, da sich immer A mit T und G mit C paaren (vgl. rechten Teil der Abb.)

7b) RNA-Stränge werden an der DNA gebildet: Die Reihenfolge der Basen (Basensequenz) wird an der DNA kopiert; anstelle von „T" (Thymin) in der DNA tritt in der RNA jedoch das chemisch verwandte „U" (Uracil). Die RNA als „Kopie" entspricht dem unteren Strang in der DNA, sie wurde durch die komplementären Basen an dem oberen Strang hergestellt

Aminosäuren in eine Eiweißkette. Die in der Zelle benötigten Eiweißarten, die sich voneinander nur durch die Reihenfolge unterscheiden, wie die Grundbestandteile (zwanzig Aminosäuren) in der Eiweißkette angeordnet sind, entstehen also auch nach genauer „Anweisung" durch die Nucleinsäuren (Erbinformationsträger).

Während, wie wir gesehen haben, den Nucleinsäuren die Rolle von Informationsträgern zukommt, haben die Proteine andere wichtige Funktionen in der Zelle: Sie sind als „Biokatalysatoren" verantwortlich für den Stoffwechsel oder können auch als Stützgewebe statische, festigende Funktionen haben.

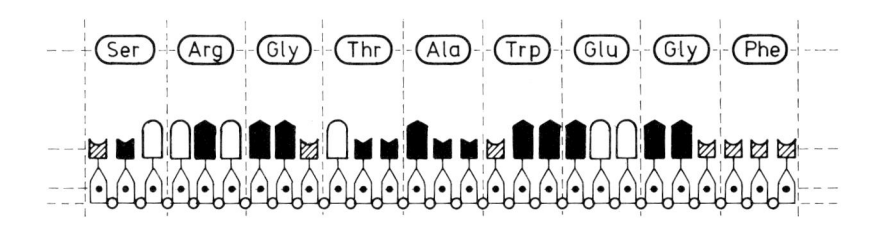

Abb. 8 Steuerung der Proteinsynthese durch Nucleinsäuren
Jeweils drei Basen (Triplett) geben die Anweisung zum Einbau einer bestimmten der zwanzig Aminosäuren in die Eiweißkette. Die in der Abb. 8 unten gezeichnete RNA-Kette steuert auf diese Weise die Synthese der Eiweißkette (oben), deren Bausteine (Aminosäuren) durch Abkürzungen zu je 3 Buchstaben symbolisiert sind.

Nachdem wir die Bedeutung dieser beiden Makromolekülarten kennengelernt haben, nämlich:
Nucleinsäuren = Informationsträger,
Proteine = Funktionsträger,
fragen wir noch einmal: Wer war zuerst da? Das Ei oder das Huhn? Die Nucleinsäuren oder die Proteine? Die Frage kann heute noch nicht eindeutig beantwortet werden. Einige Forscher nehmen an, daß sich zuerst Proteine oder proteinähnliche Makromoleküle (Proteinoide) gebildet haben (vgl. hierzu auch den nächsten Punkt c), andere vermuten, daß die chemische Evolution, die zu lebenden Organismen führte, durch Nucleinsäuren eingeleitet wurde [17]. Für beide Hypothesen gibt es experimentell belegbare Hinweise. Es könnte auch, wie M. Eigen aus reaktionskinetischen Überlegungen und Rechnungen folgert, durch eine gegenseitige Wechselwirkung von Proteinen (Träger katalytischer Funktionen) und Nucleinsäuren (Informationsträger) zur „Selbstorganisation der Materie" in „selbstinstruktiven katalytischen Überkreisen" gekommen sein [18]. Was damit gemeint ist, soll kurz erläutert werden:
Bei chemischen Reaktionen – im vorliegenden Fall wäre es das Ankoppeln von einzelnen Grundbausteinen zu Oligomeren [19], also zunächst noch relativ kurzkettigen Molekülketten – laufen gleichzeitig auch immer entgegengesetzte Stoffumsetzungen ab, hier wäre es also die Entkoppelung der vorher einmal zusammengebundenen Einzelbestandteile. Man muß also bedenken, daß in den Urmeeren bei den ständig nebeneinander ablaufenden An- und Entkoppelungsreaktionen sich diejenigen Ketten-Reihenfolgen angereichert haben müßten, die den stärksten autokatalytischen Effekt zeigten (autokatalytisch soll heißen, eine Molekülreihenfolge begünstigt das Entstehen der gleichen Molekülreihenfolge).
Einen erheblichen selektiven Vorteil (zur Aussonderung von ungünstigen, parasitären Abweichungen der Makromoleküle) könnte eine sehr bald einsetzende Wechselwirkung von Proteinen und Nucleinsäuren gebracht haben, wie es die Abb. 9 zeigt: Die Wechselwirkung zwischen Proteinen und Nuclein-

säuren mag dabei noch nicht so exakt wie in heutigen Lebewesen funktioniert haben, aber doch schon eine, wenn auch weniger genaue Beeinflussung gezeigt haben: Nucleinsäuren können die Aminosäuresequenz in den entstehenden Proteinen beeinflussen (vgl. Abb. 8), Proteine hingegen zeigen katalytische Funktionen und könnten die Bildung von bestimmten Nucleinsäuren begünstigt haben. Wenn das letzte Glied in einem solchen „Überkreis" schließlich wieder das Anfangsglied bevorzugt entstehen läßt, werden alle Glieder dieses Kreises schließlich auf Kosten anderer Kombinationen angewachsen sein.

Abb. 9 Selbstinstruktive katalytische Überkreise
Die Informationsträger (Nucleinsäuren) N_1, N_2, N_3 usw. können sich selbst reproduzieren. Die Funktionsträger (Eiweißstoffe) P_1, P_2, P_3 usw. entstehen mit Hilfe der Nucleinsäuren und könnten als Katalysatoren die Bildung der Nucleinsäuren begünstigt haben. Wenn das letzte Glied in dieser Kette (P_i) die erste Nucleinsäure (N_1) begünstigt, könnten sich alle Glieder dieses „selbstinstruktiven katalytischen Überkreises" auf Kosten anderer im Urmeer angereichert haben

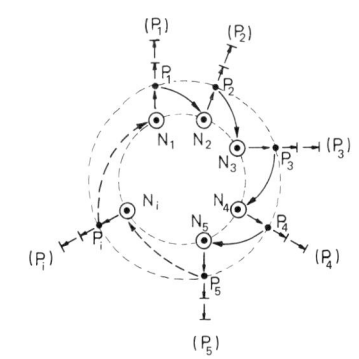

c) Entstehung von Protozellen

Neben dem Vorhandensein von organischen Mikromolekülen und der Bildung von Makromolekülen war es als dritte Voraussetzung notwendig, daß abgegrenzte kleine Gebilde entstanden, in denen sich ein aufeinander abgestimmtes molekulares Geschehen heranbilden konnte. Heutige Bakterien-Zellen – es sind Prokaryonten [20] – haben im groben Durchschnitt einen Durchmesser von einem Mikrometer, also den tausendsten Teil eines Millimeters. Es ist eine erstaunliche Erkenntnis, daß es Fox und seinen Mitarbeitern gelungen ist [21], unter Bedingungen, wie sie an bestimmten Orten früher einmal auf unserer

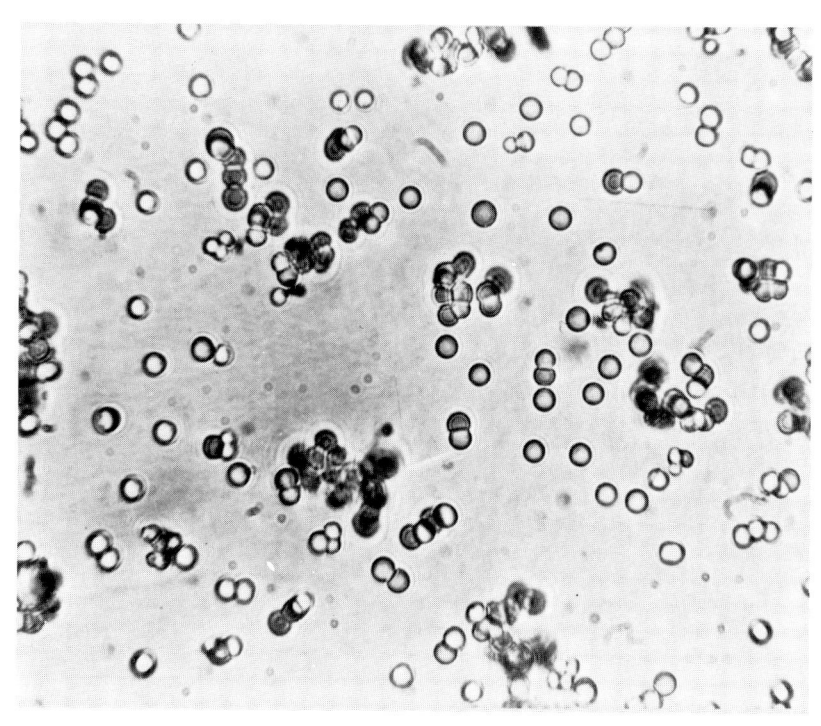

Abb. 10 Microspheres
Künstlich hergestellte Zell-Attrappen, jedoch keine lebenden Organismen

Erde geherrscht haben könnten, aus den Grundbausteinen für Proteine allmählich Gebilde auf abiotischen Wegen herzustellen, die, wie ein Blick auf Abb. 10 zeigt, wie heute lebende Mikroorganismen auszusehen scheinen [22].
Noch erstaunlicher ist, daß solche künstlich hergestellte „Microspheres", wenn man sie längere Zeit in der Mutterlauge beließ, welche noch „Proteinoide" [22] enthielt, anfangen zu knospen, wie auf der Abb. 11b unten rechts ersichtlich ist. Diese Sprosse wachsen, vgl. Abb. 11c (Zustand nach 42 Stunden) und Abb. 11d (nach 68 Stunden), bis sie nach Erreichen einer bestimmten Größe sich teilen und damit zwei getrennte Microspheres bilden (vgl. Abb. 12). Beachtenswert ist außerdem

a) 2 Stunden *b) 25 Stunden*

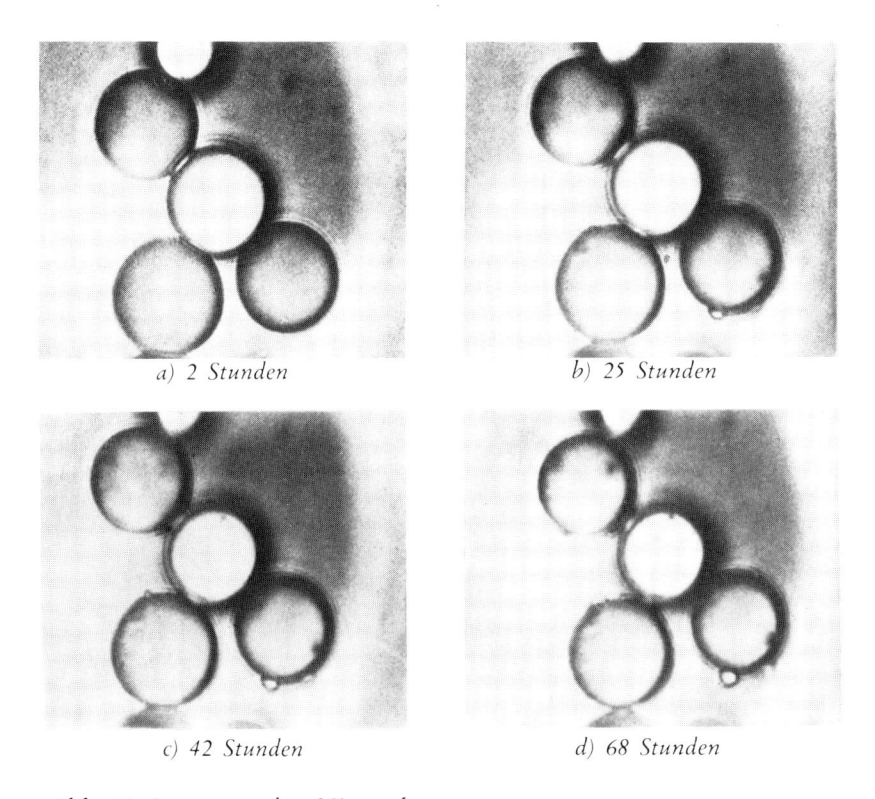

c) 42 Stunden *d) 68 Stunden*

Abb. 11 Sprossung der Microspheres
Nach 25 Stunden sind (insbesondere unten rechts) kleine Sprosse entstanden, die im weiteren Verlauf wachsen

eine Ähnlichkeit, die solche künstlich hergestellten Microspheres mit fossilen Funden aufweisen, wie Fox es in einer seiner Publikationen zeigt [23]. Die Abb. 13 zeigt diese Gegenüberstellung, und zwar rechts die Microspheres und links die fossilen Reste. Ob es sich dabei, wie Fox damals schon angenommen hat und auch als wahrscheinlich gilt *[24]*, um die fossilen Spuren solcher lebloser Microspheres oder um Überreste von einstigen Lebewesen handelt, ferner, ob der Weg zum Leben tatsächlich über diese Stufe der Entwicklung einmal wirklich gegangen ist, mag dahingestellt bleiben. Die Versuche von Fox

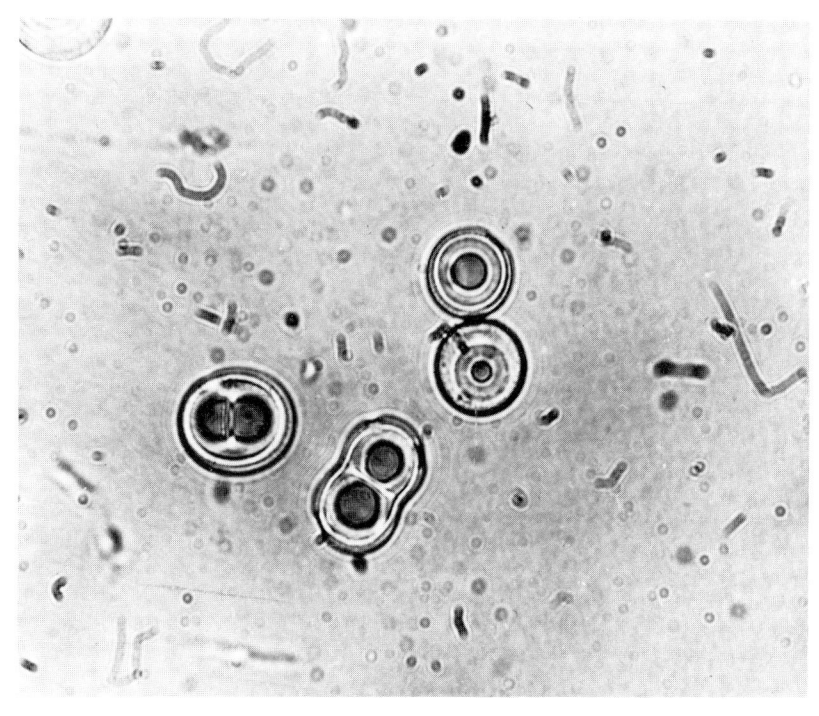

Abb. 12 Teilung der Microspheres
Die Sprosse wachsen und trennen sich schließlich als neue Microspheres ab. Die Mikro-Aufnahme zeigt in sehr schöner Weise die zufällig drei nebeneinander liegenden Stadien dieses Teilungsvorganges

zeigen jedoch, daß es in heute unternommenen „Simulationsexperimenten" möglich ist, zellähnliche Gebilde durch abiotische Reaktionen zu erzeugen.
Es ist ferner aus der experimentellen Biochemie bekannt, daß sich Membranen spontan ausbilden können, wenn man die zu ihrem Aufbau notwendigen chemischen Stoffe zusammenbringt.

Diese Überlegungen zeigen, daß es prinzipiell möglich gewesen sein konnte, daß im Wasser der Früherde kleine, zellähnliche Gebilde durch Absonderung von der Umgebung entstanden. In

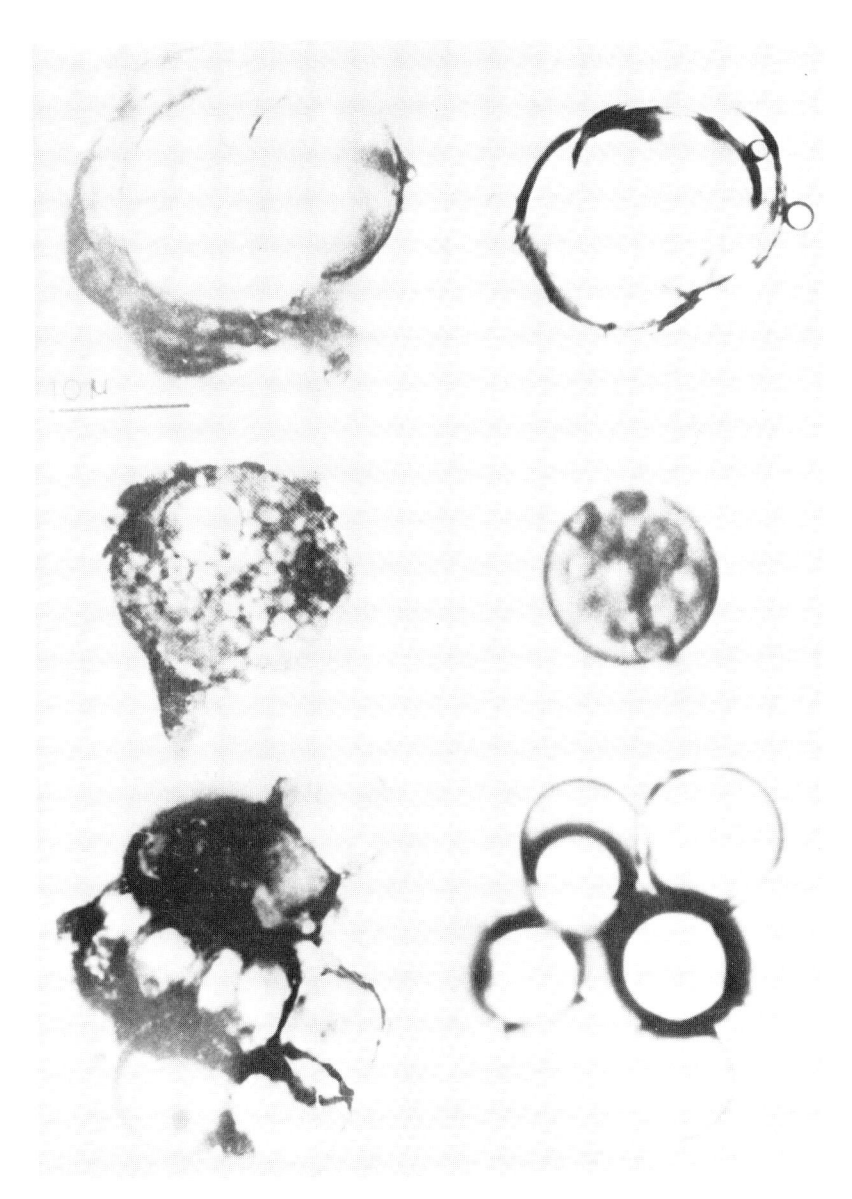

Abb. 13 Gegenüberstellung von fossilen Funden (links) und künstlich hergestellten Microspheres (rechts)

43

diesen konnte sich dann allmählich durch ein gutes Aufeinander-Abgestimmtsein chemischer Reaktionen so etwas herausbilden, was wir bei heute lebenden einzelligen Organismen als biochemische Reaktionsabläufe, als „Leben" bezeichnen.

Möglicherweise haben sich dann in solchen abgeschlossenen Gebilden Reproduktionsmechanismen nach Art der *Eigen*schen autokatalytischen Überkreisen (vgl. Punkt b) weiterentwickelt, so daß diese nach den Darwinschen Prinzipien von Mutation und Selektion [25] die benötigten Proteine immer besser und schneller aus den eindiffundierten Mikromolekülen aufgebaut haben, bis allmählich im Verlaufe der Jahrmillionen ein Übergang von solchen „Praezellen" zur ersten sich regelmäßig teilenden, mit einem primitiven „Stoffwechsel" ausgestatteten, „lebenden" Zelle vollzogen werden konnte.

Welche Art solche Mutationen prinzipiell sein können, ist heute weitgehendst aufgeklärt: Energiereiche Strahlen (z. B. radioaktive Strahlen) und chemische Stoffe verschiedenster Art können Änderungen in der Reihenfolge, wie die vier Basen in den Nucleinsäuren aufeinanderfolgen, hervorrufen. Meistens sind diese Veränderungen nachteilig und führen in der Regel zum Verlust wichtiger Funktionen im Organismus und damit zum Absterben einer solchen mutierten Zelle. Nur in wenigen Ausnahmefällen zeigen diese Veränderungen (günstige Mutationen) Vorteile gegenüber den bisherigen Eigenschaften. In solchen Fällen führen diese Vorteile zu einer besseren Selektion (nach Darwin: survival of the fittest = Überleben des am besten Angepaßten).

d) Folgerungen

Bei all den eben angegebenen Experimenten und Überlegungen wird deutlich, daß die uns umgebende Materie solche Eigenschaften hat, daß dann, wenn die Bedingungen günstig sind, Leben entstehen kann. Dieser Weg zum Leben ging dabei über eine schier unübersehbare Anzahl kleiner Schritte, die aber alle innerhalb der Eigenschaften der materiellen Welt liegen.

Wegen der ungeheuer großen Zahl der innerhalb der bekannten Gesetzmäßigkeiten überhaupt möglichen Einzelschritte und Wege wird es nicht möglich sein, zu sagen, wie der historische Verlauf einmal tatsächlich war. Es wird außerdem auch schwerlich gelingen, heute einen solchen Weg in sehr kurzer Zeit experimentell nachvollziehen zu können, d. h. im Laboratorium aus einfachen abiotischen Mikromolekülen Leben zu erzeugen, denn für diese Entwicklung standen in der Erdgeschichte Millionen von Jahren zur Verfügung, und diese für den Gesamtvorgang notwendige Zeit ließe sich nicht willkürlich auf Experimente verkürzen, die nur wenige Tage oder Jahre andauern. Wir erkennen daraus, daß die heute unternommenen „Simulationsexperimente" in erster Linie den Zweck verfolgen, Gesetzmäßigkeiten zu erkennen, durch die es zur Entstehung des Lebens kommen konnte. Wie wir gesehen haben, geht der Weg zum Leben über eine sehr große Zahl aufeinanderfolgender Entwicklungsstufen.

Es ist schwer zu sagen, an welcher Stelle man den Beginn des eigentlichen Lebens auf unserer Erde ansetzen müßte. Genau die gleiche Schwierigkeit hat man, wenn man, wie anfangs dieses Unterkapitels erwähnt, naturwissenschaftlich exakt Leben definieren soll. Wohl kann man Lebensvorgänge durch biochemische Reaktionen exakt beschreiben, aber ein lebender Organismus ist mehr als die Summe aller aufeinander abgestimmten Einzelreaktionen. Dennoch kann man annehmen, daß dieses Neue, was wir als Leben bezeichnen, sich aus solchen aufeinander abgestimmten biochemischen Reaktionen in abgeschlossenen Gebilden ohne Einwirkung einer besonderen „Lebenskraft" entwickelt hat. Das, was so entstanden ist, gehört dann aber einer neuen, höheren Kategorie an. Eine vollkommene, umfassende Beschreibung nur durch biochemische Reaktionen wäre dann wahrscheinlich zu eng und würde dem Phänomen „Leben" nicht gerecht werden.

Auch reichen die Darwinschen Prinzipien von zufälliger Mutation und von Selektion der geeignetsten Makromoleküle allein nicht aus, um damit die Entstehung des Lebens erklären zu können. Wohl bieten diese Prinzipien eine hinreichende Erklärungsmöglichkeit, um die Mechanismen zu verstehen, nach welchen sich aus abiotischen Stoffen schließlich lebende Strukturen aufgebaut haben. Wenn sich aber aus Atomen und chemischen Verbindungen ein so wunderbares Aufeinander-Abgestimmtsein eingestellt hat, wie es bei lebenden Organismen zu beobachten ist, ist dies nicht anders vorstellbar, als daß einem solchen Geschehen Pläne zugrunde liegen, die dann nach den Gesetzen der Chemie und der Physik (durch Mutation und Selektion) ausgeführt werden, so wie einem wohlgeordneten Bauwerk z. B. dem Kölner Dom oder auch nur einem sehr einfachen Haus ein Plan zugrunde liegt, der dann von den Bauarbeitern ausgeführt wird. Das, was die Biochemie und Molekularbiologie mit ihren Gesetzmäßigkeiten erforschen kann, ist vergleichbar mit dem, was ein Beobachter von weitem, gewissermaßen durch ein Fernrohr, beim Bauvorgang eines Gebäudes sehen kann. Die Einblicke in die vorher entworfenen Pläne bleiben ihm jedoch verwehrt. Eine geniale Grundkonzeption, die bei der Entstehung des Lebens in die Tat umgesetzt werden konnte, kann man nachträglich mit naturwissenschaftlichen Mitteln wohl feststellen, man hat aber mit solchen Methoden keinen Zugang zu den Plänen oder gar zu dem Planer selbst.

Wir können deshalb nur feststellen, daß Leben entstehen konnte, weil die Materie, die chemischen Elemente, die Elementarteilchen gerade so beschaffen sind, wie wir sie kennen. Leben konnte dann deshalb seinen Anfang nehmen, weil die materiellen Voraussetzungen auf der Erde für eine solche Entwicklung günstig waren. Auf anderen Planeten im Kosmos wär dann, da überall die gleichen chemischen Elemente vorhanden sind [26], unter erdähnlichen Bedingungen die Entstehung von Leben möglich.

1.3 Die Auffaltung der Arten

Alle Lebewesen auf unserer Erde sind aus einer gemeinsamen Wurzel entstanden. Für die Richtigkeit einer solchen Annahme sprechen zwei wichtige biochemische Fakten:
1) Alle Lebewesen besitzen in den Nucleinsäuren den gleichen Code, enthalten als Informationsträger die gleichen Basen (Nucleotide), obwohl vielleicht auch andere Basen theoretisch möglich wären.
2) Die Aminosäuren in den Proteinen aller Lebewesen bestehen nur aus der optisch aktiven L-Form. Wenn sich chemische Verbindungen durch Reaktionen bilden, wie man dies bei der Entstehung von organischen Verbindungen in der Frühzeit der Erde annehmen kann, enthalten sie immer die beiden „optischen Antipoden" [27], das sind, ähnlich wie beim rechten und linken Handschuh, zwei miteinander nicht zur Deckung zu bringende, spiegelbildliche Formen, die ansonsten die gleichen Bestandteile enthalten, und zwar beide Antipoden, also die L- und die D-Form immer zu gleichen Teilen (vgl. Abb. 14).

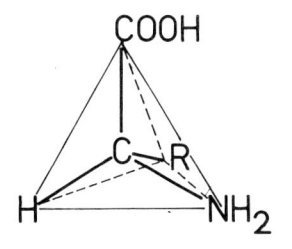

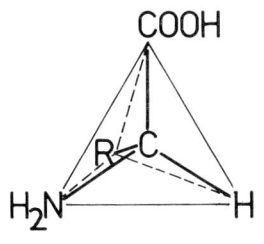

Abb. 14 D- *und* L-*Aminosäuren*
Lebende Organismen zeigen nur die L-*Form, ein Hinweis, daß alle Lebewesen miteinander verwandt sind, voneinander abstammen.* D- *und* L-*Form unterscheiden sich voneinander wie z. B. rechter und linker Handschuh: sie enthalten die gleichen Bestandteile in spiegelbildlicher Anordnung, sind jedoch nicht miteinander zur Deckung zu bringen. Der Grund: Am Kohlenstoffatom im Tetraederzentrum sind vier verschiedenartige Bindungspartner (in den Tetraederecken) gebunden*

Bei biochemischen Reaktionen hingegen, die mit Hilfe von Enzymen ablaufen, können durch diese Biokatalysatoren immer nur entweder die L- oder die D-Form in die Eiweißketten eingebaut werden. Von den ursprünglich vorhandenen beiden Möglichkeiten, daß entweder die L-Form oder die D-Form am Aufbau der Lebewesen teilhaben konnten, ist die L-Form genutzt worden, hat gewissermaßen den „Sieg" davongetragen, während die andere Möglichkeit in keinem heute lebenden Organismus mehr zu finden ist, nicht verwertet worden ist. Die einmal vorhandenen Moleküle der D-Form haben sich im Laufe der Erdgeschichte in andere Verbindungen umgewandelt, oder sie sind wieder in die Elemente zerfallen. Fänden wir heute Lebewesen, die nur die D-Form enthielten, so wären diese mit Sicherheit einem anderen Ursprung zuzuordnen, als wie sie für alle heute lebenden Arten bestehen. Die Abwesenheit solcher Organismen hingegen wäre ein Hinweis, daß alle heute existierenden Lebewesen von einer gemeinsamen Wurzel abstammen. Einige weitere Beweise für die Verwandtschaft und die gemeinsame Abstammung aller Lebewesen werden auf S. 50 genannt.

Das Leben hat sich wie ein Baum entfaltet, der immer neue Äste trägt. Es hat im Wasser seinen Anfang genommen; es waren zuerst anaerobe einzellige Lebewesen [28], die von den reichlich in den Urmeeren vorhandenen organisch-chemischen Verbindungen leben konnten. Durch das sich ausbreitende Leben sind die Urmeere an diesen chemischen Stoffen immer mehr verarmt. Neue Lebewesensarten, die durch Mutationen den Vorteil erlangten, organische Verbindungen (Kohlenstoffverbindungen) aus dem Kohlendioxid der Luft mit Hilfe der Sonnenenergie aufzubauen, waren nun nicht mehr auf die Anwesenheit von organischen Stoffen in den Urmeeren angewiesen. Dabei haben diese Lebewesen – zuerst Blaualgen, später Algen [29] – Sauerstoff abgegeben, die ursprünglich sauerstofffreie Atmosphäre der Erde erhielt auf diese Weise immer mehr Sauerstoff. Aus diesem Sauerstoff konnte sich durch die ultraviolette Strahlung in den oberen Luftschichten Ozon bilden [12], damit verminderte sich die lebensfeindliche Ultraviolett-

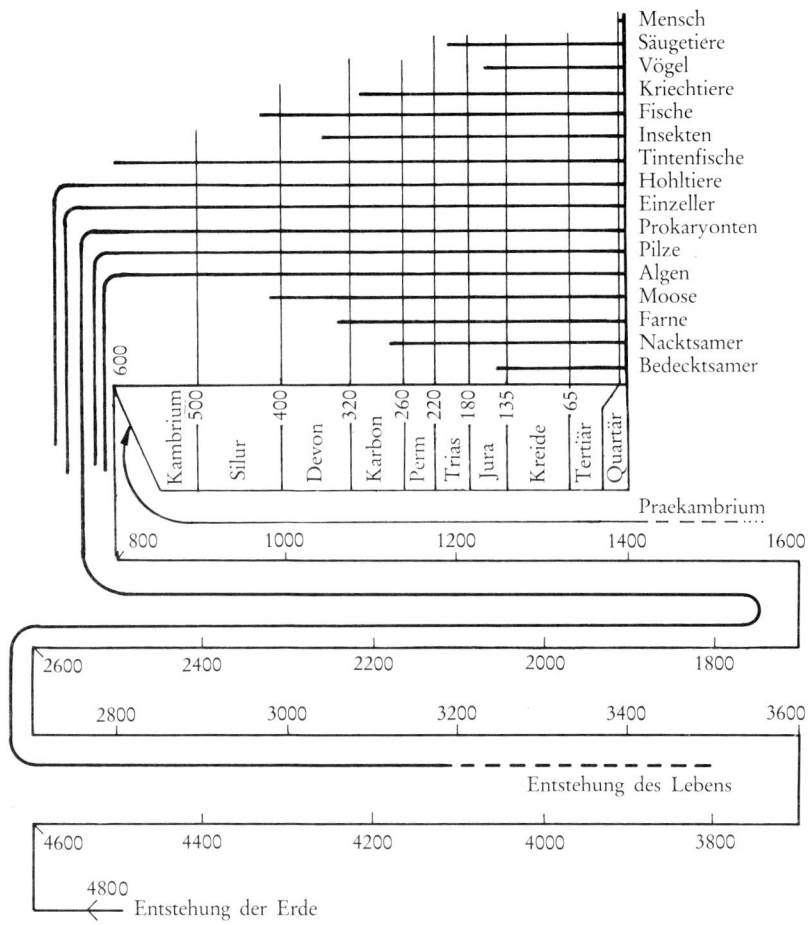

Abb. 15 Evolution des Lebens im Verlauf der Erdgeschichte
Die Erde besteht seit ca. 4,8 Milliarden Jahren. Wahrscheinlich ist vor ca. 3,5 Milliarden Jahren Leben auf unserer Erde entstanden. Von diesem ersten Ursprung her kam es im Verlaufe der Erdgeschichte durch einen gewaltigen Evolutionsprozeß zur Entstehung und Auffaltung der Arten. Aus dieser Entwicklung ist schließlich der Mensch hervorgegangen
Die Abb. zeigt, wann im Verlaufe der Erdgeschichte verschiedene Lebewensklassen entstanden sind. Die Zahlen markieren die zurückliegende Zeit in Millionen von Jahren. Eine stürmische Aufwärtsentwicklung brachte der Übergang von den Prokaryonten (zellkernlose, einzellige Organismen) zu den Eukaryonten (alle übrigen, also Zellkerne enthaltende Lebewesen).

Strahlung auf der Erde, so daß Leben auch außerhalb des schützenden Wassers existieren konnte. Auf diese Weise konnte auch das Land besiedelt werden. Alle heute lebenden Arten, alle Pflanzen, alle Tiere und auch der Mensch haben sich aus diesem gemeinsamen Ursprung zu den heutigen Formen entwickelt. Die Abb. 15 zeigt umrißhaft diese Entwicklung auf.
Wichtige Prinzipien, nach denen die Evolution erfolgt ist, sind Mutation und Selektion [25]. Charles Darwin hat diese Abstammungslehre als erster auf umfangreichen Forschungsreisen untermauert und durch viel Beweismaterial belegt [30].

Die Abstammungslehre kann heute als gesichert angesehen werden. Als Beweise können angeführt werden:
1) Durch archäologische Funde ist belegt, daß im Laufe der Erdgeschichte die Differenzierung des Lebens ständig zugenommen hat; die höher organisierten Lebewesen sind erst in späteren erdgeschichtlichen Epochen erschienen. Das bedeutet, die höheren Lebewesen haben sich aus den niederen Lebensformen heraus entwickelt.
2) Die verschiedensten Arten zeigen gewisse Verwandtschaftsbeziehungen untereinander, sie lassen eine „Formverwandtschaft" erkennen, ihnen liegt ein ähnlicher Bauplan zugrunde. Viele homologe Organe oder Körperteile haben bei den verschiedensten Lebewesen ähnliche Funktionen, ähnliche Gestalten (z. B. Augen, Füße, Herz, Blut usw.)
3) Es ist auch heute ein allmählicher Gestaltswandel der lebenden Organismen durch Mutation und Selektion zu beobachten: Lebewesen mit günstigen Veränderungen, die eine bessere Anpassung an die jeweiligen Umweltbedingungen zeigen, haben größere Überlebenschancen und tragen bei einer größeren Vermehrungsrate durch Weitergabe der Erbinformationen an die kommenden Generationen dazu bei, daß diese Eigenschaften sich allmählich durchsetzen.
4) Die höheren Lebewesen durchlaufen bei der Entwicklung von der Eizelle bis zum fertigen Lebewesen viele primitive Lebensstufen, in großen Zügen macht also ein höher entwik-

keltes Lebewesen, z. B. ein Säugetier, bei seiner Individualentwicklung die Entwicklung der gesamten Stammesgeschichte durch. E. Haeckel konnte schon 1870 die sog. biogenetische Grundregel formulieren. Sie besagt: Die „Ontogenie ist die kurze und schnelle Rekapitulation der Phylogenie."

5) Der überzeugendste und eindeutigste Beweis kommt aus der Molekularbiologie: Man hat miteinander vergleichbare Eiweißstoffe verschiedener Lebewesen analysiert und dabei die Reihenfolge der in ihnen enthaltenen Aminosäuren ermittelt. Die Abb.16a zeigt, durch dunkles Feld markiert, welche Aminosäuren (jeweils aus drei Buchstaben bestehende Abkürzungen) bei folgenden Lebewesen gleich sind: Hefe,

Gly	Asp	Val	Glu	Lys	Gly	Lys	Lys	Ile	Phe	Val	Gln	Lys	Cys	Ala	Glu	—
Cys	His	Thr	Val	Glu	Lys	Gly	Gly	Lys	His	Lys	Tyr	Gly	Pra	Asn	Leu	—
His	Gly	Leu	Phe	Gly	Arg	Lys	Thr	Gly	Glu	Ala	Pro	Gly	Phe	Thr	Tyr	—
Tyr	Asp	Ala	Asn	Lys	Asn	Lys	Gly	Ile	Thr	Try	Lys	Glu	Glu	Thr	Leu	—
Met	Glu	Tyr	Leu	Glu	Asn	Pro	Lys	Lys	Tyr	Ile	Pro	Gly	Thr	Lys	Met	—
Ile	Phe	Ala	Gly	Ile	Lys	Lys	Lys	Thr	Glu	Arg	Glu	Asp	Leu	Ile	Ala	—
Tyr	Leu	Lys	Lys	Ala	Thr	Asn	Glu

16a) Vergleich der Aminosäurensequenz des Cytochroms c aus Pferdeherz mit entsprechenden Aminosäuren von Hefe, Thunfisch, Huhn, Kaninchen, Schwein, Mensch.

Dunkles Feld bedeutet Übereinstimmung der Aminosäure bei allen oben genannten Lebewesen. Wird die Hefe nicht berücksichtigt, so steigt die Zahl der übereinstimmenden Aminosäuren noch um die nur umrandeten Glieder.

16b) Stammbaum der Lebewesen aufgrund der mutierten Aminosäuren im Cytochrom

Vergleich der Arten	Zahl der veränderten Aminosäuren	10^6 Jahre seit der Verzweigung
Pferd — Mensch	12	130
Pferd — Schwein	3	33
Pferd — Huhn	12	108
Schwein — Huhn	10	bis
Kaninchen — Huhn	11	150
Mensch — Huhn	14	
Pferd — Thunfisch	19	184
Schwein — Thunfisch	17	bis
Kaninchen — Thunf.	19	228
Mensch — Thunfisch	21	
Huhn — Thunfisch	18	
Pferd — Hefe	44	465
Schwein — Hefe	43	bis
Kaninchen — Hefe	45	520
Mensch — Hefe	43	
Huhn — Hefe	43	
Thunfisch — Hefe	48	

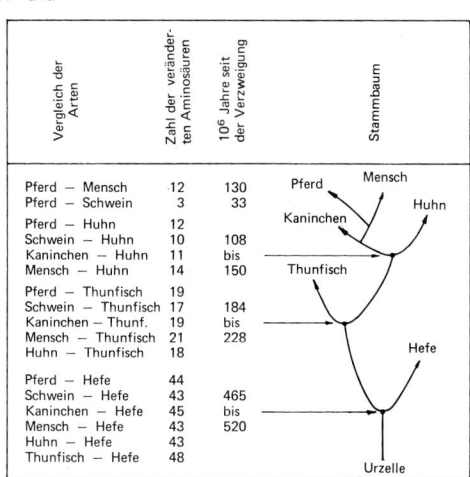

Abb. 16 Die Aminosäurensequenz, ein Beweis für die Abstammung

Thunfisch, Huhn, Kaninchen, Schwein, Pferd, Mensch. Die in der Abbildung wiedergegebene Reihenfolge stammt von dem aus Pferdeherz gewonnenen Cytochrom c [31]. Wenn die Hefe nicht berücksichtigt wird, steigt die Zahl der übereinstimmenden Aminosäuren noch um die nur umränderten Glieder. Wenn man bedenkt, daß es bei 104 Aminosäuren mehr als 10^{135} Möglichkeiten gibt, wie man diese Aminosäuren zu Ketten von jeweils 104 Gliedern kombinieren kann, so wird es einleuchten, daß diese Übereinstimmung nicht zufällig ist, sondern abstammungsmäßige Ursachen hat.

Das wird noch deutlicher, wenn wir, wie es in Abb. 16b geschehen ist, die Anzahl der zwischen den Arten differierenden Aminosäuren berücksichtigen. Man kann auf diese Weise einen molekularbiologischen Stammbaum der Abstammung aufstellen. Die Abänderung der Aminosäuren werden verursacht durch Mutationen, deren molekularbiologischen Reaktionen im Prinzip bekannt sind. Es zeigt sich deutlich, daß die Arten voneinander abstammen.

Aber auch hier gilt wiederum das Gleiche, wie schon früher (S.45f) festgestellt: Zufällige Mutationen und Selektion erklären allein wohl die Ausführung, den Weg, wie es zur Auffaltung und Entstehung der Arten kommen konnte, jedoch müssen dann der Materie solche Eigenschaften inhärent sein, damit die vielfältigsten Lebewesen sich bilden konnten, daß bei dem aufeinander abgestimmten, wohlgeordneten Geschehen in den Organismen sich etwas realisieren konnte, was überall Zweckhaftigkeit erkennen läßt und den Schluß nach einem voraussehenden Planer nahelegt. Alle Lebewesensformen, die auf der Erde entstanden sind und noch jemals entstehen könnten, wären dann nur Realisationen von Bauplänen, die der Materie in einer genialen Grundkonzeption schon bei ihrem Entstehen mitgegeben wurden, letztendlich in den Grundbausteinen der materiellen Welt enthalten sind.

Bei der Auffaltung der Arten, bei der Evolution zu höherentwickelten Lebewesen, zeigt sich sehr deutlich eine Zunahme an „Erbinformation". Die Abb. 17 zeigt in der senkrechten Achse (im logarithmischen Maßstab) die Anzahl der Informationseinheiten (Gensorten, sie entsprechen ungefähr der Organisationshöhe), die waagerechte Achse zeigt den zeitlichen Verlauf der Evolution von den Ursprüngen bis heute.

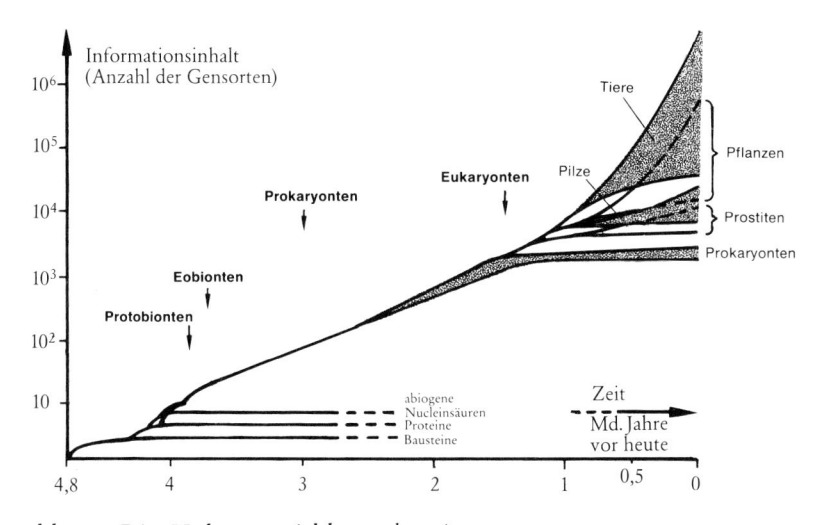

Abb. 17 Die Höherentwicklung der Arten
Diese Abb. zeigt die Zunahme an Informationsinhalt (senkrechte Achse) im Verlaufe der Erdgeschichte (waagerechte Achse)

1.4 Die Evolution zum Menschen

Aus dem Unterkapitel 1.3 geht eindeutig hervor, daß der Mensch exakt nachzuweisende „Verwandtschaftsgrade" mit allen auf der Erde anzutreffenden Lebewesensarten zeigt. Fragen wir nun nach der eigentlichen Abstammung des Menschen. Was wissen wir über die Herkunft des Menschen?
Aus den bis heute vorliegenden archäologischen, fossilen Funden zeichnet sich umrißhaft folgendes Bild ab: Der Mensch hat sich über eine Reihe verschiedener Zwischenstufen aus einer gemeinsamen Wurzel, die wir mit den heute lebenden Men-

schenaffen haben, entwickelt. Die Trennung von dieser gemeinsamen Linie mag vor 20 bis 30 Millionen Jahren erfolgt sein. Bei dem zum Menschen führenden Ast zeigen sich dabei verschiedene, markante Trends bezüglich der körperlichen Entwicklung, von denen hier besonders wichtige genannt seien:
- Der Erwerb des aufrechten Ganges und damit verbunden die Anpassung des Rumpfskeletts an die neue Körperhaltung, die Umbildung der Füße, die zugunsten einer besseren Standfestigkeit die Greiffähigkeit verlieren.
- Die Hände, die nicht mehr zur Fortbewegung benötigt werden, zeigen eine Umbildung von der „äffischen Greifhand" zur „menschlichen Manipulierhand", welche bei den heute lebenden Menschen in einer sehr differenzierten (sensorischen und motorischen) Wechselwirkung mit dem Gehirn steht.
- Das Gehirnvolumen erfährt eine sehr starke Zunahme von 500 auf 1400 ccm [32], damit verbunden eine Umgestaltung des Schädels, eine Zunahme des Gehirnschädels und eine Reduzierung des Gesichtsschädels (Verschwinden der „Affenschnauze"), schließlich eine Verminderung der Zahnzahl.

Die Abb. 18 zeigt, wie die Entwicklung abgelaufen sein könnte.

Die bis heute ausgegrabenen Funde sind sehr lückenhaft. Vor allem bei den weiter zurückliegenden Zeiten fehlen Zwischenglieder über Millionen von Jahren. Der *Ramapithecus* stellt eine sehr frühe Stufe auf dem Wege zur Hominisation dar. Verschiedene Funde in Ostafrika und Indien stammen aus einer Zeit vor etwa 14 bis 8 Millionen Jahren. Die Entwicklungszweige der *Australopithecinae*, die vor etwa 5,5 bis 1 Millionen Jahren gelebt haben, liegen wahrscheinlich nicht auf der direkten menschlichen Abstammungslinie.

Die zum Menschen führende Evolution ging über die Zwischenstufen des *Homo habilis* (Funde am Rudolfsee und in der Olduvai-Schlucht) und *Homo erectus* zum *Homo sapiens*. Vom *Homo erectus*, der sich (wahrscheinlich von Afrika kommend)

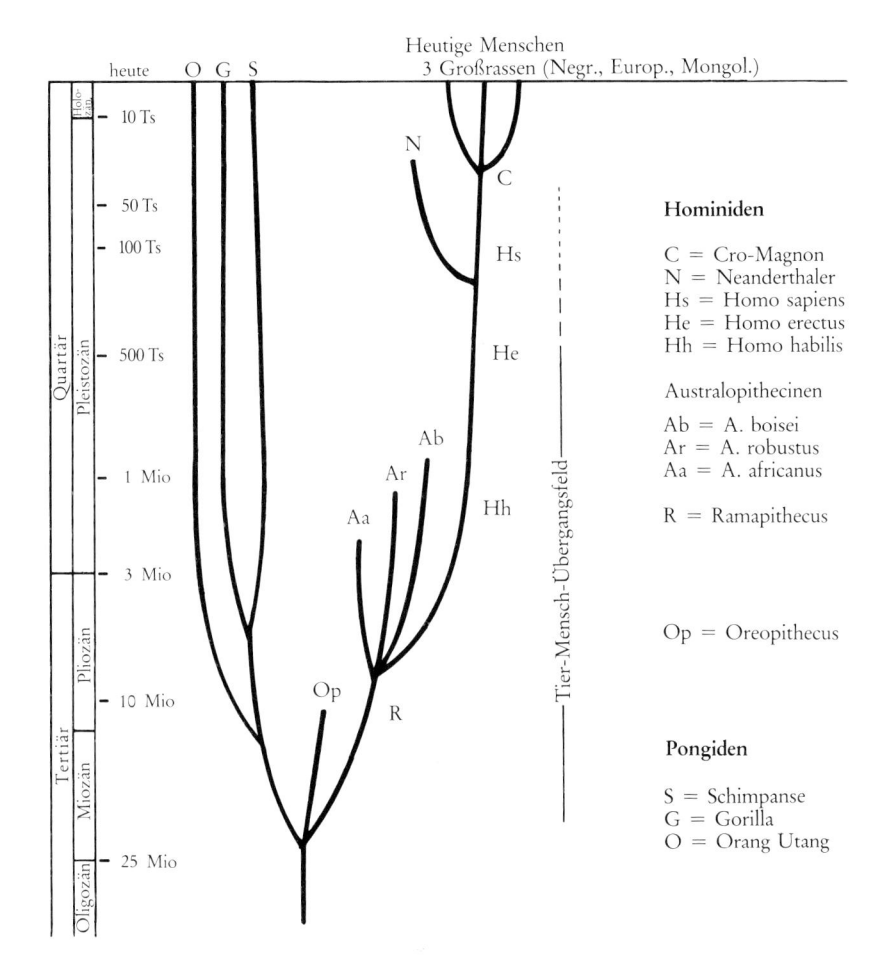

Abb. 18 Stammbaum der Hominoiden
Vor etwa 25 Millionen Jahren erfolgte die Abtrennung der Hominiden von den Pongiden (Menschenaffen). Der Oreopithecus (Op) ist wahrscheinlich eine eigene, vor ca. 10 Millionen Jahren ausgestorbene, in Richtung Hominiden tendierende Linie. Die verschiedenen vor 1 bis 2,5 Millionen Jahren ausgestorbenen Australopithecinen liegen nach heutiger Kenntnis nicht in der direkten, zum Menschen führenden Entwicklungslinie. Auch der Neanderthaler (N), der schon ein „vernunftbegabter" Mensch war, kann nicht als Vorfahre der heute lebenden Menschen betrachtet werden. Die Aufspaltung in die heute existierenden Großrassen erfolgte vielleicht erst vor weniger als 50 000 Jahren

über die gesamte alte Welt ausgebreitet hat, liegen Funde aus Asien (Pekingmensch, Javamensch), Europa (Heidelberg) und Afrika (Olduvai, Rudolfsee und Rhodesien) vor. Zum *Homo sapiens* zählen der am Ende der letzten Eiszeit ausgestorbene *Neanderthaler* und der *Cro-Magnon*, ein direkter Vorfahre der heute lebenden Menschen.

Der Prozeß der Hominisation erfolgte in einem breiten Übergangsfeld. Die körperlichen Änderungen haben sich bereits in der subhumanen Phase vollzogen (insbesondere der aufrechte Gang, die Ausbildung der „Manipulierhand"). Ihnen folgte später eine starke Zunahme des Gehirnvolumens. So wurden diese Lebewesen zur Kulturfähigkeit prädisponiert. Beim Übergang vom tropischen Urwald zu den offenen Savannen waren diese Lebewesen viel stärker den feindlichen Raubtieren ausgesetzt. Der Gebrauch von vorgefundenen Gegenständen als primitive „Werkzeuge" mag zum Schutz gegen Raubtiere dienlich gewesen sein und auch Vorteile zum Erlegen von Beutetieren gebracht haben. Die durch die Benutzung solcher Geräte erworbenen Fähigkeiten haben nicht nur eine stimulierende Wirkung auf diese Individuen ausgeübt und sich bald durch Nachahmung auf ganze Populationen übertragen, sondern diese neuen Eigenschaften brachten auch entscheidende Selektionsvorteile mit sich. Solche Populationen konnten dann neue „ökologische Nischen" [33] erobern, das Tor zu einer „Geräte-Umwelt" öffnen und den Weg in Richtung auf eine kulturelle Evolution einschlagen, in deren weiterem Verlauf Kommunikationsmöglichkeiten eine zentrale Bedeutung erlangen mußten. Durch die Entwicklung der Sprache war die Weitergabe von Erfahrung nicht mehr auf die Anwesenheit von Bezugs-Gegenständen notwendig, denn man konnte die Erfahrungen mit Worten weiter vermitteln. Die Möglichkeit, Sprache in Schrift dauerhaft niederzulegen, machte schließlich auch die ständige Anwesenheit des Erfahrungsträgers selbst nicht mehr notwendig.

An welcher Stelle dieser Entwicklung das Überschreiten der Schwelle vom Tier zum Menschen anzusetzen wäre, ist schwierig zu beantworten. Wenn man daran denkt, daß z. B. auch Schimpansen vorgefundene Gegenstände als „Werkzeuge" benutzen, wird man geneigt sein, erst die intentional zu Werkzeugen bearbeiteten Gegenstände als sichtbare Spuren früher menschlicher Lebewesen anzusehen. Älteste Funde dieser Art, wie man sie durch einfaches Abschlagen von Steinen gewinnen kann (sog. "Chopping-tools", vgl. Abb. 19a), stammen aus der Olduvaischlucht (über 2 Millionen Jahre) und aus dem unteren Omo-Tal in Äthiopien (3 Millionen Jahre), es fiele also noch in die Periode des *Homo habilis* und *Homo erectus* (vgl. Abb. 18),

Abb. 19 Abschlag-Steinwerkzeuge

Links: „chopping-tool", durch einseitiges Abschlagen eines Geröllsteines gewonnen. Rechts: allseitig behauener Faustkeil. Zur Entwicklung der Herstelltechniken vom chopping-tool zum Faustkeil dauerte es über eine Million Jahre! Die Chopping-tool-Hersteller sind vielleicht noch nicht als wirkliche „Menschen" anzusehen.

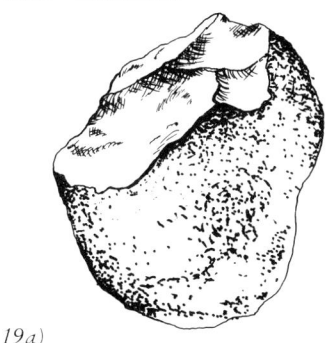

19a)
Chopping-tool

19b)
Hackmeißel (Faustkeil)

während sich eine deutlichere Weiterentwicklung zu besseren Werkzeugen (zunächst zu vollständig bearbeiteten Faustkeilen oder Hackmeißeln wie bei Abb. 19b) erst viel später und auch nur sehr langsam abzeichnete. Erst vor etwa 35 000 Jahren setzte dann eine schnellere „kulturelle" Weiterentwicklung ein.

Vor allem Gegenstände und Figuren, die wahrscheinlich kultischen Zwecken gedient haben, außerdem sichtbare Anhaltspunkte für „Totenbestattungen" sind untrügliche Zeichen dafür, daß diese Lebewesen wirklich „vernunftbegabte" Menschen waren. Wenn man bedenkt, daß weit über eine Million von Jahren (das sind mehr als 50000 Generationen!) verstrichen sind, bis aus primitiv, einseitig abgeschlagenen Steinen (Chopping-tools) vollständig bearbeitete Faustkeile „entwickelt" wurden (Abb. 19) und ferner, daß auch Tiere (durch Zufall) „Erfindungen" machen und diese durch Nachahmung tradieren [34], könnte man zur Ansicht gelangen, daß ein für unsere Begriffe „denkendes" Lebewesen doch erst in der Phase des *Homo sapiens* anzusetzen wäre. Denn von diesem Zeitpunkt erst erscheint vieles in schneller Aufeinanderfolge (z. B. Weiterentwicklung von Werkzeugen, Totenbestattungen, Höhlenzeichnungen), was wir als Attribut menschlicher Wesen ansehen würden, während die Formen des *Homo habilis* und *Homo erectus* zwar gewisse Fertigkeit in der „Herstellung von Werkzeugen" besaßen, aber vielleicht noch in einer „vormenschlichen" Phase ohne die eigentliche menschliche „Selbstbewußtheit" [35] dahindämmerten.

Das, was den Menschen eigentlich vom Tier unterscheidet, nämlich eine geistige Komponente ist in den fossilen Funden schwer zu „fassen". Das Neue des Geistigen ist aber so fundamental entscheidend, daß vorgeschlagen wurde, den Menschen nicht als Gattung in der Familie der *Hominiden*, sondern als eigene Ordnung oder sogar als Klasse *(Psychozoa)* in der systematischen Einordnung anzusiedeln *[36]*.

Wie entstand nun im Menschen dieses neuartige, geistige Element, das dann, wie aus einigen im dritten Kapitel beschriebenen Phänomenen (z. B. sog. "Out-of-the-body-experience" oder die Erscheinungen Verstorbener) hervorgeht, auch losgelöst vom menschlichen Körper existieren kann und deswegen nicht mehr stoffliche Natur zu sein scheint? Zwei prinzipielle Möglichkeiten wären denkbar, nämlich entweder, daß einem neu entstandenen Individuum von außen her ein geistiges Element eingehaucht wird oder dadurch, daß nach Erreichen eines gewissen Organisationsgrades und einer quantitativen Anhäufung „vormenschlicher" Fähigkeiten und Eigenschaften im vorgebildeten Körper die Schwelle zu etwas qualitativ Neuem überschritten wird, so daß durch Anhebung auf eine höhere Stufe ein völlig anderes, geistiges Element entsteht.

1) Bei der ersten Variante würde jedesmal beim Entstehen eines neuen menschlichen Individuums dieses nichtstoffliche Element dem Menschen verliehen. Es wäre dabei ein neuer, zusätzlicher „Schöpfungsakt" notwendig [37]. Eine nochmalige „Reinkarnation" Verstorbener *[38]* wird zwar heute aufgrund von wundersamen Berichten, die Menschen von entfernten Orten und vergangenen Zeiten geben können verschiedentlich für möglich gehalten, jedoch können diese Phänomene auch andere Ursachen haben, die mit den außersinnlichen Wahrnehmungen zu vergleichen sind, wie man sie aus der Parapsychologie her kennt.

2) Bei der zweiten Alternative würde sich dieses Neue, „Geistige" im Menschen aus den spezifischen Eigenschaften der materiellen Welt durch heute noch nicht bekannte Naturgesetzmäßigkeiten gewissermaßen „von selbst" entwickeln. Ein solcher Personenkern des Menschen müßte aber dann auch losgelöst von der körperlichen Welt existent sein können. Diese Frage kann man naturwissenschaftlich nicht beantworten, da wir nur ungenügend die Eigenschaften der materiellen Welt kennen *[39]*.

Es sprechen jedoch einige Anzeichen dafür – und darauf wird noch im 3. und 4. Kapitel eingehender hingewiesen –, daß mit dieser 2. Alternative einige Phänomene schwerlich zu vereinbaren sind, so daß diese Alternative als die weniger wahrscheinliche angesehen werden muß.

Aus den hier angestellten Überlegungen wird deutlich, daß die Frage nach der Entstehung eines körperlich-geistigen Wesens, wie es der Mensch darstellt, mit den Methoden der archäologischen Anthropologie nicht zu lösen ist, sondern daß auch hier

Erfahrungen und Überlegungen, wie sie in den folgenden Kapiteln wiedergegeben werden, entscheidende Beiträge zur Bewältigung dieser Probleme liefern.

Eine sehr primitive „Bearbeitung" oder „Veränderung" von vorgefundenen Gegenständen ist noch kein untrügliches Zeichen dafür, daß diese Lebewesen schon „Menschen" waren. Auch selbst die Benutzung des Feuers braucht noch kein zwingender Beweis für wirklich „denkende" Lebewesen zu sein. Es wäre ebenso gut vorstellbar, daß die damaligen *Hominiden*, die wesentlich „begabter" als z. B. heute lebende Schimpansen sind, beim „Bearbeiten" von trockenem Holz durch Reibung soviel Wärme erzeugten, daß aus dem Holz Rauchschwaden aufstiegen. Die solchen Lebewesen sicherlich eigene Neugierde, verbunden mit einem gewissen Spieltrieb, könnten dann zur „Entdeckung" des Feuers geführt haben. Diese „Technik" konnte dann durch Nachahmung von Generation zu Generation tradiert worden sein. Die bisher ältesten Spuren, die darauf schließen lassen, daß Feuer benutzt wurde, sind etwa 500 000 Jahre alt („Peking-Mensch"). Bei den meisten heute angestellten Versuchen, sich in die Lage der ersten „Werkzeugmacher" oder Feuerbenutzer hineinzuversetzen, verfällt man leicht der Versuchung, sich die damaligen Wesen schon sehr menschlich vorzustellen [40].

Wie war der Übergang vom Tier zum Menschen? War er gleitend, stetig ineinander überfließend oder ist der Mensch plötzlich aufgetreten, wenn wir als Kriterium des Menschseins nicht die körperliche Gestalt, auch nicht die Fähigkeit, primitive Werkzeuge aus Stein zu schlagen oder das Feuer zu gebrauchen, sondern das Vermögen, über sich selbst zu reflektieren und über sich hinaus zu transzendieren, annehmen? Diese Frage, die zudem noch kombiniert werden müßte mit dem Problem der menschlichen „Seele" läßt sich von archäologischer Seite her nicht lösen, selbst wenn man das „Tier-Mensch-Übergangsfeld" bis weit in die Zeit des *Homo sapiens* hinein (etwa bis zum Auftreten des *Homo sapiens neanderthaleriensis* oder des *Homo sapiens sapiens* [41] verlängern wollte (vgl. Abb. 18).

Unser Bestreben muß bleiben, einen Gesamtüberblick über unseren Wissensstand zu erhalten und Erkenntnisse aus den verschiedensten Teilbereichen zu gewinnen und diese soweit zu berücksichtigen, als sie einen essentiellen Beitrag zu den uns interessierenden Fragen über Natur und den Sinn menschlichen Lebens leisten können. So werden wir auf diese Problematik in den folgenden Abschnitten, insbesondere auch im 3. Kapitel zurückkommen.

In diesem Unterkapitel über die Entstehung des Menschen sollen noch zwei Probleme angeschnitten werden, die bekannt geworden sind unter den Fragen:
1) Mono- oder Polygenismus? und
2) Mono- oder Polyphyletismus?
Die erste Frage, ob die heute lebenden Menschen von einem Elternpaar abstammen oder ob am Anfang mehrere Elternpaare gestanden haben (es ist die berühmte Frage nach Monogenismus – Polygenismus), ist heute weitgehend in den Hintergrund getreten, während man vor noch nicht allzulanger Zeit glaubte, damit sei ein anderes, die menschliche Natur betreffendes Problem eng gekoppelt, nämlich das, was in der christlichen Religion mit dem Ausdruck „Erbsünde" bezeichnet wird [42]. Da man aber heute diesen unmittelbaren Zusammenhang nicht mehr sieht, ist der Streit um diese Frage abgeflaut *[43]*. Diese Problematik soll deswegen hier außer einigen Hinweisen in den Anmerkungen nicht näher behandelt werden.
Die zweite Frage, wann sich die einzelnen menschlichen Rassen gebildet haben, ist heute nicht nur umstritten und noch sehr ungewiß, sondern diese Frage ist auch mit den heute akuten und stark emotionell geladenen Rassenproblemen verbunden. So wird es verständlich, daß im Jahre 1951 im Rahmen der UNESCO [44] eine Anthropologenkonferenz die folgende Erklärung zugunsten des Monophyletismus [45] herausgegeben hat: „Die Wissenschaftler anerkennen allgemein, daß alle gegenwärtigen Menschen ein und derselben *Homo sapiens* genannten Menschenrasse angehören, und daß sie aus demselben Stamm

entsprossen sind. Umstritten bleibt die Frage, wann und wie sich die verschiedenen Menschengruppen vom gemeinsamen Stamm getrennt haben" [46]. Eine ähnliche Erklärung, die vor allem auch die ethische Gleichheit aller menschlichen Rassen im Auge hat, wurde im Jahre 1962 abgegeben [47]. Auch ist nicht eindeutig geklärt, wo die „Wiege der Menschheit" stand. Theoretisch können Afrika oder Asien in Betracht kommen, von wo sich dann diese neuartigen Lebewesen über die ganze Erde verbreitet haben [48].

Fassen wir das Wichtigste aus diesem Unterkapitel zusammen: Die *Species Homo sapiens* ist als Ergebnis einer langen biologischen Entwicklung auf der Erde entstanden. Sie hat sich aus dem Tierreich entwickelt. Die Fähigkeit des Menschen, mit seinem Verstand über sich selbst und über die Welt nachzudenken, die Dinge in der von ihm angetroffenen Welt für sich nutzbar zu machen, vor allem nach den Ursachen zu fragen, über die zukünftige Entwicklung Überlegungen anstellen zu können, seine Fähigkeit in die geistige Sphäre vorzudringen, so etwas zu schaffen, was man die menschliche Kultur nennt, ferner das Vermögen einen Schöpfer der Welt zu erkennen, hat ihn weit aus dem Tierreich herausgeführt.
Alle Versuche, das „Wie" des Übergangs vom Tier zum Menschen aufzuhellen, führten bisher zu keinem brauchbaren Ergebnis, obwohl es (am besten durch die Ergebnisse der molekularbiologischen Analyse von vergleichbaren Proteinen) eindeutig sichergestellt ist, daß der Mensch sich aus dem Tierreich entwickelt hat. Aber die Frage der Naturwissenschaften nach dem Ursprung der Menschheit gestattet es uns nicht, eine befriedigende Aussage über das Wesen des Menschen zu geben, um von da aus auch etwas über den Sinn menschlichen Lebens folgern zu können.

Fragen wir nun jene anderen beiden wissenschaftlichen Disziplinen, die hier zuständig sein können: die Philosophie und die Theologie.

1.5 Philosophische Überlegungen

In den vorangegangenen Unterkapiteln wurden in groben Umrissen unsere heutigen Kenntnisse von der Entstehung der Welt und der Herkunft des Menschen beschrieben. Wir mußten feststellen, daß man bei der Verfolgung verschiedener Fragen an Grenzen stößt, die man mit naturwissenschaftlichen Methoden nicht überschreiten kann. Insbesondere war es die Frage nach dem Anfang der Welt, also nach der Herkunft der Materie, die sich einer Beantwortung mit naturwissenschaftlichen Methoden entzieht. Denn die Naturwissenschaften befassen sich mit den Erscheinungen von Materie und Energie, mit den Phänomenen Raum und Zeit. Ihre Bestimmungs- und Aussagemöglichkeiten haben da ihre Grenzen, wo wir es nicht mehr mit einer Veränderung oder Umwandlung dieser Erscheinungen zu tun haben, wo das naturwissenschaftliche Kausalitätsprinzip von Ursache und Wirkung nicht mehr anzuwenden ist.

Das menschliche Fragen macht aber an diesen Grenzen nicht halt. Der menschliche Geist vermag diese Schranken zu überschreiten, nur kann er es nicht mehr mit naturwissenschaftlichen Aspekten, wegen deren Bindung an Materie und Energie, Raum und Zeit, sondern mit den Methoden der Philosophie, die nicht mehr diesen begrenzenden Voraussetzungen unterliegen, wo durch logische Schlußfolgerungen wichtige Erkenntnisse gewonnen werden können.

Im Zusammenhang mit unserem Thema scheinen dabei zwei Fakten von Bedeutung zu sein; sie dienen als Grundlage für unsere weiteren Überlegungen:
1) Wir gehen von der durch die Naturwissenschaften gesicherten Tatsache aus, daß die Welt als Ganzes nicht unveränderlich ist, sondern einen gerichteten Entwicklungsprozeß durchmacht, in Evolution befindlich ist. Wenn sie sich entwickelt, muß man logisch folgern, daß es einmal einen Zeitpunkt gegeben haben muß, von dem aus die Entwicklung ihren Anfang genommen hat. Dieses machen auch naturwis-

senschaftliche Entdeckungen unserer Zeit wahrscheinlich. Ob nun dieser Zeitpunkt mit dem „Urknall" gleichzusetzen ist oder ob auch schon vorher eine Entwicklung stattgefunden hat, ist unerheblich. Wichtig ist nur, daß jede auf dem Kausalitätsprinzip beruhende Entwicklung einmal begonnen haben muß, und dieser Anfang wäre dann (materiell aufgefaßt) als „akausal", im wissenschaftlichen Sinn als „Singularität" [8] zu bezeichnen.

2) Und noch eine andere Tatsache soll für unsere Überlegungen von Bedeutung sein: Der Mensch ist als einziges Lebewesen auf unserer Erde in der Lage, in eine geistige Welt vorzudringen.

Wir fragen nun: Warum ist das so? Welche Gründe könnte es hierfür geben? Beim logischen Durchdenken dieser Fragen können wir zu drei wichtigen Schlußfolgerungen kommen:

1) Es ist unvorstellbar, daß die materielle Welt sich selbst ins Dasein gesetzt hätte und sich dabei ihre eigenen, überall gleichen Gesetzmäßigkeiten verliehen hätte. Hingegen bereitet es keine gedanklichen Schwierigkeiten, wenn man sich vorstellt, daß die Welt ihr Dasein und Sosein, also ihre Existenz und ihre Gesetzmäßigkeiten, einem letzten Verursacher, einem Schöpfer verdankt.

Dieser Schöpfer der Welt ist aber dann nicht als etwas Innerweltliches, Materielles aufzufassen, was vor der Weltentstehung vorhanden war und sich dann zu der heutigen Welt entwickelt hätte. Ein solcher Erstverursacher, durch den alles einmal ins Dasein gerufen wurde, in der deutschen Sprache durch das Wort „Gott" bezeichnet, kann nicht Teil dieser Welt sein, kann (naturwissenschaftlich ausgedrückt) nicht aus Atomen oder Molekülen bestehen. Wenn man die materielle Welt durch die Erscheinungen von Materie und Energie durch die Phänomene von Raum und Zeit charakterisiert, so kann Gott diesen Kriterien nicht unterworfen sein, er kann deswegen auch nicht mit naturwissenschaftlichen Methoden nachgewiesen werden oder „verfügbar" gemacht werden.

Und noch ein weiterer Gesichtspunkt ist dabei entscheidend:

Gott muß von Ewigkeit her sein, er kann keinen Anfang gehabt haben, nicht irgendeinmal begonnen haben, denn dann wäre er auch wiederum das Ergebnis von einer anderen, vorher existierenden Ursache und nicht mehr letztendlich der eigentliche Schöpfer der Welt.

2) Wenn der Mensch mit geistigen Fähigkeiten ausgestattet ist und wenn er im Leben beständig die Frage nach dem Sinn stellt, so sollte man vermuten, daß diese Eigenschaften, ja vielleicht sogar das gesamte Dasein des Menschen einen Sinn haben. Und dieser Sinn könnte in irgendeiner Beziehung zum Schöpfer der Welt stehen. Denn warum sollte ein Schöpfer der Welt die Materie gerade so geschaffen haben, daß die in ihr wirksam werdende Entwicklung zu einem vernunftbegabten Lebewesen führt, wenn hierin nicht irgendeine Absicht stecken sollte. Oder anders ausgedrückt: Wenn schon die Materie eine sehr geniale Grundkonzeption erkennen läßt, daß es durch ein Zusammenspiel der verschiedensten in ihr wirkenden Kräfte und Eigenschaften zu einer solch grandiosen Evolution kommen konnte, sollte man eher annehmen, daß in einer solchen Entwicklung eine gewisse „Absicht" steckt, als wenn man behaupten wollte, es sei etwas entstanden, was nicht, auch nicht im entferntesten, vom Schöpfer gewollt war; oder als wenn man meinte, der Mensch sei gewissermaßen das Produkt eines „Unfalls" eines „mit dem Feuer spielenden" Weltenschöpfers.

3) Es sollte möglich sein, daß sich der Schöpfer der Welt irgendwie einem denkenden Lebewesen, wie es der Mensch ist, zu erkennen geben kann, sich ihm offenbaren kann.

Sicherlich gibt es Menschen, die diese drei Überlegungen nicht wahrhaben möchten, wenngleich sie auch kein zwingendes, logisches Argument diesen Schlußfolgerungen entgegensetzen können. Man muß sich aber dann fragen, welches Interesse könnte ein Mensch daran haben, wenn er z. B. behauptet, daß die Welt mit ihren Naturgesetzen von alleine, ohne einen Schöpfer, aus dem Nichts, durch einen Zufall entstanden sein soll oder daß das menschliche Leben sinnlos sei und daß Mitteilungen eines Schöpfers an den Menschen auszuschließen seien. Oft haben solche Ansichten tiefe ideologische Wurzeln. Dazu ein typisches Beispiel, zitiert nach Heinrich Vogt [49]: „Die weltanschauliche Ausrichtung, die man auf allen Gebieten der sowjetischen Naturwissenschaft feststellen kann, macht sich in erhöhtem Maße auf dem Gebiet der Kosmologie geltend. Es werden hier offen die Postulate des dialektischen Materialismus als Ausgangspunkt genommen bei der Aufstellung von Hypothesen. Ein Grundanliegen der sowjetischen Kosmologie ist insbesondere, aus der modernen Astronomie und Kosmologie alle Theorien zu verbannen, die irgendwie die Annahme einer zeitlichen und einer räumlichen Begrenztheit des Universums zum Inhalt haben und damit den Gedanken an eine Weltschöpfung nahelegen. Um von vielen Beispielen nur eines anzuführen: Nur weil ein zeitlich begrenztes Universum sich nicht mit dem dialektischen Materialismus verträgt, wurde von ihm die Deutung der Rotverschiebung in den Spektren der außergalaktischen Nebel als durch die Expansion des Universums hervorgerufen von vornherein abgelehnt. Die Begründung durch den dialektischen Materialismus für die Ablehnung dieser Deutung war vor allem, daß sie zur Annahme eines Schöpfungsaktes zwinge und daß sie deshalb »unwissenschaftlich, antidialektisch sei und zu ganz unverhülltem Pfaffentum führe«."

Heute wird zwar die Rotverschiebung auch als Fluchtbewegung anerkannt, wenngleich man den sich daraus ergebenden letzten Konsequenzen auszuweichen versucht: So heißt es bei H.-J. Treder [50]: »Nimmt man die kosmologische Singularität und den "big bang" hingegen als theoretisch notwendig an, so heißt dies eben, daß die Metagalaxis aus sich selbst heraus nicht verstanden werden kann; sie kann daher mit dem Kosmos auch nicht identisch sein. Vielmehr muß die Metagalaxis ein System Σ_0 sein, das Teil eines Supersystems Σ_1 ist, der „Teragalaxis" von *Alfvén* und *Klein*, durch deren Zerfall vor etwa 15 Mrd. Jahren die Metagalaxis als quasi-isoliertes System entstand« [51].

Mit einer solchen Bemerkung verlegt man das Problem nur um eine Stufe weiter in die Vergangenheit zurück. Man muß dann sofort fragen: Wodurch entstand dann die vor 15 Milliarden Jahren in zwei (oder mehrere) voneinander isolierte Systeme zerfallene Teragalaxis?

Es soll hier nicht behauptet werden, daß der „Urknall" mit dem Schöpfungsakt gleichzusetzen wäre, denn es wäre durchaus denkbar, daß es vor dieser Phase auch noch etwas gegeben haben könnte, was im heute existierenden Kosmos keine Spuren hinterlassen hat und deshalb mit naturwissenschaftlichen Mitteln auch nie mehr nachgewiesen werden kann. Die logische Schlußfolgerung geht jedoch dahin, daß eine in Evolution begriffene Welt einmal begonnen haben muß, und daß ein Anfang einer mit überall erkennbaren Gesetzmäßigkeiten ablaufenden Entwicklung ohne einen letzten Urheber nicht vorstellbar ist.

Hat man aber erst einmal diesen ersten Schritt getan, nämlich, daß man die Existenz eines Schöpfers anerkennt, so dürfte es schwer fallen, überhaupt irgendein stichhaltiges Argument gegen die anderen beiden, oben gemachten Folgerungen hervorzubringen. Die beiden Folgerungen waren: Die Weltentwicklung könnte irgendeinen letzten Sinn haben, und es besteht die Möglichkeit, daß Gott, der Schöpfer der Welt, sich dem denkenden Menschen offenbaren kann. Die Konsequenzen aus der ersten dieser beiden Folgerungen soll im zweiten Kapitel dieses Buches eingehender anhand von zwei Alternativen überlegt werden und daher nicht hier näher erörtert werden.

Die andere dieser Überlegungen ging von der Möglichkeit aus, daß der Mensch als geistbegabtes Lebewesen „Mitteilungen" Gottes in irgendeiner Form erhalten könnte. Dabei wird man nicht von vornherein sagen können, wie dies geschehen müsse, und wie es nicht erfolgen darf! Denn das hieße ja, durch Festlegen von bestimmten Versuchsbedingungen (ähnlich wie beim naturwissenschaftlichen Experiment) nach eigenem Gutdünken über Gott verfügen zu wollen. Ein solcher Weg ist nicht möglich; die einzige Möglichkeit, die uns offen bleibt, ist sich in Gegenwart und Geschichte umzusehen, ob es solche Berichte tatsächlich gibt, und dann zu prüfen, ob es sich dabei wirklich um eine Offenbarung Gottes oder nur um eine Täuschung handelt. Dies führt uns nun zu dem folgenden Unterkapitel 1.6.

1.6 Die Welterschaffung in der Bibel

Die Bibel wird von den Christen aller Konfessionen als Sammlung von Schriften angesehen, in denen sich Gott geoffenbart hat [52, 58]. Bei dem hier interessierenden Thema über die Entstehung der Welt und des Menschen möchte ich mich auf den Anfang des sog. „Alten Testamentes" beschränken, es ist das 1. Buch Mose, die Genesis (Gen), Kap. 1 bis 3, 24, obwohl andere Stellen ähnliche prinzipielle Aussagen (oft in kürzerer Form) enthalten, so z. B.:
der Psalm 8 („*Jahwe, unser Herr! Wie wunderbar ist auf der ganzen Erde Dein Name!*"),
der Psalm 19 in der Masoretischen Zählweise („*Die Himmel rühmen die Herrlichkeit Gottes*"),
der Psalm 104 („*Preise meine Seele, Jahwe*"),
oder das Buch Ijob, 38. bis 42. Kapitel.
Bevor wir der Frage nachgehen wollen, ob solche Texte tatsächlich vom Schöpfer der Welt, von Gott „inspiriert" wurden, oder ob es sich hier lediglich um rein menschliche Überlegungen handelt, sollen die Texte zunächst einmal in grober Übersicht nach dem literarischen Gehalt und dem Aussageinhalt befragt werden.
Bei der Analyse der Texte fällt auf, daß am Anfang der Genesis zwei voneinander unabhängige, in verschiedenen Sprachstilen geschriebene „Schöpfungsberichte" stehen.
Der erste von beiden Texten ist, wie man heute weiß, der jüngere, später entstandene; er ist etwa um 550 v. Chr. entstanden.

Es ist ein Lehrgedicht, ein „Schöpfungshymnus" (Gen 1, 2 – 2, 4a), von Priestern für den Gebrauch beim Gottesdienst geschrieben. Gott trägt den Namen "Elohim".

Der zweite Bericht ist wesentlich älteren Ursprungs, ungefähr um 950 v. Chr. niedergeschrieben. Es ist die berühmte Erzählung vom Paradies. Gott wird in diesen anschaulich und dramatisch gestalteten Berichten "Jahwe" genannt [53].

Wenn man diese Texte richtig verstehen will, muß man berücksichtigen, daß ihnen ein anderes, das uns heute fremde Ptolemäische Weltbild zugrunde liegt [54]. Man stellte sich die Welt, wie in Abbildung 20 skizziert, vor: Die Erde ruht auf den Säulen der Welt über der Unterwelt, umgeben von den unteren Wassern, den Ozeanen. Über die Erde stülpte sich das Firmament mit der Sonne, dem Mond, den Planeten und den Sternen.

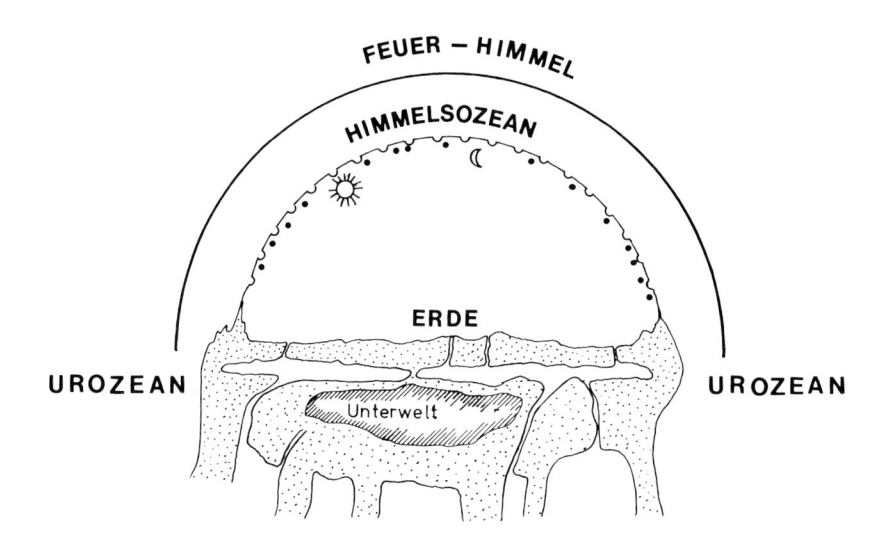

Abb. 20 Das Ptolemäische Weltbild
Die Erde ruht auf Säulen über der Unterwelt, umgeben vom Urozean. Über sie stülpt sich das Firmanent mit den Gestirnen; darüber befinden sich die „oberen Wasser", der Himmelsozean, schließlich der Feuerhimmel und der Thron Gottes

Darüber befindet sich der Himmelsozean (die oberen Wasser) und schließlich der Feuer-Himmel mit dem Thron Gottes. Wenn die Schreiber der Texte ihre Gedanken wiedergeben wollten, mußten sie die Sprache der damaligen Zeit benutzen, und zu dieser Sprache gehörte auch die einstige Vorstellung von der Welt. Um die eigentliche Aussageabsicht herauszuschälen, also das, was die Schreiber uns mitteilen wollen, müssen wir von dem zeitbedingten Kleid, das diese Texte tragen, absehen und fragen, was sie damit sagen wollten.

Wenden wir uns nun den Texten zu.
Der erste der beiden „Schöpfungsberichte" ist ein kunstvoll gefertigtes Gedicht. Ein Blick auf Tabelle 1 zeigt, daß dieser Hymnus symmetrisch aufgebaut ist. Er beginnt mit einem Prolog: *„Im Anfang schuf Gott den Himmel und die Erde"* (Prolog = A = Gen 1, 1) und endet mit dem Epilog: *„Das ist die Enstehungsgeschichte des Himmels und der Erde, als sie erschaffen worden sind"* (Epilog = A = Gen 2, 4a). Nach dem Prolog wird der Urzustand geschildert: *„Die Erde aber war wüst und leer. Finsternis lag über dem Abgrund, und der Geist Gottes schwebte über den Wassern"* (Urzustand = B = Gen 1, 2).

Tabelle 1
Aufbau des priesterlichen Schöpfungshymnus (Gen 1, 1–2, 4a)

Prolog	Urzustand	Schöpfung	Endzustand	Epilog
A	B	C	B	A

Schema des Sechstagewerkes

| \multicolumn{4}{c}{Scheidung der Räume} | \multicolumn{4}{c}{Bevölkerung der Räume} |

Tag	Werke	Formeln		Formeln	Werke	Tag
I	Licht – Finsternis	abcde·gh (7)		(6) abcd··gh	Himmelsleuchten	IV
II	Obere – untere Wasser	abcde··h (6)		(6) ab·d·fgh	Fische – Vögel	V
III 1	Land – Meer	abc·e·g· (5)		(5) abcd··g·	Landtiere	VI 1
2	Pflanzen	abcd··gh (6)		(7) abcd·fgh	Menschen	2

a = Gott sprach: b = Es werde... c = Und es geschah so
d = Ausführung: e = Gott nannte... f = Und Gott segnete sie
g = Und Gott sah, daß es gut war h = Der... Tag.

Dieser Schilderung entspricht am Ende des Lehrgedichtes die Beschreibung des Endzustandes: *„So wurden Himmel und Erde mit ihrem ganzen Heer vollendet. Gott vollendete am siebten Tag sein Werk, das er gemacht hatte, und ruhte am siebten Tag von seinem ganzen Werk, das er gemacht hatte. Und Gott segnete den siebten Tag und heiligte ihn, denn an ihm ruhte er von seinem ganzen Schöpfungswerk* (Endzustand = B = Gen 2, 1-3).

Dazwischen liegt das „Sechstagewerk", die eigentliche Schöpfung = C. Auch hier zeigt sich ein systematischer Aufbau: In den ersten drei Tagen werden die „Räume" geschaffen, die dann der Reihe nach vom vierten bis zum sechsten Tage bevölkert werden. Der Text benutzt dabei immer wiederkehrende Formeln, die in der Tabelle mit den kleinen Buchstaben a bis h gekennzeichnet sind. Die Anzahl der Formeln zeigt eine gewisse Regelmäßigkeit: Grundsätzlich sind es sechs solcher charakteristischen Redewendungen, am Anfang und am Schluß sind es sieben; der dritte und sechste Tag enthalten jeweils zwei „Werke", von denen das erste mit nur fünf Formeln beschrieben wird. Man wird fragen, war das dem Schreiber bewußt; hat er das Gedicht so kunstvoll komponiert wie etwa Johann Sebastian Bach eine Fuge? Wir können es nicht erfahren.

Aber in anderer Hinsicht steckt im Aufbau sicher eine wohlüberlegte Konstruktion, wenn wir den Inhalt dieses Schöpfungshymnus analysieren: In den ersten drei Tagen werden die Räume geschaffen, um dann vom vierten bis sechsten Tag bevölkert zu werden. Am ersten Tag ist es die „Scheidung" von Licht und Finsternis; sinngemäß gehören zum Ausfüllen dieses neugeschaffenen Prinzips erst am vierten Tag die dann geschaffenen Himmelsleuchten, die Sonne, der Mond und die Sterne. Wenn wir solche Überlegungen anstellen, werden wir, die wir in naturwissenschaftlichen Kategorien zu denken gewohnt sind, uns nicht mehr wundern, wenn am ersten Tag das Licht und erst dann am vierten Tag die eigentlichen Himmelskörper geschaffen werden, die bekanntlich das Licht aussenden.

Am zweiten Tag entstehen durch Trennung der „oberen" und „unteren" Wasser der Luftraum und das Meer. In diese Räume kommen am fünften Tag Vögel und Fische. Am dritten Tag entsteht das Land und in einem zweiten „Werk" durch die Erschaffung der Pflanzen das Fruchtbarwerden dieser Erde. Für dieses Land hat Gott dann am sechsten Tage die Landtiere gemacht und in einem weiteren Schöpfungsakt wird schließlich der Mensch ins Dasein gerufen.

Denken wir an den so kunstvollen Aufbau des Schöpfungshymnus, dann dürfen wir annehmen, daß hier ein Mensch darüber nachgedacht haben muß, wie er die Erschaffung der Welt am besten in ein Wochenschema eingruppieren konnte. Durch die Verwendung von immer wiederkehrenden Formeln wird das, was dem Schreiber der Texte am Herzen lag, besonders stark betont: *„Gott sprach ... und so geschah es! ... Und Gott sah, daß es gut war."* Fragen wir danach, was der Verfasser uns besonders einprägsam sagen möchte? Es sind wahrscheinlich drei wichtige Aussagen:

1) Die gesamte Welt und alles, was in ihr lebt, ist durch Gott geschaffen und nicht von Ewigkeit her existent. Die Texte haben sich auch gegen andersartige Auffassungen der damaligen Zeit gerichtet, denn damals hat man Gestirne, Tiere und die Fruchtbarkeit als „Gottheiten" angebetet, so beim Sonnenkult in Ägypten, beim Mondkult in Mesopotamien, beim Tierkult in Ägypten und Babylon und bei der Vergöttlichung der Geschlechtskraft im Astartekult.

2) Der Mensch ist die „Krone der Schöpfung", denn er allein wurde nach dem *„Bilde Gottes"* erschaffen (Gen 1, 27), während alle anderen Lebewesen *„nach ihrer Art"* erschaffen wurden. Der Mensch nimmt somit eine Sonderstellung in der Schöpfung ein, er steht zwischen Gott, nach dessen „Bild" er geschaffen wurde, und der Welt, denn so heißt es in Gen 1, 28 über den Menschen: *„Gott segnete sie, und Gott sprach zu ihnen: »Seid fruchtbar und mehret euch und erfüllet die Erde und macht sie euch untertan! Herrschet über die Fische des*

Meeres und über die Vögel des Himmels und über alles Getier; das sich auf Erden regt!«"

3) Wenn der Schreiber viel Mühe darauf verwendet hat, alle Schöpfungsakte in einer Woche unterzubringen, also insgesamt acht „Werke" in sieben Tage hineinzupressen, so mag das auch eine tiefere Bedeutung gehabt haben. Die Woche verkörpert für den alten Semiten die dahin fließende Zeit. Das Wochenschema soll dann wohl sagen: Die Welt war nicht von Ewigkeit her vorhanden, Gott habe sie in der Zeit erschaffen.
Um den Menschen ferner eine Begründung für das damals wichtige Gebot der „Sabbatheiligung" zu geben, zeigt der Schriftsteller, daß Gott dem Menschen hierin Vorbild ist, indem er am siebten Tage ruhte: *„Und Gott segnete den siebten Tag und heiligte ihn, denn an ihm ruhte er von seinem ganzen Schöpfungswerk"* (Gen 2, 3).

Der zweite „Schöpfungsbericht" ist vollkommen anders aufgebaut, beschreibt auch die eigentliche Schöpfung in ganz anderer Reihenfolge und weicht in vielen Details, wenn man dies als Beschreibung eines Herganges auffassen wollte, erheblich vom ersten Schöpfungsbericht ab. Er beginnt mit den Sätzen:
„Am Tage, da Jahwe Gott Erde und Himmel machte, gab es auf der Erde noch kein Gesträuch des Feldes und wuchs noch keinerlei Kraut des Feldes. Denn Jahwe Gott hatte noch nicht auf die Erde regnen lassen, und der Mensch war noch nicht da, um den Erdboden zu bebauen. Da stieg eine Flut von der Erde auf und tränkte die ganze Fläche des Erdbodens. Dann bildete Jahwe Gott den Menschen aus Staub von dem Erdboden und blies in seine Nase einen Lebenshauch. So wurde der Mensch ein lebendes Wesen. Jahwe Gott pflanzte einen Garten in Eden, im Osten, und setzte dahinein den Menschen, den er gebildet hatte" (Gen 2, 4b – 2,8).
Hierauf folgt eine Beschreibung des „Paradieses".
Dann gibt Gott dem Menschen ein wichtiges Gebot:

„*»Von dem Baum der Erkenntnis des Guten und Bösen aber darfst du nicht essen. Denn am Tage, da du davon issest, mußt du sicher sterben.« Dann sprach Jahwe Gott: »Es ist nicht gut, daß der Mensch allein sei. Ich will ihm eine Hilfe machen, die ihm entspricht«*" (Gen, 2, 17 – 18).
Gott führt nun alle Tiere dem Menschen vor, aber Adam [55] kann zwar die Tiere benennen (gleichbedeutend, daß er über diese Tiere Herrschaft ausüben kann, daß sie unter ihm stehen), „*aber für einen Menschen fand er nicht die Hilfe, die ihm entsprochen hätte*" (Gen 2, 20).
„*Nun ließ Jahwe Gott einen Tiefschlaf über den Menschen fallen, daß dieser einschlief, und er nahm eine von seinen Rippen und schloß das Fleisch an ihrer Stelle zu. Dann baute Jahwe Gott die Rippe, die er vom Menschen hatte, zu einem Weibe und führte es zum Menschen. Da sprach der Mensch: »Das ist endlich Bein von meinem Bein und Fleisch von meinem Fleisch! Diese soll Weib heißen, weil sie vom Mann genommen ist.« Darum wird der Mann seinen Vater und seine Mutter verlassen und seinem Weibe anhangen, und sie werden zu einem Fleisch*" (Gen 2, 21 – 2, 24).
Dann folgt die Versuchung durch die Schlange, die zur Frau (Eva) über den Baum der Erkenntnis sagte:
„*Vielmehr weiß Gott, daß an dem Tage, da ihr davon esset, euch die Augen aufgehen und ihr sein werdet wie Götter, die Gutes und Böses erkennen*" (Gen 3, 5).
Die Frau und danach Adam essen von den Früchten des Baumes der Erkenntnis und werden deswegen aus dem Paradies verstoßen, wobei Jahwe das folgende Urteil spricht:
„*Zum Weibe aber sprach er: »Überaus zahlreich werde ich die Beschwerden deiner Schwangerschaft machen. Unter Schmerzen sollst du Kinder gebären. Nach deinem Manne wird dein Verlangen sein, er aber wird über dich herrschen.« Zu dem Menschen aber sagte er: »Weil du auf die Stimme deines Weibes gehört und von dem Baume gegessen hast, obwohl ich dir geboten hatte: Du sollst nicht von ihm essen, verflucht sei der Erdboden um deinetwillen. Unter Mühsal sollst du dich von ihm*

ernähren alle Tage deines Lebens. Dornen und Disteln soll er dir wachsen lassen. Das Kraut des Feldes mußt du essen. Im Schweiße deines Angesichtes sollst du dein Brot essen, bis du zum Erdboden zurückkehrst, von dem du genommen bist. Denn Staub bist du, und zum Staub mußt du zurückkehren!«" (Gen 3, 16 – 3, 19).
Welcher tiefere Sinn steckt hinter dieser sehr eindrucksvollen Schilderung? Wir können vermuten, daß sich der Schreiber des Textes mit dieser anschaulichen Geschichte von der Erschaffung des Menschen und seiner Vertreibung aus dem Paradies Gedanken über die Natur und die Situation des Menschen auf der Erde gemacht hat und dabei zu den folgenden wichtigen Erkenntnissen kam:
1) Der Mensch zeigt eine Sonderstellung in der Schöpfung: Gott selbst haucht ihm den Lebensodem ein, „beseelt" ihn. Von allen Tieren unterscheidet sich der Mensch sehr deutlich: Er herrscht über sie, findet aber keinen geistigen Austausch mit ihnen.
2) Der Mann hat sein entsprechendes Gegenüber in der Frau. Beide ergänzen sich und bilden eine tiefste Einheit. Wenn Gott die Frau aus der Rippe, der Herzensgegend des Mannes gebildet hat, so deutet es die eigentliche Zuordnung an, denn sie wurde weder aus dem Fuße als seine Sklavin noch aus dem Haupte als seine Herrin gebildet, sondern steht an seiner Seite, ist ihm gleichgeartet [56].
3) Die menschliche Natur ist verletzlich; der Mensch kann „sündigen". Als Wurzel der Sünde erscheint nicht nur der Ungehorsam gegenüber einem Gebot Gottes, sondern der Wunsch des Menschen, selber über Gut und Böse bestimmen zu wollen. Wenn die Menschen deswegen aus dem Paradies vertrieben werden, deutet es an, daß durch die Sünde die innere Harmonie verlorengeht [57].

Nach einem kurzen Blick auf den literarischen Gehalt der beiden „Schöpfungsberichte" wollen wir uns nun der besonders wichtigen Frage zuwenden, ob diese Texte, wie es der Glaube von Juden und Christen [52, 58] ist, Offenbarungen Gottes enthalten. Da eine einzelne Textstelle nie aus dem Zusammenhang gerissen werden darf und da sie ihren Stellenwert erst in Relation zum Gesamtinhalt solcher Offenbarungen hat, wollen wir von vornherein unsere Problemstellung auf die gesamte Bibel ausdehnen. Wir fragen: Wodurch kann oder soll bestätigt werden, daß in diesen Texten tatsächlich „Mitteilungen" Gottes an die Menschen enthalten sind? Als Begründung für die Wahrheit dieses Anspruches, Offenbarung Gottes an die Menschen zu sein, werden die folgenden drei wichtigen Legitimationserweise angegeben:

1) Die eigentlichen Aussageinhalte solcher Offenbarungen widersprechen nicht den Regeln der Vernunft, Logik und Weisheit, sie sind in völliger Übereinstimmung mit dem, was wir an gesicherten Erkenntnissen über die Gesamtwirklichkeit wissen. Aus heutiger Sicht müßten wir hinzufügen, es darf keinerlei Widerspruch bestehen zu dem, was wir mit exakten, naturwissenschaftlichen Methoden an der stofflichen Welt nachprüfen können. Selbstverständlich gelten diese Kriterien nur für die eigentlichen Aussageinhalte solcher Texte, nicht jedoch für die zeitbedingte, bildreiche Einkleidung solcher Schriftstellen, die ja von der Sprache, der Ausdrucksweise, vom Weltbild des Schreibers abhängen. Überlegungen dieser Art bezüglich des Wahrheitsgehaltes mögen sicherlich eine entscheidende Rolle gespielt haben, wenn schon in sehr früher Zeit in der jüdischen oder der christlichen Religionsgemeinschaft aus den vielen existierenden Schriften die von Gott inspirierten Bücher ausgewählt wurden [52].

2) Ein ganzes Volk, das Volk Israel, hat die wunderbare Erfahrung gemacht, daß es durch außerordentliche Ereignisse aus der Gefangenschaft eines mächtigen Volkes (aus den Händen der Ägypter) befreit wurde, und dies geschah nach ausdrücklicher Vorausankündigung durch den Mund einzelner Menschen, die sich auf Gott beriefen [53]. Es sind Propheten aufgestanden, die aufgrund von bestimmten Widerfahrnissen, dem Volk verschiedene Offenbarungen Gottes verkündeten.

Sie haben das Volk wegen der Verfehlungen angeklagt und Strafen im Namen Gottes angedroht, die dann, wenn man sich und seinen Lebenswandel nicht änderte, auch eingetroffen sind.

3) Viele dieser Propheten sagten das Erscheinen eines Messias voraus, der direkt von Gott kommen sollte; und viele Jahrhunderte später erschien tatsächlich jener Jesus als Christus [59], der vorgab, die Erfüllung dieser Verheißungen zu sein [60]. Er hat seine Aussagen durch Wunder [61] bekräftigt und ist wegen dieser Behauptung, der Messias zu sein, durch die religiösen Oberbehörden des damaligen jüdischen Volkes dem Kreuzestod überliefert worden, und auch dieses Leiden und Sterben des Messias ist schon in den Schriften viele Jahrhunderte vorher vorausgesagt worden [62]. Nach den schriftlichen Zeugnissen des Neuen Testamentes erschien dieser Jesus nach seinem gewaltsamen Tode vielen Menschen und begründete dadurch den Glauben der Christen an die Auferstehung nach dem Tode als einen Übergang in eine andere Daseinsweise. Wegen der großen Bedeutung und der zentralen Stellung dieses Jesus Christus im Gesamtkomplex göttlichen Offenbarungsgeschehens soll die Frage nach dem Wahrheitsgehalt dieser neutestamentlichen Botschaft im dritten Kapitel eingehender erörtert werden.

Bei der Verfolgung der Frage, ob es Offenbarungen Gottes an die Menschen gibt, müssen wir feststellen, daß es verschiedene Berichte gibt, in denen solche Geschehnisse bezeugt werden. Man wird erwarten, daß Offenbarungen Gottes an den Menschen in anderer Weise erfolgen sollten, als wir es bei Mitteilungen und persönlichen Begegnungen z. B. zwischen zwei Menschen gewohnt sind, denn wir haben ja aus philosophischen Überlegungen geschlossen (vgl. 1.5), daß Gott nicht aus Materie bestehen kann; und wir sollten deswegen auch nicht erwarten, daß Gott durch die üblichen physikalischen und biochemischen Vorgänge mit dem menschlichen Auge wahrgenommen werden kann.

Wenn wir die Wirkung betrachten, so zeigt sich, daß Offenbarungen meist mit Berufungen für bestimmte Aufgaben in der Welt [63] gekoppelt sind. Auch finden wir in ihnen Verheißungen, d.h. es werden neue, in der Zukunft liegende Möglichkeiten eröffnet. Die Begegnung mit Gott oder mit seinen „Sendboten" wird von den betreffenden Menschen in verschiedenartigster Weise angegeben. Manchmal ist es nur ein aufgezeichneter Dialog. In anderen Fällen sind damit verschiedene wundersame Erlebnisse oder Erscheinungen verbunden. Wahrscheinlich handelt es sich um außersinnliche Wahrnehmungenn [64]. Aber auch Erkenntnisse, die jemand z. B. beim Nachdenken gewinnt oder plötzlich über einen Menschen hereinbrechende Erleuchtungen können von diesen als Offenbarungen Gottes empfunden werden [65]. Vielleicht könnten auch die Verfasser der „Schöpfungsberichte" in einer solchen Weise „inspiriert" worden sein.

Die Theologie im Lebensvollzug der Kirche steht nun vor der Aufgabe, aus der Vielzahl von Mitteilungen, die Menschen über angebliche „Offenbarungen" gemacht haben oder schriftlich niedergelegt haben, die echten herauszufinden. Ihre Frage geht nach der Glaubwürdigkeit der Zeugnisse und der Zeugen, an die eine Offenbarung ergangen sein soll. Ähnlich, wie es bei wissenschaftlichen Erkenntnissen ist, hat sich sehr bald ein allgemeiner Konsens in der Beurteilung solcher Schriften herauskristallisiert. In den als „kanonisch" bezeichneten Schriften glaubt man Offenbarungen Gottes zu haben. Eine Lektüre der „apokryphen" Schriften [66] und deren Vergleich mit den kanonischen Büchern läßt sehr gut eine solche erfolgte Scheidung der Spreu vom Weizen nachempfinden.
Die hier in diesem Kapitel über die Entstehung der Welt angeführten Bibelstellen aus der Genesis werden als solche von Gott „inspirierten" Texte angesehen. Diese Texte sind verflochten und aufs innigste verwoben mit den Inhalten des Gesamtwerkes der Bibel und es soll hier nicht näher auf die Frage eingegangen werden, welche Gründe zu dieser Überzeugung geführt haben

konnten. Wenn aber die „Priesterschrift" sowie die Texte des „Jahwisten" Kunde von Gott enthalten, so müßte das, was den eigentlichen Kern der Botschaft ausmacht, das, was die Verfasser der Texte durch die Führung Gottes als richtig erkannt haben und in einer letzten Aussageabsicht uns mitteilen wollten, auch wahr sein, mit der Realität der stofflichen Welt und der menschlichen Natur übereinstimmen. Denn Gott als die ewige und letzte Wahrheit wäre mit dem Irrtum unvereinbar.

Die „Irrtumslosigkeit" der Schrift bezieht sich jedoch nicht auf die Form, die Ausgestaltung der Texte, nicht auf die persönliche Eigenart des Schreibers, sein Weltbild, seinen Charakter, seine Sprache, die verwendeten Bilder, Mythen, Ätiologien oder Fabeln. Diese Texte enthalten demnach sowohl Gottes „Botschaft" als auch Menschenmeinung. Aufgabe der Theologie, insbesondere der Bibelexegese und der Hermeneutik [67], ist es, Gottes Wort in den Menschenwörtern zu finden und hörbar zu machen, letzte Wahrheiten in einem zeitbedingten Kleid zu erkennen, ihre Glaubwürdigkeit zu untersuchen, um damit wie auch andere Wissenschaften dem Menschen dienlich und hilfreich zu sein.

1.7 Natur- und geisteswissenschaftliche Synopse

Man wird erwarten, daß die entscheidenden Aussagen der drei Wissenschaftsbereiche Theologie, Philosophie und Naturwissenschaften in ihren wesentlichen Punkten übereinstimmen müssen oder sich ohne innere Widersprüche zu einer umfassenderen Gesamtaussage ergänzen sollten. Denn zwischen den gesicherten Ergebnissen der Naturwissenschaften, den logischen Überlegungen der menschlichen Vernunft und einer Offenbarung Gottes, wenn sie authentisch ist, kann es keinen Widerspruch geben: Der eine Gott, der die Welt erschaffen hat und der sich den Menschen geoffenbart hat, kann sich selbst nicht widersprechen, die Wahrheit kann der Wahrheit nicht entgegengesetzt sein. Wenn Widersprüche auftreten, so kann es daran liegen, daß entweder die geoffenbarten Wahrheiten falsch verstanden werden oder daß aus naturwissenschaftlichen Erkenntnissen unzulässige Schlüsse gezogen werden oder daß verschiedene irrige, nicht bewiesene Hypothesen als Sätze der Vernunft, als naturwissenschaftliche Erkenntnisse, als Wahrheit ausgegeben werden [68].

In der Vergangenheit gab es aber vielfältige und heftige Auseinandersetzungen zwischen den einzelnen Wissenschaftsbereichen. Jede der Parteien vermeinte die volle Wahrheit zu besitzen. Besonders heftig war der Streit, als das kopernikanische Weltbild das alte ptolemäische abgelöst hat. Der Kampf zwischen Naturwissenschaften und der römisch-katholischen Kirche fand seinen Höhepunkt im Prozeß des Galilei: Auf kirchlicher Seite hat man die Bibel unkritisch als ein „vom Heiligen Geist diktiertes Buch" angesehen und alles, Buchstaben für Buchstaben im wortwörtlichen Sinn als wahr angesehen, also z. B. auch die Naturbeschreibungen, Bilder und Zeitangaben.

Man glaubte damals in allen christlichen Konfessionen, durch das genaueste Studium der Bibel, Auskunft über nähere Umstände bei der Weltentstehung erhalten zu können. Ein Beispiel, das immer wieder zitiert wird, ist die Berechnung des irischen Erzbischofs U(s)sher (1581–1656), der durch genaueste Studien des Alten Testaments aus den Zeitangaben und Lebensaltern zu der Folgerung kam, daß die Welt im Jahre 4004 v. Chr. entstanden sei, eine Aussage, die von John Lightfoot (Professor in Cambridge) im Hinblick auf den Beginn des akademischen Jahres (Wintersemester) noch weiter präzisiert wurde, wonach die Welt am 23. Oktober um 9 Uhr erschaffen wurde. Selbst der bekannte deutsche Astronom und Mathematiker Johannes Kepler (1571–1630), der mit den „Keplerschen Gesetzen" die Planetenbahnen um die Sonne berechnete, hat den Schöpfungsbeginn nach den Daten der Bibel für das Jahr 3992 v. Chr. berechnet.

Obwohl wegen einer buchstäblichen Auslegung der Bibel schon zur Zeit des Kopernikus schwere Bedenken erhoben worden sind und obwohl auch damals erkannt wurde, daß die Ergebnisse der Astronomie durchaus mit den Aussagen der Bibel zu vereinbaren seien, wurde leider die Ablehnung des neuen Weltbildes in der offiziellen Lehre sowohl der katholischen als auch der protestantischen Kirche lange durchgehalten [69].

Als später Darwin die Evolutionstheorie durch umfangreiche Forschungsergebnisse belegte und in seinen beiden Hauptwerken "On the Origin of Species" und "The Descent of Man" veröffentlichte, entstanden erneut heftige Kontroversen zwischen den Naturwissenschaften und der Theologie. Die Aussagen von Darwin selbst boten hierfür zunächst noch keinen Anlaß. So findet man in Darwins Buch: "On the Origin of Species" im Kapitel 15 folgendes bemerkenswerte Zitat [70a]: „Ich sehe keinen vernünftigen Grund, warum die in diesem Werke entwickelten Ansichten das religiöse Gefühl irgendeines Menschen verletzen sollten. ... es ist eine ebenso edle Vorstellung von Gott, zu glauben, daß er wenige ursprüngliche Formen erschaffen hatte, die fähig waren, sich selbst zu entwickeln in andere notwendige Formen, wie wenn man glaubt, daß er jedesmal einen neuen Schöpfungsakt benötigte, um die Lücken zu füllen, die durch die Wirkung seiner Gesetze entstanden sind." Und am Schluß dieses Werkes schreibt er: „Es ist etwas wahrhaft Erhabenes in der Auffassung, daß der Schöpfer den Keim allen Lebens, das uns umgibt, nur wenigen Formen oder gar nur einer einzigen Form mitgegeben hat und daß, während unsere Erde nach den Gesetzen der Schwerkraft ihre Bahn zieht, aus einem so schlichten Anfang eine unendliche Zahl der schönsten und wunderbarsten Formen entstanden ist und noch weiter entsteht" [70b].

Bemerkenswert ist, daß Darwin die Veröffentlichung seines Werkes mehrere Jahre hinauszögerte, denn er ahnte, welche Diskussionen von seinen Entdeckungen ausgehen könnten und welche Konsequenzen daraus gezogen würden. Und tatsächlich griffen gerade die dem Positivismus und der Kirchenfeindlichkeit verschriebenen Wissenschaftler und Philosophen die Lehren Darwins begeistert auf und betrachteten diese Entdeckungen als den „wissenschaftlichen Beweis", daß die Bibel nicht recht habe und damit alle christlichen Religionen nur fromme Selbsttäuschung seien. Es nimmt deshalb nicht wunder, wenn die offizielle Kirche der gesamten Evolutionstheorie ablehnend gegenüberstand.

Heute ist der Streit zwischen den Naturwissenschaften und der Theologie weitgehendst abgeflaut, da beide Wissenschaftsdisziplinen die Grenzen ihrer Aussagemöglichkeiten erkannt haben. Dafür hat sich aber die irrige Auffassung eines materialistischen Denkens breitgemacht, das durch eine oberflächliche, vordergründige, ja engstirnige Betrachtung der neuen naturwissenschaftlichen Erkenntnisse genährt wird. So erwecken die „neodarwinistischen" Wissenschaftler unserer Tage durch eine nicht bewiesene und nicht beweisbare Grundprämisse, daß das Leben und aus ihm die Arten und schließlich der Mensch innerhalb der bekannten Gesetzmäßigkeiten der materiellen Welt „nur" und ausschließlich durch eine Aufeinanderfolge von Zufallskonstellationen und Zufallsmutationen entstanden seien, im Grunde genommen den Anschein, daß für dieses gesamte wunderbare und staunenerregende Geschehen kein eigentlicher Plan oder Planer verantwortlich sein solle. Gegen solche, heute allerdings an den Hochschulen und im Volk weit verbreiteten, irrigen Grundauffassungen wenden sich in mehreren Buchpublikationen die in der Grundtendenz berechtigten, heftigen Angriffe eines Naturwissenschaftlers wie A. E. Wilder-Smith [71].

Auch hat sich eine sehr einseitige, materialistische Betrachtungsweise des menschlichen Bewußtseins und der menschlichen Person durch eine Beschränkung der Gesichtspunkte auf die erfaßbaren und meßbaren Gegebenheiten der Psychologie und Physiologie im Bewußtsein vieler Menschen festgesetzt. Die neuesten Erkenntnisse aus der Gehirnphysiologie sind aber ganz anders. Dies geht aus den Publikationen (vgl. Anmerkung 23 des 3. Kapitels) des Nobelpreisträgers für Medizin (Gehirnphysiologie) J.C. Eccles hervor. Im 3. und 4. Kapitel soll hierauf näher eingegangen werden.

Aber diesmal sind es die positivistischen Naturwissenschaftler, die die Gesamtwirklichkeit auf das Gesichtsfeld ihrer durch Scheuklappen begrenzten, reduktionistischen Betrachtungsweise eingeengt haben und dann fast nichts mehr gelten lassen, was man nicht durch mathematische Gleichungen berechnen oder in Computern analysieren kann.

Es ist aber ein irriger, nicht berechtigter Glaube von positivistisch eingestellten sogenannten „Wissenschaftlern" (Eccles nennt sie treffender „Reduktionisten"), wenn sie meinen, und dies dann noch als wissenschaftliche Erkenntnis ausgeben, daß mit der Beschreibung physikalischer und chemischer Vorgänge ein Sachverhalt vollkommen erklärt werden kann.

Denken wir z. B. an das Geschehen bei der Entstehung des ersten Lebens auf unserer Erde, an die Auffaltung der Arten bis zum Werden der ersten Menschen, so kann man wohl mit naturwissenschaftlichen Mitteln beschreiben, welche Vorgänge sich ereignet haben können, als sich erstes Leben auf unserer Erde bildete, der Mensch aus diesem Evolutionsprozeß hervorging; aber hat man damit schon alles erklärt und das gesamte Phänomen des Lebens, des menschlichen Bewußtseins, der menschlichen Natur erfaßt? Wollte man dies tun, so gliche man einem, der die aus einem Grammophon tönende Musik einzig und allein durch genaueste Beschreibung aller physikalischen Vorgänge, angefangen von der Bewegung des Elektromotors, dem Gleiten des Saphirs über die Schallplatte bis hin zu den Schwingungen des Lautsprechers bei den einzelnen Tonhöhen und Tonlängen erfassen wollte.

Aber das physikalisch Meßbare ist nicht alles. Mit der genauesten Beschreibung aller physikalischen Vorgänge hat man noch nicht den musikalischen und künstlerischen Wert eines Musikstückes erfaßt und beschrieben.

Aber naturwissenschaftliche Beschreibungen und Aussagen können noch nicht einmal erklären, warum die Naturgesetze gerade so sind, wie wir sie kennen, und es bleiben auch noch alle

Fragen nach dem Sinn des Daseins, des Lebens und die Bedeutung der tiefsten Werte im Menschenleben offen.

Was können also die Naturwissenschaften sagen über die Welt, in der wir leben, über ihre Entstehung?

1) Sie können uns helfen, tiefer in die Geheimnisse der Natur zu schauen, die Gesetze erkennen, nach denen Naturvorgänge ablaufen.
2) Wir können aufgrund der heute geltenden Naturgesetze den Weg zurück verfolgen in die Vergangenheit und uns eine Vorstellung davon machen, wie alles einmal entstanden ist.
3) Die Naturwissenschaften sind dazu berufen, irrige Auffassungen in Philosophie und Theologie zu korrigieren, sie von falschen Denkansätzen zu reinigen. Solche irrige Auffassungen können verständlicherweise dadurch entstehen, daß die Vorstellungswelt, die Denk- und Sprechweise des Menschen sich an den sinnlichen Wahrnehmungen orientiert, daß aber die sinnliche Wahrnehmung leicht Täuschungen unterliegen kann. Zum Beispiel: Wenn wir den Eindruck haben, daß die Sonne auf- und untergehe, so liegt es nicht an einer Bewegung der Sonne, sondern an der Rotation der Erde.
4) Man kann mit Recht annehmen, daß naturwissenschaftliche Erkenntnisse und Beobachtungen die gesicherten Offenbarungswahrheiten bestätigen müssen, sofern sich aus diesen Wahrheiten Folgerungen ergeben, die irgendwelche Auswirkungen auf die stoffliche Welt haben. Zum Beispiel bestätigt die Erkenntnis, daß die Entwicklung im Kosmos einmal einen Anfang gehabt haben muß, die Aussage, daß Gott die Welt erschaffen hat.
5) Bei den heute bekannten Ausmaßen des Kosmos erscheint uns ein Schöpfer dieser Welt unermeßlich größer, als das durch frühere Vorstellungen, auch im biblischen Bereich, überhaupt denkbar war. Man könnte demnach sagen, daß die Naturwissenschaften mit ihren Entdeckungen den Schöpfer dieser Welt uns größer und gewaltiger erscheinen lassen.

Insgesamt kann man feststellen, daß die Fragestellung der Naturwissenschaften nach dem *Wie,* dem äußeren Ablauf der

Dinge in unserer Welt geht. Der Naturwissenschaftler bemüht sich, die Zusammenhänge durch Naturgesetze zu beschreiben und zu verstehen. Er kann mit seinen Methoden jedoch nicht erklären, warum es überhaupt Naturgesetze gibt, warum sie gerade so beschaffen sind. Insbesondere die letztendlich entscheidende Frage „Ist alles Schöpfung Gottes oder Zufall?" kann man mit naturwissenschaftlichen Kriterien nicht beantworten. Aussagen hierüber sind philosophischer Natur.

Durch philosophische Schlußfolgerungen, fußend auf den Ergebnissen der Naturwissenschaften, kann man aussagen, daß die Welt ihre Existenz einem Schöpfer verdanken muß. Ferner sollte man es für möglich halten, daß der Schöpfer der Welt sich dem denkenden Menschen in irgendeiner Form mitteilen, offenbaren kann. Eine Wissenschaft, die sich mit solchen Offenbarungswahrheiten befaßt, ist die Theologie.

Aufgabe der Theologie ist es, die Glaubwürdigkeit von „Offenbarungen" und den Zeugen, an die solche Offenbarungen ergangen sind, zu prüfen, um somit zu einer „Theologie", zu Aussagen über Gott zu gelangen. Ein solches „Wissen" ist in letzter Konsequenz nur denkbar, wenn dieser alles menschliche Begreifen übersteigende Gott sich selbst offenbart. Eine Offenbarung Gottes an den Menschen wäre denkbar auf zweierlei verschiedene Weise:

1) Sie ergeht ständig und an alle Menschen. Hierüber wäre zu fragen im 4. Kapitel dieses Buches, wenn wir uns mit den Phänomenen des menschlichen Gewissens beschäftigen wollen.
2) Sie erfolgte im Verlaufe der Menschheitsgeschichte zu ganz bestimmten Zeiten und erging an ganz bestimmte Personen.

Wenn eine Offenbarung Gottes im Verlaufe der Menschheitsgeschichte, an bestimmte Menschen erging, die ihrerseits in der Vorstellungswelt, im Weltbild ihrer Zeit dachten, so sind diese Aussagen mit allen Unzulänglichkeiten und geschichtlich bedingten Vorstellungen, mit den Eigenheiten und geistigen

Fähigkeiten dieser Personen behaftet. Man muß dann zu unterscheiden wissen zwischen dem, was den eigentlichen Inhalt, und dem, was nur die Aussageform der Offenbarung ausmacht.
Zur Aussageform dieser Schriften und damit der Offenbarungswahrheiten gehören viele Bilder und Gleichnisse, die in anschaulicher und einprägsamer Weise viele tiefste Wahrheiten der menschlichen Existenz, des Wirkens eines Schöpfers in unserer Welt und schließlich Aussagen über Sinn und Ziel des menschlichen Lebens enthalten. Man sollte aber in solche Bilder keine naturwissenschaftlichen Erkenntnisse hineinlegen oder hineinzusehen versuchen, sondern aus ihnen nur die tiefsten Wahrheiten, die letztendlich entscheidenden Aussagen herauszuhören versuchen.

Das war den alten Orientalen immer bewußt: sie ließen Ungereimtheiten (hinsichtlich einer naturwissenschaftlichen Deutungs- und Betrachtungsweise) in den Texten nebeneinander bestehen, ohne beim ständigen Abschreiben der Bücher den Versuch zu machen, diese Differenzen auszugleichen (vgl. z. B. die beiden „Schöpfungsberichte" im Unterkapitel 1.6).
Diese Auffassung ist jedoch nicht immer von der Kirche in der rechten Weise berücksichtigt worden; daher gab es in der Vergangenheit eine Reihe heftiger Auseinandersetzungen zwischen den christlichen Kirchen und den Naturwissenschaften; solche Auseinandersetzungen haben jedoch ihre Wurzeln in tiefsten Mißverständnissen, nicht in einem real existierenden Widerspruch.

Versuchen wir nun in einer natur- und geisteswissenschaftlichen Gesamtschau das Ergebnis unserer Überlegungen des ersten Kapitels auf einen gemeinsamen Nenner zu bringen, in einem einzigen Satz zusammenzufassen, so kann man den als gesichert anzusehenden Satz formulieren: Die Welt ist in Evolution begriffen und aus dieser Entwicklung ist schließlich der Mensch als denkendes Lebewesen hervorgegangen; das gesamte Geschehen wird jedoch nur dann verständlich, wenn man annimmt, daß alles einmal von einem Schöpfer, von Gott, der über dieser Welt steht und nicht mit der Welt identisch ist, ins Dasein und Sosein gerufen wurde.

Aber dennoch bereiten die ungeheuren räumlichen Ausdehnungen und zeitlichen Distanzen, die Phänomene von Leid, Bosheit, Sünde und Tod, die widersinnig erscheinenden Fehlentwicklungen in der Natur und in sozialen Bereichen, das erschreckende Gespenst einer unheilvollen Zukunft uns erhebliche Schwierigkeiten, an die Existenz eines personalen Gottes, eines gütigen Schöpfers zu glauben. Diesen Zustand des heutigen Menschen kennzeichnet ein schon über hundert Jahre altes Zitat von Charles Darwin: „Mein Glaube ist völlig in Verwirrung geraten. Ich kann das Universum nicht als das Ergebnis eines blinden Zufalls ansehen; aber ich finde in den Einzelheiten keinen Anhaltspunkt für einen wohlgemeinten Plan oder überhaupt für irgendeinen Plan" [72].

Wir wollen diese Problematik im nächsten Kapitel wieder aufgreifen, wenn es unter dem Punkt 2.3 um den Sinn von Evolution und Weltentwicklung geht.

2. Über das Weltende

Wenn die Welt einen Anfang gehabt hat und sich entwickelt, so ist auch anzunehmen, daß diese Entwicklung einmal enden wird. In diesem Kapitel wollen wir danach fragen, welche Prognosen die Naturwissenschaften für die Zukunft stellen und welche Prophezeiungen die Bibel enthält. Aufbauend auf diesen Aussagen wollen wir dann einige logische Überlegungen anstellen, die nach einem Ziel suchen, dem die Weltentwicklung zustrebt, um von diesen Perspektiven die Frage nach dem Sinn menschlichen Lebens besser begreifen zu können.

2.1 Naturwissenschaftliche Prognosen

Welche Entwicklung erwarten wir für die Zukunft der Menschheit, der Erde, des Sonnensystems, ja des Gesamtkosmos? Und worauf gründen diese Prognosen?
Im Jahre 1972 erschien eine aufsehenerregende Studie: „Die Grenzen des Wachstums" [1]. Sie enthält recht düstere Prognosen für die Zukunft der Menschheit: Läßt man nämlich der sich heute abzeichnenden Entwicklung ihren freien Lauf, so drohen schon im nächsten Jahrhundert der Menschheit durch Versiegen der Rohstoffquellen, durch Umweltverschmutzung und Nahrungsmangel große Katastrophen. Aber das würde sicher nicht das Ende der Menschheit und das Ende des Lebens auf der Erde bedeuten, abgesehen von der Tatsache, daß der Mensch als

vernunftbegabtes Lebewesen in der Lage ist, Mittel und Wege zu finden, um Schwierigkeiten zu meistern, und Anstrengungen zu unternehmen, um die Zukunft zu sichern.
Es wird oft gesagt, daß durch Kriege mit ABC-Waffen, also mit atomaren, biologischen und chemischen Waffen, furchtbarer Schaden angerichtet und damit ganze Völker ausgelöscht, bzw. weite Gebiete der Erde für Menschen geraume Zeit unbewohnbar gemacht werden könnten. Dennoch ist kaum vorstellbar, daß dadurch die Menschheit ein jähes Ende nehmen sollte, wenngleich man theoretisch dieses mit einem gezielten Selbstmordprogramm durchführen könnte [2].
Welche Gefahren könnten der Erde durch Ereignisse im Kosmos drohen?
Wenn eine Supernova-Explosion in der Nähe des Sonnensystems ausbräche, könnte durch die dabei auftretende starke Strahlung das Leben auf der Erde geschädigt werden, aber es würde wohl kaum das Ende jeglichen Lebens auf der Erde bedeuten [3].
Es wird ferner angeführt, daß unsere Erde mit einem anderen Himmelskörper oder Stern einmal zusammenstoßen könnte. Dies wäre zwar denkbar, jedoch ist die Wahrscheinlichkeit derart gering, daß man diese Möglichkeit praktisch ausschließen kann. Wir denken dabei nur an die Größenverhältnisse, wie sie uns durch die Vergleiche mit dem Kürbismodell (S. 14) verdeutlicht wurden.
Sicherlich kann die Erde höchstens solange bestehen, wie die Sonne ihren jetzigen Zustand beibehält. Nach mehr als vier Milliarden Jahren sind erhebliche Veränderungen in der Sonne zu erwarten. Wenn nämlich der Wasserstoffvorrat im Kern erschöpft ist, verlagert sich die Wasserstoffverschmelzung in konzentrischen Schalen immer weiter von innen nach außen. Zum Schluß brennen nur noch die äußeren Schalen: die Sonne wird zum Roten Riesenstern. Nach einer sehr kurzen Zeit andauernder starker Kontraktion im Sonneninnern zündet der Brennstoff Helium (Verschmelzung zu Kohlenstoff), die Sonne dehnt sich abermals, noch stärker als zuvor aus, verschlingt

dabei die Erde und den nächstäußeren Planeten Mars. Wenn die Sonne das Stadium des Roten Riesensterns erreicht, ist ein Leben auf der Erde nicht mehr möglich, und zwar wegen der hohen Temperaturen und der enormen Strahlenbelastung. Die Sonne wird schließlich zum „Weißen Zwerg" und endet nach Ausbrennen aller Kernverschmelzungsprozesse als „Schwarzer Zwerg", als abgekühlter Materieball im Weltenraum. Wenn aber dann die Sonne und die Erde in der heutigen Gestalt vergehen, dann wäre damit noch nicht der Kosmos als Ganzes aus dem Dasein verschwunden.

Im Zusammenhang mit dem Ende des Kosmos wurde früher immer der zweite Hauptsatz der Thermodynamik genannt. Dieser besagt, daß alle makroskopischen Naturvorgänge, alle Energie und Stoffumsätze in ihrer Gesamtheit nicht umkehrbar (irreversibel) so verlaufen, daß sie einer möglichst gleichmäßigen Verteilung von Materie und Energie im Raum, einer maximalen Unordnung, einem Maximum an Entropie [4] zustreben. Die Aussagen des zweiten Hauptsatzes der Thermodynamik sollen an einem einfachen Beispiel erläutert werden: Wenn wir im Winter das Fenster öffnen, wird sich die Natur draußen nicht weiter abkühlen, um mit der dabei gewonnenen Energie unser Zimmer zu erwärmen, sondern es wird ein Temperaturausgleich stattfinden, so daß nach einiger Zeit unser Zimmer und die Außenluft durch Wärmeausgleich die gleiche Temperatur annehmen. Wenn wir unser Zimmer heizen wollen, müssen wir andere Vorgänge ablaufen lassen, die Wärme liefern. Bei diesen Vorgängen gilt aber wieder der zweite Hauptsatz der Thermodynamik, das heißt, wir müssen das Brennmaterial durch chemische Umsetzungen als Verbrennungsprodukte gleichmäßig in der Gegend zerstreuen.

Wenden wir diese Erkenntnisse, die wir aus dem zweiten Hauptsatz der Thermodynamik gewonnen haben, auf die zukünftige kosmische Gesamtentwicklung an, so müßte man annehmen, daß das Weltall einem Endzustand zustrebt, der durch eine gleichmäßige Zerstreuung von Materie und Energie im Raum gekennzeichnet ist, so daß alle Entwicklung einmal in einer maximalen Entropie enden würde, in Ereignislosigkeit und Sinnlosigkeit. Dies war lange Zeit die gängigste wissenschaftliche Theorie über die Zukunft und das Ende des Kosmos. So findet man in einem Physik-Hochschul-Lehrbuch des Jahres 1956 [5] folgendes Zitat: „Ein Mensch, dem es gelänge, sich dem allgemeinen Schicksal zu entziehen, würde nichts mehr erleben als ein unendliches Einerlei, unter dessen Oberfläche, für ihn unbeobachtbar, die Bewegung der Moleküle in einem mit Strahlung gleichmäßig erfüllten Raume allein ein ewiges Leben führt."

Heute wird die generelle Anwendbarkeit dieses Entropie-Prinzips auf das Universum mit seinen verschiedensten Objekten mit Recht erheblich angezweifelt, weil die Schwerkraft einer gleichmäßigen Zerstreuung aller Materie im Raum entgegensteht. Relevanter für ein Ende des Kosmos ist daher die allgemeine Relativitätstheorie von Einstein [6]. Diese Theorie macht Aussagen über die Schwerkraft. Im Zusammenhang mit dem Ende des Kosmos ist ein Verschwinden der Materie in „Schwarzen Löchern" zu erwarten.

Dies soll etwas näher erläutert werden. Zunächst soll ein Vergleich zeigen, wie groß die Schwerkraft ist [7]: Um ein Gramm Masse (z. B. eine Haselnuß) entgegen der Schwerkraft, d. h. entgegen der gegenseitigen Anziehungskraft der Materie aus dem Anziehungsbereich der Erde zu entfernen, benötigt man eine Energie von 20 Gramm TNT (Trinitrotuluol = herkömmlicher Sprengstoff). Um dieses eine Gramm aus dem Sonnensystem zu entfernen, brauchte man bereits die Energie von 100 Gramm TNT, die in einer Handgranate steckende Energie. Um die Masse von einem Gramm aus dem Einflußbereich des Milchstraßensystems zu bringen, ist bereits die Energie von 15 Kilogramm TNT erforderlich, also ein Energiebetrag, den eine schwere Artilleriegranate hat. Wollte man ein Gramm aus dem Anziehungsbereich des Gesamtkosmos entfernen, müßte man die Energie von 30 000 Tonnen TNT aufwenden, also die Energie einer schweren Atombombe.

Die Sonne ist ein riesiger Gasball, der etwa die gleiche Dichte wie eine konzentrierte Salzlösung hat (Dichte ca. 1,4 g/cm^3). Zwei entgegengesetzte Kräfte halten einander das Gleichgewicht: Erstens, die Schwerkraft, die bewirken würde, daß die Sonnenmaterie sich weiter zusammenziehen und zu einer unvorstellbar hohen Dichte gelangen würde, zweitens, der Strahlungsdruck, der durch Kernverschmelzungsvorgänge im Sonneninneren entsteht.

Wenn aller Kernbrennstoff ausgebrannt ist, fällt die Sonnenmaterie in sich zusammen, die Sonne wird zum „Weißen Zwerg" und nach dem Abstrahlen der in ihr gespeicherten Wärme in den Weltraum bleibt sie als toter Materiehaufen, als „Schwarzer Zwerg" mit einer ungeheuren Dichte [8] im Universum liegen. Hatte ein Stern eine Anfangsmasse, die mehr als zehnmal so groß wie bei der Sonne war, so ist keine Kraft vorhanden, die nach dem Verlöschen aller atomaren Brennprozesse einen solchen Stern bei der Zusammenziehung durch die Gravitationskraft vor einer Verdichtung auf einen unendlich kleinen Materiepunkt bewahren könnte: Es entsteht ein „Schwarzes Loch", bei dem die Schwerkraft der verdichteten Materie so groß ist, daß kein Materieteil, kein Energiequant mehr aus ihm entkommen kann; es dringt kein Signal von diesen Schwarzen Löchern mehr nach außen [9]. Im Gegenteil, diese „Schwarzen Löcher" ziehen benachbarte Materie und Energiequanten an und verschlingen sie, gleich einem Staubsauger. So könnten ganze Galaxien, schließlich das gesamte Universum in solchen „Schwarzen Löchern" verschwinden.

Die Neugeburt von Materie (oder eines Weltalls) aus solchen „Schwarzen Löchern" mit einer genauen Wiederholung der gegenwärtigen kosmischen Entwicklung ist nach unseren derzeitigen physikalischen Vorstellungen nicht anzunehmen. Diese „Schwarzen Löcher" sind in physikalischer Hinsicht als Singularitäten (vgl. Anm. 8 von Kapitel 1) anzusehen.

Bisher gingen wir von der Voraussetzung aus, daß die Grundgesetze der Physik sich nicht ändern, sondern stets konstant bleiben. Anders mag es aussehen, wenn in einer Vergehensphase des Kosmos die Grundgesetze der Physik auf den Kopf gestellt würden, sich ändern würden. Aber Spekulationen darüber anzustellen, ist vom naturwissenschaftlichen Standpunkt aus müßig. Fragen wir nun, was in der Bibel über das Vergehen des Kosmos zu finden ist.

2.2 Biblische Prophetie zum Weltende

In der Bibel findet man sehr viele Prophezeihungen, also Texte, die sich auf zukünftige Ereignisse beziehen. Die Propheten des Alten Testaments verstanden sich als Künder von Jahwes Willen. Als Bestätigung für ihre Sendung haben sie oft Ereignisse für die nahe Zukunft vorausgesagt, die sich bewahrheiteten und damit die Worte der Propheten rechtfertigten. Von den „falschen Propheten", die auch sehr häufig auftraten und deren Zeugnisse nicht bestätigt wurden, unterschieden sich die echten Propheten insbesondere dadurch, daß sie mit der Lehre und dem Jahwe-Glauben Israels übereinstimmten.

Die Propheten prangerten die Vergehen des Volkes Israel an und kündeten vernichtende Urteile über die Völker an, die das Volk Israel bedrängten. Bei der immer stärker werdenden Bedrohung des „Gottesvolkes" wird die Zerschlagung der Völker in immer schrecklicheren Bildern ausgemalt.

In diese Gottesgerichte werden auch die nichtmenschlichen Bereiche einbezogen. Die Propheten kündeten „den Tag Jahwes" als ein endzeitliches Gericht über alle Völker der Erde an. Dieses Gericht soll sich durch das Vergehen der Sonne, des Mondes und der Sterne, durch Verwüstung der Erde ankündigen. Die kosmischen Prophezeihungen tauchten vor allem in der Zeit der babylonischen Gefangenschaft auf [10] und verdichteten sich in den letzten beiden vorchristlichen Jahrhunderten und auch danach zu einer apokalyptischen Literatur, von denen der größte Teil nicht „kanonisiert" wurde [11].

Sehr bald schon tauchten die Prophezeihungen auf, daß Gott nach dieser dem Untergang geweihten Welt eine neue erschaffen werde. So verwendete der (Trito)-Jesaja [10] für diese Neuschaffung denselben Ausdruck "bara" (Js 65, 17), wie er im 1. Kapitel der „Genesis" (Gen 1, 1 vgl. S. 70) für die Erschaffung der Welt aus dem Nichts gebraucht wurde.

Jesus und das Neue Testament berufen sich auf diese Texte der Propheten, verwenden ihre Ausdrucksweise. Die Tabelle 2 zeigt die im Neuen Testament verwendeten Redewendungen, die sich auf das Schicksal des Gesamtkosmos beziehen. In dieser Tabelle wurden nur solche Stellen des Neuen Testaments in gekürzter Form aufgenommen, die sich auf das Ende der gesamten Welt beziehen [12]. Die rechte Spalte der Tabelle zeigt die Quellen aus dem Alten Testament an, auf die sich die neutestamentlichen Schriftsteller beziehen. Die Texte werden oft dem Wortlaut gemäß übernommen oder zumindest zeigt der Aufbau, daß der Verfasser des neutestamentlichen Textes von alttestamentlichen Schrifttexten (z. B. Ez 35–48. Kapitel) inspiriert wurde. Der zweite Petrusbrief [13] fußt wahrscheinlich auf einer früher geschriebenen jüdischen Apokalypse [14].

Bevor wir der Frage nachgehen wollen, ob die in der Tabelle angegebenen Texte für Aussagen über die Zukunft des Kosmos relevant sind, wollen wir diese Schriftstellen zunächst einmal nach ihrem Inhalt befragen. Wie in der Tabelle zu sehen ist, kann man die Aussageinhalte in drei Gruppen zusammenfassen:

1) Ankündigung von kosmischen Katastrophen in Verbindung mit dem Gericht über die Menschen.
2) Weltuntergangstexte in Verbindung mit der Ankündigung von einem neuen Himmel und einer neuen Erde.
3) Nicht in Verbindung mit dem Endgericht stehende Weltuntergangsaussagen.

Es fällt auf, daß die Aussagen, wollte man sie als naturwissenschaftliche, physikalische Beschreibung auffassen, sich einander widersprechen. Es gibt zu denken, daß sogar ein und derselbe Verfasser verschiedene Bilder für den Untergang der Welt gebraucht. Man darf daraus schließen, daß die Schreiber der

Tabelle 2
Weltuntergangstexte im Neuen Testament

Stellen im NT	Inhalt (stark gekürzte Fassung)	Quellen im AT
	Katastrophentexte in Verbindung mit dem Gerichtsgedanken	
Apk 6, 12–14 (= sechste Siegel-Vision)	Die Sonne wurde schwarz wie ein härener Sack, und der Mond wurde ganz wie Blut, die Sterne des Himmels fielen auf die Erde, wie ein Feigenbaum seine unreifen Früchte abwirft, wenn er von einem starken Sturm geschüttelt wird. Und der Himmel schwand dahin wie ein Buch, das man zusammenrollt.	Joel 3, 4 Js 34, 4
Mk 13, 24–25 u. Mt 24, 29	Die Sonne wird sich verfinstern, der Mond wird seinen Schein nicht mehr geben, die Sterne werden vom Himmel fallen, und die Kräfte des Himmels werden erschüttert werden.	Js 13, 10 Js 34, 4
Hebr 12, 26	Jetzt aber hat er die Verheißung gegeben: „Noch einmal will ich erschüttern, und zwar nicht nur die Erde, sondern auch den Himmel."	Hag 2, 6
	Weltuntergangstexte in Verbindung mit der Rede von einem neuen Himmel und einer neuen Erde	
Apk 20, 11–15	Vor seinem Angesicht flohen die Erde und der Himmel, und keine Stätte wurde (mehr) für sie gefunden. (Im NT-Text folgt das Gericht über die Toten). Und wenn jemand nicht im Buch des Lebens verzeichnet gefunden wurde, so wurde er in den Feuerpfuhl geworfen.	(Anlehnung an Ez 35–48 und 4 Esr 7, 26–44)
Apk 21, 1	Und ich sah einen neuen Himmel und eine neue Erde; denn der erste Himmel und die erste Erde sind vergangen, auch das Meer ist nicht mehr.	Js 65, 17
2 Petr 3, 7; 3, 10 und 3, 13	Der jetzige Himmel aber und die Erde sind aufgespart für das Feuer. Dann werden die Himmel mit reißender Geschwindigkeit vergehen, die Elemente aber in Feuersglut sich auflösen und die Erde mitsamt den Werken, die darauf sind, verbrennen... Einen neuen Himmel aber und eine neue Erde, worin Gerechtigkeit wohnt, erwarten wir nach seiner Verheißung.	(Texte einer jüdischen Apokalypse)
	Außerhalb des Gerichtstextes stehende Untergangsaussagen	
Mk 13, 31; Mt 5, 18; Lk 16, 17	Der Himmel und die Erde werden vergehen, (meine Worte aber werden nicht vergehen). (Js: Doch mein Heil besteht in Ewigkeit).	Js 51, 6
1 Kor 7, 31b Hebr 1, 10–12 1 Jo 2, 17	..., denn die Gestalt dieser Welt vergeht. (Erde und Himmel) sie werden vergehen. Und die Welt geht vorüber mit ihrer Begierde. Wer aber den Willen Gottes tut, bleibt in Ewigkeit.	Ps 102, 26–28

Texte keine detaillierten Schilderungen der Ereignisse geben wollten, sondern daß sie vielmehr in diesen bildlichen Darstellungen einen tieferen Sinn meinten.

Den Bildern liegt zudem ein überholtes Weltbild zugrunde. Es wäre aber methodisch kurzschlüssig, wenn man deswegen die Aussagen von vornherein abtun wollte. Denn der Schreiber mußte, um sich überhaupt verständlich zu machen, seine Gedanken in der Vorstellungswelt seiner Zeit ausdrücken. Aus diesen Gründen wird man nicht erwarten können, daß aus den Texten etwas herausgelesen werden kann, welches physikalische Schicksal einmal die Welt erleiden würde. Die verwendeten Bilder lassen aber den Schluß zu, daß in diesen Texten die gesamte Welt gemeint ist, wir müßten folgern, es handele sich um den Gesamtkosmos.

Was ist also der eigentliche Aussagewert dieser apokalyptischen Stellen, die natürlich im Zusammenhang der vollständigen Texte gesehen werden müssen? Man kann dieses wohl letztlich Gemeinte in den folgenden drei wichtigen Punkten zusammenfassen:

1) Die gesamte Welt wird vergehen; es geht nicht um Teilbereiche in der Welt. Wir würden heute sagen, es betrifft den Gesamtkosmos.
2) Die Menschen werden nicht zur Entscheidung aufgerufen. Das Schicksal der Welt ist unabwendbar, gleich wie die Menschen handeln, ob sie gut oder böse sind, obwohl doch gerade, wie noch im 4. Kapitel dargelegt wird, die Einstellung und das Handeln des Menschen für seine persönliche Zukunft einen entscheidenden Maßstab darstellt und die Propheten nicht müde werden, die Menschen zur Wachsamkeit, zur Umkehr und zur Buße aufzurufen.
3) Diese Welt wird abgelöst durch eine von Gott geschaffene, neue, vollkommen andere, unvergängliche Welt.

Es mag dahingestellt bleiben, ob die Bibel mit dem Ende des Kosmos dasselbe meint, wie die Prognosen der Naturwissenschaften es voraussehen. Es wäre denkbar, und man kann dies von naturwissenschaftlicher Seite nicht absolut ausschließen, daß Gott die Weltentwicklung, die durch ihn einmal in Gang gesetzt wurde, auch wieder beendet, daß durch Änderung der Naturgesetze, durch Singularitäten die materielle Welt aus dem Dasein verschwinden würde (vgl. hierzu auch die Anmerkung 1 des dritten Kapitels).

Es erhebt sich nun die Frage: Handelt es sich bei diesem tieferen Gehalt, der in den Texten zu finden ist, um Mitteilungen, die die Verfasser der Texte, auf welche Weise auch immer, von Gott erhalten haben, oder wurden die betreffenden Menschen bei ihren Visionen getäuscht, oder wollten sie mit den Texten uns täuschen, wollten sie uns in schweren Tagen auf ein besseres Jenseits vertrösten? Sind es nichtrelevante Gedanken von nichtkompetenten Menschen? Denn ein Mensch kann ja über das letzte Schicksal der Welt und über eine neue Welt von sich aus nichts wissen, weil dies seine natürlichen Fähigkeiten und Grenzen übersteigt. Diesen Fragen wollen wir im folgenden Unterkapitel nachgehen, indem wir einige logische, philosophische Überlegungen anstellen und nach dem Sinn der Weltentwicklung fragen.

2.3 Vom Sinn der Weltentwicklung

Bei diesen Überlegungen werden wir zunächst ausgehen von den als gesichert geltenden Ergebnissen naturwissenschaftlicher Erkenntnisse und die Frage nach dem Sinn der Weltentwicklung so umfassend wie möglich stellen. Es geht dabei weniger darum, einen Sinn in der hinter uns liegenden Entwicklung zu suchen, als vielmehr darum, ein Ziel zu erkennen, in das alle Entwicklung einmünden soll.

Das gesamte Evolutionsgeschehen ist überlagert von der kosmischen Entwicklung. Die im Abschnitt 2.1 beschriebenen, für die fernere Zukunft zu erwartenden, kosmischen Veränderungen überschatten daher auch alle biologischen und kulturellen Entwicklungen, und alles Leben und alle Kultur würden schließlich in die kosmischen Katastrophen hineingezogen werden: Durch die sich bereits in wenigen Milliarden Jahren zu einem roten

Riesen entwickelnde Sonne würde alles Leben verbrennen, die Erde würde schließlich von der Sonne verschlungen werden. Die Materie, die einmal unsere Erde und auf ihr die Menschen gebildet hat, bleibt als toter Materiehaufen im Weltall zurück oder verschwindet, falls sie in den Einflußbereich eines „Schwarzen Loches" geraten sollte, aus dem Dasein und ihrem Sosein. Oder der Kosmos würde aus seinem jetzigen, in Entwicklung befindlichen Stadium einmünden in einen Zustand der Zerstreuung von Materie und Energie im Raum, der gekennzeichnet ist durch Eintönigkeit und Ereignislosigkeit.
So schreibt Werner Bröker: „Unter der Voraussetzung, daß eines der oben genannten Weltmodelle gültig ist, läßt sich ein natürliches Ende als ein Auslaufen und Aufhören allen Lebensgeschehen, eingebettet in das allgemeine Aufhören veränderlichen Geschehens des Gesamtkosmos, voraussagen. Die allgemeine und in alle möglichen Richtungen drängende Dynamik des Lebendigen hätte dann einer Gaußschen Kurve geglichen, Leben wäre dagewesen, hätte sich dargestellt, sich im Rahmen des Möglichen ausgelebt und wäre wieder in sich zusammengesunken... Die Erkenntnis, daß das irrsinnige Abenteuer des Protoplasmas, aus dem das Leben, der schöpferische Geist des Menschen und all seine Kulturbemühungen hervorgegangen sind, der schließlichen Vernichtung geweiht ist, zeigt, wie schmerzhaft eine solche Sinnerkenntnis ist. Selbst wenn das Abenteuer sich auf einer anderen Welt wiederholen sollte, würde es von denselben trügerischen Hoffnungen getragen, überall so sinnlos, so vergebens und so zwangsläufig von Anfang an dem schließlichen Scheitern und der unendlichen Finsternis verschrieben sein" [15a].
Die Wissenschaften mögen zwar einen speziellen Sinn in gewissen Teilbereichen z.B. in der biologischen oder kulturellen Entwicklung feststellen können, mit der Einmündung der Evolution in das kosmische Geschehen, das gekennzeichnet wäre durch ein ereignisloses Chaos mit maximal möglicher Entropie oder einem Verschwinden der Materie in „Schwarzen Löchern" hätte schließlich alles und jedes seinen Sinn verloren, wenn man

dies nur vom innerweltlichen Geschehen her betrachtet. Die Naturwissenschaften können daher keinen letzten Sinn im Evolutionsgeschehen feststellen.
Wenn also überhaupt die in Evolution befindliche Welt einem Ziel zustreben und dieses als letztlich sinnvoll angesehen werden soll, so kann es nicht innerhalb dieser dem Untergang geweihten Welt liegen, es kann nicht evolutionsimmanent, sondern nur evolutionstranszendent sein; d. h. es muß die Weltentwicklung einen letzten Sinn erst in einer anderen „Welt" haben, die jenseits der materiellen liegt. Ein solches Ziel ist aus der heutigen, in Entwicklung begriffenen Welt nicht abzulesen, nicht zu ersehen; es geht nicht aus ihr (naturwissenschaftlich beweis- oder ableitbar) hervor. Die Naturwissenschaften können deswegen hierzu keine Aussage machen.

Von einem solchen Ziel spricht jedoch die Bibel. Die Bibel wird von den Christen als Offenbarung Gottes verstanden. Ist dies Selbsttäuschung, oder steht hinter den Aussagen eine Realität, von der wir uns in unserer heutigen, durch die Technik und Naturwissenschaften bestimmten Welt keine Vorstellung machen können?

Diese schwerwiegende Frage ist gekoppelt mit der Legitimationsfrage, die schon im ersten Kapitel aufgetaucht ist und ihre letzte Zuspitzung erfahren wird an der Person des „Messias" Jesus Christus. Dieses wird uns noch eingehend im dritten Kapitel beschäftigen. Bei dem hier angeschnittenen Problem im Zusammenhang mit dem Ende der Welt und einer Sinnfrage in der gesamten Weltentwicklung gibt es zunächst einmal zwei Alternativen.

Alternative 1:
Die Bibel ist das Ergebnis des Wunschdenkens vieler Menschen nach einer besseren Welt, in der alles Unrecht wiedergutgemacht werden soll, ist eine Projektion des menschlichen Gefühls in eine glorifizierende Welt der Ideale, in der das menschliche Bedürfnis nach Liebe gestillt wird, ist nur eine Illusion [16], ist „Opium fürs Volk", „illusorisches Glück" [17]

zur Beruhigung und damit zur besseren Ausbeutung der unterdrückten Menschen durch die herrschende Klasse.
Ist die Bibel nur das Ergebnis dieses Wunschdenkens, gibt es, um Demokrit [18] zu zitieren, „nichts, als die Atome und den leeren Raum – alles andere ist Meinung", lehnt man von vornherein aus ideologischen Gründen den Gedanken an die Existenz eines Schöpfers und an einen über der Schöpfung stehenden Gott ab, der sich dem Menschen zu erkennen geben kann, so ist der gesamte Verlauf der Weltentwicklung vollkommen sinnlos, wenn man auch in speziellen Teilbereichen eine in sich sinnvolle Evolution erkennen kann.
Alternative 2:
Die Welt verdankt ihre Existenz einem Schöpfer, dieser von der Welt unabhängig existierende Gott hat sich dem Menschen zu erkennen gegeben, sich ihm geoffenbart, die Bibel enthält – wenn auch in unzulänglichen Bildern – Offenbarungswahrheiten, und im Zusammenhang mit unserem Thema gibt es nach der Bibel neben dieser stofflichen Welt eine andere, die in der Bibel als der *„Neue Himmel und die Neue Erde"* bezeichnet wird. Diese andere Welt, dieses „Jenseits" ist mit unseren Denkkategorien nicht beschreibbar, ist damit auch unserem Verstand nicht zugänglich. Alle Versuche, Aussagen darüber zu machen, sind mit den Vorstellungen unserer jetzigen Welt behaftet und können durch Beschreibung die wahre Realität nicht wiedergeben.
Welche logischen Konsequenzen ergeben sich aus diesen beiden Alternativen?
Wenn es nach der ersten Alternative nichts als die materielle Welt gäbe, wäre die gesamte Weltentwicklung letztendlich sinnlos, jede weitere Überlegung erübrigte sich.
Wenn jedoch bei der zweiten Alternative mit dem Ende dieser Welt noch nicht alles aus ist, wenn es einen Gott gibt, wenn es eine neue Schöpfung geben soll, die dem Menschen verheißen ist, dann muß die Evolution und die Entwicklung in dieser Welt einen inneren Bezug und einen Sinn in Hinblick auf diese neue Schöpfung haben, denn man kann sich nicht vorstellen,

daß Gott etwas Vorläufiges, in sich Sinnloses und daneben etwas letztlich Sinnvolles, Endgültiges gleichzeitig schafft, ohne daß irgendeine Verbindung zwischen beiden bestünde. Dann wären die „Gestaltungen des Kosmos" und unserer Welt, „hervorgerufen durch die evolutive Dynamik und speziell durch den Menschen nicht vergeblich, sondern besäßen Wert für die Ewigkeit" [15b].
Doch auch mit dieser Feststellung und logischen Überlegung zur Alternative 2, daß nämlich dem Menschen ein Leben jenseits dieser Welt, in einer unvergänglichen Welt verheißen ist, bieten sich beim Durchdenken dieser Möglichkeit erhebliche Schwierigkeiten:
Man wird fragen, warum hat der Kosmos dann so ungeheuer große Ausmaße, und warum ist der Mensch erst so spät in der gesamten Entwicklung erschienen [19]? Hätte für das Ziel, daß der Mensch sich in dieser Welt für eine kommende neue Schöpfung zu qualifizieren habe, nicht ein viel kleinerer Kosmos genügt?
Vom naturwissenschaftlichen Standpunkt aus wird man sagen können, daß diese gewaltigen Zeiten notwendig waren, damit nach den uns bekannten Naturgesetzen der Physik, Chemie und Biologie sich die Erde, das Leben und schließlich der Mensch entwickeln konnten, daß ein Lebewesen entstehen konnte, das eine gewisse geistige Freiheit besitzt.
Für die gesamte Zeit der Evolution auf der Erde mußte die Sonne in unverminderter Stärke strahlen können, ein nahezu gleichmäßiges Licht aussenden, das ja als Energiequelle auf der Erde notwendig war und noch weiter notwendig ist. Dazu mußte die Sonne ihre gewaltige Größe haben.
Die Dimensionen der Erde, die heute für die gesamte Menschheit zu klein zu werden drohen [1], sind ebenfalls äußerst günstig bezüglich der Schwerkraft (also letztlich wiederum hinsichtlich der Größe): Eine zu große Erde mit wesentlich höherer Schwerkraft würde zu einer viel stärkeren Schwerebelastung der organischen Zellen von Landtieren und Menschen führen und damit nicht so günstig sein, wie es bei der Größe unserer Erde

der Fall ist. Eine viel zu kleine Erde könnte nicht die zum Leben notwendige Lufthülle an sich binden. Die Dimensionen des Sonnensystems sind also ausgezeichnet geeignet gewesen, um das Leben und den Menschen hervorbringen zu können.

Warum aber die ungeheuren Dimensionen des Weltalls? Eine naturwissenschaftliche Antwort könnte lauten: Wenn die Welt durch eine riesige Urexplosion entstanden ist, sich seit dieser Zeit mit gewaltiger Geschwindigkeit auseinanderbewegt, so ergibt dies bei der zur Entstehung des Lebens und des Menschen notwendigen Zeit automatisch solch gewaltige Dimensionen, die dann auch mit diesen unfaßbar großen Massen und mit der so großen Anzahl von Spiralnebeln erfüllt sein müssen.

Man kann den Menschen, jene höchste Stufe aller Evolutionsprozesse, als das Sinnziel der Evolution ansehen, das Ziel, in dem alle Evolution gipfelt und einen vorläufigen Sinn erhält. Es ist anzunehmen, daß in den Elementarteilchen bereits diejenigen Eigenschaften und Gesetzmäßigkeiten angelegt sind, nach deren „Bauplänen" ein gewaltiger Evolutionsprozeß schließlich zum Menschen, jenem denkenden und das materielle Sein übersteigenden Wesen führt. Welches irdische Genie wäre annähernd überhaupt in der Lage, die großartigen Gesetze zu durchschauen, welche zur Weltentwicklung führten und dabei auch ein freies Spiel der verschiedensten Kräfte ermöglichten, das bis zur personalen Freiheit des Menschen geht. Wer könnte die geniale Grundkonzeption nachempfinden, geschweige denn überhaupt erst entwerfen, die in den wenigen Grundbausteinen der Elementarteilchen enthalten sein muß, so daß ohne irgendwelche nachherigen Korrekturen der Naturgesetze eine solch grandiose Entwicklung möglich war?

Der Mensch, der als höchst entwickeltes Lebewesen am Ende der gesamten Evolution steht, muß vom innerweltlichen Standpunkt aus als das „Sinnziel der Weltentwicklung" angesehen werden, das Ziel, in dem die gesamte Entwicklung gipfelt, einen vorläufigen, innerweltlichen Sinn erhält [20].

Es ist dabei gleichgültig, ob wir nun meinen, wir seien im gesamten Kosmos die einzigen denkenden Lebewesen, daß das gesamte Weltall mit seinen gewaltigen Dimensionen eine Offenbarung Gottes an den Menschen wiederspiegele; oder ob wir annehmen, es gäbe eine ungeheure Vielzahl von erdähnlichen Planeten im Universum, auf denen sich ebenfalls eine Entwicklung zu geistbegabten Lebewesen ereignet hätte *[21]*. Das würde an diesem Sinnziel der Weltentwicklung nichts ändern, bedeutete hingegen eher eine ungeheure Vervielfältigung dieses großartigen Geschehens.

Nach diesen Überlegungen müßte man annehmen, die Welt sei entstanden und die gesamte Evolution hätte sich ereignet, damit Menschen (oder andere vernunftbegabte Lebewesen im Gesamtkosmos) aus dieser Entwicklung hervorgehen konnten, damit es also denkende, selbständige Lebewesen geben konnte, die die Schöpfung und durch sie den Schöpfer zu erkennen vermögen und als „autonome Personen" für Gott „antwortende Partner" werden konnten [22a].

Gäbe es nicht den denkenden Menschen oder andere intelligente Lebewesen im Kosmos, so würde das grandios ablaufende Welttheater der kosmischen, chemischen und biologischen Entwicklung vor leeren Sitzen gespielt werden.

Es sei mir gestattet, das auf S. 81 wiedergegebene Darwin-Zitat auf diese großartigen Perspektiven abzuwandeln:

Es ist etwas wahrhaft Erhabenes in der Auffassung, daß der Schöpfer den chemischen Elementen bzw. den Elementarteilchen solche Eigenschaften mitgegeben hat, daß sich aus ihnen, dann, wenn die Bedingungen günstig sind, Leben entwickeln konnte, und daß, während unsere Erde und viele andere Planeten im Universum nach den Gesetzen der Schwerkraft ihre Bahn ziehen, aus einem so schlichten Anfang durch eine gewaltige Evolution schließlich denkende Lebewesen hervorgehen konnten, die in jene geistigen, nichtmateriellen Bereiche gelangen und in diesen ihre persönliche Erfüllung finden können, in denen der Schöpfer der Welt, der personale Gott lebt.

In unseren Überlegungen wollen wir uns nun der interessanten Frage zuwenden, ob nicht die Struktur und die Entwicklung der Welt etwas verraten könnte über denjenigen, der dies alles ins Leben gerufen hat. Es ist etwa in dem Sinne gemeint, wie ein Bauwerk etwas vom Wesen des Architekten (nicht von seinem photographischen Abbild) wiederspiegelt. Dabei könnten zwei Gesichtspunkte von besonderer Bedeutung sein, wie es W. Bröker in seiner Dissertation: „Der Sinn von Evolution" [15] ausführlich durchdacht hat. Hier sollen wichtige Aspekte dieser Überlegungen in den beiden folgenden Punkten zum großen Teil auch mit Brökers Formulierungen [15h] wiedergegeben werden:

1) Die in Evolution befindliche Welt zeigt uns abbildhaft etwas von der Schöpfertätigkeit Gottes. Selbstverständlich gilt das nur in analoger Hinsicht, denn ein wesentlicher Unterschied zwischen Gottes „*Schaffen*" und dem in Evolution „*tätigen*" Kosmos besteht darin, daß Gott das Sein ins Leben gerufen hat und es am Sein erhält, während die Schöpfung durch Evolution gemäß den Naturgesetzen und der Mensch durch seine geistigen Fähigkeiten gestaltend schöpferisch ist. Das Spektrum dieses schöpferischen Tätigseins geht vom Quantensprung, jenem *undeterminierten* Geschehen im Bereich der Atome (vgl. 4. Kapitel) bis hinauf zum einsichtigen Handeln des Menschen [15c]. Aus dieser Sicht gewinnt die menschliche Arbeit neue Aspekte. Sie ist nicht nur Mühsal, wie es im Fluch von Gen 3, 19 heißt: „*Im Schweiße deines Angesichtes sollst du dein Brot essen, bis du zum Erdboden zurückkehrst, von dem du genommen bist! Denn Staub bist du, und zum Staub mußt du zurückkehren!*", sondern Ebenbildlichkeit Gottes im Sinne des Schöpfungsauftrages: „*Gott segnete sie, und Gott sprach zu ihnen: »Seid fruchtbar und mehret euch und erfüllet die Erde und macht sie euch untertan! Herrschet über die Fische des Meeres und über die Vögel des Himmels und über alles Getier, das sich auf Erden regt!«*" (Gen 1, 28).

2) Die Schöpfung trägt in sich Spuren von Gottes tiefstem Wesen.

Bevor ich die Argumentation von W. Bröker in gekürzter Form wiedergebe, möchte ich hier einige Vorbemerkungen machen: Die Menschheit hat in den verschiedensten Epochen und Kulturen die mannigfaltigsten Auffassungen über Gott entwickelt und eine Vielzahl von Vorstellungen über das Wirken des Göttlichen in dieser Welt gekannt. Diese Gottesbilder mögen sich aus meditierenden Überlegungen oder aus konkreten Widerfahrnissen einzelner Menschen oder von menschlichen Gemeinschaften herauskristallisiert haben.

Eine Sonderstellung nimmt das christliche Gottesbild des „dreieinigen" Gottes ein. Jesus Christus hat sich selbst als den Offenbarer, als den Vollstrecker des Willens Gottes verstanden. Er wird als das „Wort" Gottes, als der „Sohn" bezeichnet. Die durch ihn an die Jünger ergangene Kunde von Gott hat ein Gottesbild entstehen lassen, das wir mit dem Namen der *Trinität*, des *dreieinigen Gottes* belegen.

Die Christenheit hat sich schwer damit getan, dieses neuartige, die menschliche Vernunft, den menschlichen Geist übersteigende Geheimnis des dreieinigen Gottes in Worte zu fassen, verstandesmäßig zu bewältigen und von Falschinterpretationen zu reinigen. Davon zeugen die vielen Konzilien in den ersten Jahrhunderten des Christentums [23]. Und auch noch in unserem Jahrhundert sind wir nicht viel weiter als bis zu einer schwachen, schemenhaften Andeutung dieses alles menschliche Kalkül übersteigenden Geheimnisses gekommen.

Will man in wenigen Sätzen entscheidende Wesensmerkmale des trinitarischen Geheimnisses andeutungsweise charakterisieren, so muß man besonders stark betonen, daß der dreieinige Gott, wie er von den Christen verehrt und angebetet wird, ein einziger Gott ist. Das Christentum ist also in letzter Konsequenz ein strenger Monotheismus, die Christen beten nur einen, den wahren und ewigen Gott an.

Dieser Gott ist in sich aber Leben in ständigem Zeugen und Hervorgehen. Die drei als Personen bezeichneten Prinzipien dieses einen und ewigen Gottes sind 1) ein aktives Element (das Zeugen, das Prinzip des Vaters), 2) ein passives Element (das Empfangen, das Prinzip des Sohn-Seins) und schließlich 3) die ewige Wechselwirkung (das Strömen, die Liebe, das Prinzip des Heiligen Geistes).
Nun zeigt sich aber, daß sich gerade dieses dem menschlichen Verstand schwer zugängliche, alles menschliche Begreifen übersteigende Gottesbild am besten mit einer in Evolution befindlichen Welt vereinbaren läßt.
Und nun soll die Argumentation von Werner Bröker in gekürzter Form, auch unter Verwendung einiger seiner Redewendungen, wiedergegeben werden: Wenn nämlich im trinitarischen Geheimnis die „konkrete Existenzweise Gottes Leben und Vollzug des Seins" ist, und Gott nicht ein einsamer über der Schöpfung thronende Schöpfer ist, dann muß sich davon auch eine Spur in der Schöpfung wiederfinden. Die Schöpfung ist dann nicht die „starre und statische Repräsentation eines unbewegten Bewegers", hat nicht ihren Sinn, ein „bewegtes Abbild eines unbewegten Urbildes" zu sein, sondern die Welt stellt im „Akt ihres Seins, im Vollzug der zeitlichen Existenz" irgendwie abbildhaft ein ursprüngliches Geschehen das, der Kosmos weist durch seine evolutive Dynamik, durch die stets neues hervorbringende Entwicklung, durch das in ihm tätige, pulsierende Leben darauf hin, daß der hinter ihm stehende Schöpfer selbst in sich Leben ist im ewigen Hervorgehen, in der lebendigen Fülle des ständigen Zeugens und Gezeugtwerdens [15e].
Bröker sieht die in Evolution befindliche Welt weiterhin mit gutem Grund in einer letzten, tiefsten Sinnbedeutung als schwaches kreatürliches Abbild des Logos, der *zweiten Person* Gottes, des Sohnes, und zwar in der Grundbeziehung zum Vater: „Der Logos als gezeugter Sohn ist in seiner Existenz total abhängig vom Vater. In dieser Abhängigkeit empfängt er sich selbst im ewigen Akt der Erzeugung. Diese Abhängigkeit aber geht zugleich in eins mit einem so absoluten Selbststand, daß

der Logos als Person bezeichnet werden muß. Als solche Person, in einer absoluten Verfügungsgewalt über sich selbst, spricht er die liebende Antwort an den Vater, überantwortet sich dem Vater, dem er trotz seiner Abhängigkeit nicht ausgeliefert ist. Hinter diese Sinnfülle kann der Glaubende nicht mehr zurückfragen.

Diese sinnvolle Grundstruktur der Relation von Vater und Sohn kehrt nun, so möchte man annehmen, in der Relation von Gott und Schöpfung wieder. Die Schöpfung ist in allen ihren Phasen abhängig von Gott... Die Schöpfung besitzt aber auch ihren eigenen Stand Gott gegenüber und Verfügungsgewalt, die der Schöpfung letztlich die ausgesprochene Liebe, vor allem die zu Gott, ermöglichen. Kreatürliches Phänomen dieser Dialektik ist die Evolution... Der Sinn der Evolution ist in dieser Perspektive abbildliche Teilhabe am Sinn des empfangenden und schenkenden Bezuges des Logos zum Vater" [15f].

Es ist, soweit mir bekannt ist, in der Literatur und der gegenwärtigen Diskussion noch kaum oder zu wenig darauf hingewiesen worden, daß die Struktur und die Beschaffenheit der materiellen Welt und die Naturgesetze viele Prinzipien zeigen, die, gewissermaßen in einer Theologie der Schöpfung, vom Ursprung her, von der Existenz eines dreieinigen Gottes her verstanden werden kann, denn die Abbilder der materiellen Welt und die Naturgesetze werden erklärlich, wenn der Urheber dieser Welt der dreieinige Gott ist [24]. Ich möchte versuchen, einige solcher Aspekte stichwortartig aufzuzeigen:

Wir können in der materiellen Welt überall die Prinzipien der gegenseitigen Wechselwirkung, des Aufeinander-Abgestimmtseins erkennen, angefangen vom Bereich der Elementarteilchen bis hinauf zu den geistigen Fähigkeiten der Menschen. Dazu einige Beispiele:

– Elektronen und Protonen können im Atomkern durch sehr hohe Kernbindungsenergien zu Neutronen zusammengehalten werden, so daß diese neuen Einheiten (die Neutronen) quasi als selbständige Elementarteilchen angesehen werden können.

– Die positiv geladenen Protonen im Kern und die negativ geladenen Elektronen in der Atomhülle bilden in permanenter Zuordnung vollkommen neue Einheiten, nämlich die Atome.

Das abbildhafte Prinzip der gegenseitigen Wechselwirkung ist weiterhin in den verschiedensten Varianten in der gesamten Schöpfung wiederzufinden; genannt seien nur wenige weitere Beispiele, wie
- die Prinzipien der chemischen Bindung,
- das Kausalitätsprinzip Aktio gleich Reaktio, also das Bewirken und Bewirktwerden,
- ferner das Phänomen der Sexualität in der Pflanzenwelt und im Tierreich,
- die Tatsache, daß wir zwei Hände haben, die sich in gegenseitiger Hilfe ergänzen, bis hin zur höchsten Stufe dieses abbildhaften Geschehens, es ist
- die gegenseitige Liebe zweier Menschen, wie es in schönster Form zwischen Mann und Frau zum Ausdruck kommt [25].

Wenn Gott der Urheber der Welt ist und die Welt mit ihrer Struktur und den Naturgesetzen etwas von Gottes Wesen erahnen läßt, warum gibt es dann in ihr Bosheit und Sünde auf der einen Seite und Leid und Tod auf der anderen Seite?
Der biblische Verfasser der Paradieserzählung hat das mit einem anschaulichen Bild erklären wollen, eine Darstellung, die man als eine Mischung von Ätiologie und Fabel literarisch einstufen kann. Die entscheidenden Verse sollen hier zitiert werden:
Gen 2,9: *„Und Jahwe Gott ließ aus dem Erdboden allerlei Bäume hervorwachsen, lieblich anzusehen und gut zu essen, den Baum des Lebens mitten im Garten und den Baum der Erkenntnis des Guten und Bösen."*
Gen 2,16 und 17: *„Und Jahwe Gott gab dem Menschen dieses Gebot: »Von allen Bäumen des Gartens darfst du essen. Von dem Baum der Erkenntnis des Guten und Bösen aber darfst du nicht essen. Denn am Tage, da du davon issest, mußt du sicher sterben.«"*

Gen 3,4–6: „*Darauf sprach die Schlange zu dem Weibe:* »*Keineswegs, ihr werdet nicht sterben. Vielmehr weiß Gott, daß an dem Tage, da ihr davon esset, euch die Augen aufgehen und ihr sein werdet wie Götter, die Gutes und Böses erkennen.*« *Das Weib sah, daß der Baum gut zu essen wäre und lieblich anzusehen und begehrenswert, um Einsicht zu gewinnen. Und sie nahm von seiner Frucht und aß und gab davon auch ihrem Manne, der bei ihr war, und er aß.*"

Gen 3,22–23: „*Dann sprach Jahwe Gott:* »*Siehe der Mensch ist geworden wie einer von uns, so daß er Gutes und Böses erkennt. Daß er nun aber nicht seine Hand ausstrecke und auch von dem Baum des Lebens nehme und esse und ewig lebe!*« *Darum entfernte ihn Jahwe Gott aus dem Garten Eden, damit er den Erdboden bebaue, von dem er genommen ist.*"

Zum Stichwort „*Erkenntnis des Guten und Bösen*" heißt es im Kommentar aus der Jerusalemer Bibel [26]: „Diese Erkenntnis ist ein Vorrecht, das Gott sich vorbehält und das der Mensch durch die Sünde an sich reißen wird; sie ist also weder Allwissenheit, die der gefallene Mensch nicht besitzt, noch sittliches Unterscheidungsvermögen, das bereits der schuldlose Mensch hatte und das Gott seinem vernunftbegabten Geschöpf nicht verweigern kann, sondern die Fähigkeit, selbst zu entscheiden, was gut und böse ist, und entsprechend zu handeln, also eine Beanspruchung sittlicher Autonomie, durch die der Mensch seine Geschöpflichkeit ablehnt. Die erste Sünde war ein Empören gegen die herrscherliche Hoheit Gottes. Diese Auflehnung wird konkret durch die Übertretung eines Verbotes ausgedrückt, das von Gott gegeben und im Bild der verbotenen Frucht dargestellt ist."

Der Bericht mit dem „Sündenfall" in der Genesis bietet eine einleuchtende Erklärung für die Bosheit und die Sünde in der Welt, eine Erklärung, die auch vom heutigen Menschen verstanden werden kann. Man denke nur an das viele Unrecht, das dadurch in der Welt geschieht, daß Menschen sich anmaßen, darüber zu entscheiden und von sich aus festzulegen, was *gut* und was *böse* sei. Viele solcher Versuche sind gerade in unserer Gegenwart und in der jüngsten Vergangenheit zur Genüge bekannt geworden: So wurde für „recht" und „gut" erklärt, was den Machthabern, den Starken, der Partei, der Klasse, der Gruppe, dem einzelnen nützt, und für „böse", was ihnen schadet.

Wie kann also Gott eine Welt schaffen, in der es Bosheit und Sünde geben kann? Eine mögliche Erklärung hierfür bietet das Phänomen der Freiheit, über die der Mensch in gewissen Grenzen verfügt. Mit dieser Freiheit ausgestattet tritt der Mensch als „autonome Person" [22a] Gott gegenüber. Der Mensch hat die Möglichkeit der frei gewollten Anerkennung und Hinwendung zu Gott, zum Urgrund des Lebens (und durch dieses Bemühen wird das Höchste und Edelste im Menschen zum Erblühen gebracht), oder er kann sich diesem in trotziger, egoistischer Haltung versagen. Mit dieser Thematik wird sich auch das vierte Kapitel befassen.

Die in freier Entscheidung erfolgte Hingabe aber ist die Liebe. So kann man die Liebe als letzten Grund für die menschliche Freiheit, des Personseins des Menschen ansehen, die Liebe, die nach dem Neuen Testament nie aufhört, also auch das Ende der Welt überdauert.

Menschliche Freiheit besteht aber nicht nur hinsichtlich einer letzten Entscheidung zwischen Hingabe, Liebe und Ablehnung dem Schöpfer gegenüber, sondern auch bezüglich einer Selbstverwirklichung des Menschen, der Ausprägung seines Wesens, des Ausschöpfens und Durchspielens seiner in ihm vorhandenen Möglichkeiten.

Aber nicht nur der Mensch als „Krone der Schöpfung", sondern auch die vernunftlose Kreatur und die leblose Materie vollzieht in der fortschreitenden Entwicklung der gewaltigen Evolutionsprozesse eine Antwort auf den „Ruf ins Dasein". Es ist eine Selbstverwirklichung, eine Selbstausprägung der gesamten Schöpfung, die freilich im Menschen die höchste Aktualisierung erfährt [15g].

Die Phänomene Leid und (körperlicher) Tod gehören von Anbeginn der Menschheit zur Daseinssituation menschlicher Wesen. Leid und Tod sind notwendige Folgen der Evolution, aus der auch der Mensch hervorgegangen ist. Denn Tod, Verwesung, Untergang, Gefressenwerden, Vernichtung auf der einen Seite und Lebenwollen, Selbstbehauptung im Kampf ums Dasein, Fressen, Überwindung und Zerstörung überalterter Strukturen auf der anderen Seite sind notwendige Voraussetzungen für eine Höherentwicklung: Ohne Tod wäre in kürzester Zeit die Erde übervölkert mit niederen Lebewesen; in solch einer „Rumpelkammer" hätte es keine Weiterentwicklung zu höheren Formen und Lebewesensarten gegeben.

Daß die ersten Menschen auch dem Leibe nach unsterblich gewesen sein sollten, war zwar früher in einem anderen Weltbild, das durch die griechische Philosophie verfälscht wurde und nicht ursprünglich biblisch war [22b], die Lehre der Kirche [27]; dieser Inhalt kirchlicher Verkündigung, der auf einer wortwörtlichen Auslegung entsprechender Bibelstellen in einer mittelalterlichen Denkweise beruhte, kann aber heute so nicht mehr aufrecht erhalten werden, da man einmal mit dem Fortschritt der Erkenntnis von den Naturwissenschaften heute mehr über die Abstammung des Menschen weiß und da man zum anderen die Paradieserzählung als Ätiologie, als bildhafte Ausdrucksweise zu werten gelernt hat und das Menschenbild der Bibel heute besser begreift [22b]. Die betreffenden biblischen Texte enthalten also in Bildern einen tieferen Sinngehalt; die Ätiologie versucht hier die existenzielle Situation des Menschen, auf die es ihr letztlich ankommt, durch eine Erzählung von der Herkunft, vom Entstehen her zu beschreiben, und dies ist nach wie vor als inspiriert anzusehen.

Wenn nach den Texten der Bibel die Menschen durch die Vertreibung aus dem Paradies sterblich wurden, soll das bedeuten, daß sie den geistigen Tod erwirkt haben, daß sie die Verbindung mit Gott verloren haben. Wir könnten folgern, daß sie nicht in ein jenseitiges Leben mit Gott eingehen werden. Aus der Paradieserzählung kann jedoch nicht abgelesen werden, daß die ersten Menschen (leiblich) unsterblich gewesen waren. „Denn die Pflanzen- und Tierwelt bestand ja schon Hunderte von Jahrmillionen vor dem Auftreten des ersten Menschen, und wir haben keine Veranlassung zur Annahme, daß sich mit diesem Ereignis die Gesetze der Natur auf einmal geändert hätten. Der alte Hebräer konnte sich aber ein rein geistiges Glück ohne Auswirkungen in die stoffliche Welt nicht vorstellen...

Auch die Leidensunfähigkeit des ersten Menschen läßt sich schwer mit unserem Weltbild vereinbaren, da in diesem Fall angenommen werden müßte, Gott habe zweimal die Naturgesetze geändert: das erstemal beim Auftreten des Menschen und das zweitemal nach der Sünde. Die physische Integrität des ersten Menschen, die aus der biblischen Erzählung herausgelesen wird, ist also Bild für seine sittliche Integrität; die Strafen, die Gott nach dem Sündenfall über den Menschen verhängt (Geburtsschmerzen, harte Arbeit, Tod), sind Bilder für die geistige Zerstörung, die die Sünde im Menschen bewirkt" [28].

Diese Überlegungen und das obenstehende Zitat von Haag machen deutlich, daß die eigentlichen Aussagen der Paradieseserzählung anders als in einer wortwörtlichen Interpretation zu deuten sind und daß die Lehre von einem gnadenhaften Urzustand des Menschen (von einem paradiesischen Zustand) theologisch neu gefaßt werden muß, um in dem heutigen Weltverständnis auch akzeptiert werden zu können [29].

Wir kehren also zur ursprünglichen Frage zurück: Wie kann Gott eine Welt schaffen, in der es Bosheit und Sünde einerseits und Leid und Tod andererseits gibt? Bosheit und Sünde gibt es deswegen, weil es Freiheit gibt, Leid und Tod sind notwendig, damit es eine Weiter-und Höherentwicklung geben kann.

Demjenigen, der von tiefstem Leid und Schmerz befallen ist, werden solche Überlegungen vielleicht wenig Trost geben können. Aber Gott hat sich in Jesus Christus geoffenbart; dieser ist den Menschen im schwersten Leid und im grausamsten Tod vorangegangen. Am ehesten wird der Blick auf ihn, den

Gekreuzigten, es den Menschen ermöglichen, sein persönliches Leid durchzustehen und bis zum Ende auszuharren.

Der Mensch ist fest verwurzelt in der materiellen Welt, aber in seiner Geistigkeit weist er über diese materielle Welt hinaus. Mit seiner vollen geschöpflichen Freiheit bekommt er besonders durch die ihn begegnenden Phänomene von Mühsal, Leid und Tod, Sünde und Sühne, aber auch Liebe, Freude und Freundschaft die Möglichkeit, sich in seinem Personsein zu entwickeln, zu reifen, sich zu bewähren, um dann (gemäß der Offenbarung) von seinem Schöpfer angenommen zu werden.

Betrachtet man die Vergänglichkeit des gesamten Kosmos, so wird die gesamte Weltentwicklung und in ihr das Leben des die Wahrheit erkennenden Menschen nur dann einen Sinn haben können, wenn sie in einem engen Bezug gesehen wird zu einer unvergänglichen, ewigen Welt.

„Wenn am Ende des Menschheitsweges nicht die Begegnung mit einem persönlichen Gott steht, wird der Weg sinnlos und demzufolge die gesamte Evolution. Dann bleibt uns nur völliger Pessimismus" [30].

So wollen wir uns im nächsten Kapitel mit einer solchen anderen Existenzweise befassen, die im Christentum mit den Worten Auferstehung und Leben nach dem Tode bezeichnet wird.

3. Leben nach dem Tode?

Das Christentum verkündet eine merkwürdige Botschaft, nämlich, daß dem Menschen ein Leben nach dem Sterben verheißen ist, zu dem die Gerechten von Gott nach dem Tode erweckt werden; in dieses Leben sollen diejenigen, die die Bewährung auf der Erde nicht bestanden haben, nicht gelangen können [1]. Dieser Glaube der Christen beruht auf der seit knapp 2000 Jahren verkündeten Auferstehung Jesu Christi. Diese Glaubensüberzeugung haben unzählige Menschen mit Zurücksetzungen, Mißhandlungen, Folterungen, ja mit einem grausamen Tod bezahlen müssen. Diese Menschen haben lieber all das Leid ertragen; sie haben es vorgezogen, sich lieber dem Tod überantworten zu lassen, als diesen Glauben zu verleugnen.

Wir wollen in diesem Kapitel eingehender folgenden Fragen nachgehen: Gibt es Anhaltspunkte für ein Leben nach dem Sterben? Und zu Beginn dieses Kapitels, da dies wohl der Angelpunkt für ein Weiterleben nach dem Tode ist: Wie steht es mit der Auferstehung von Jesus Christus?

3.1 Die Auferstehung Jesu Christi

An dieser Frage hängt die gesamte christliche Glaubenslehre. Der Apostel Paulus schreibt in seinem 1. Brief an die Korinther:

„Ist aber Christus nicht erweckt worden, dann ist euer Glaube unsinnig..." (1 Kor 15,17).

„Wenn wir weiter nichts sind als Leute, die nur in diesem Leben ihre Hoffnung auf Christus gesetzt haben, so sind wir die bedauernswertesten unter allen Menschen" (1 Kor 15,19).

a) *Naturwissenschaftlich Belegbares*
Es existiert ein gerichtsmedizinisches, naturwissenschaftliches Gutachten, das von vielen namhaften Wissenschaftlern der verschiedensten Glaubensrichtungen erarbeitet worden ist. Demzufolge hat sich die Auferstehung Christi mit einem hohen Grade der Wahrscheinlichkeit tatsächlich ereignet: Es ist der sogenannte „Indizienbeweis" durch das berühmte Grabtuch von Turin [2].
Ausführliche Zusammenfassungen der wissenschaftlichen Untersuchungen bringen die Bücher mit dem Titel: „Das Grabtuch von Turin" von Werner Bulst [3]. Hier sollen besonders wichtige Punkte dieser Publikationen kurz aufgezeigt werden:
In der Kapelle des Domes von Turin wird in einem Silberschrein ein Leinentuch von 4,36 m Länge, 1,10 m Breite aufbewahrt. Dieses Tuch zeigt in eigenartigen Bildspuren die Vorder- und Rückseite eines gekreuzigten Menschen. Es wurde bei einem Brand der Schloßkapelle von Chambéry im Jahre 1532, dem damaligen Aufbewahrungsort, durch zahlreiche Brandspuren und Wasserflecken stark beschädigt.
„Die ärztliche, vor allem gerichtsmedizinische Erforschung der Bildspuren auf dem Tuch ergaben mit vollkommener Sicherheit, daß hier nicht ein Kunsterzeugnis vorliegt, sondern der Abdruck eines menschlichen Leichnams, und zwar des Leichnams eines Gekreuzigten" [4a].
Man hat experimentell bestätigen können, daß Bildspuren von den Ausdünstungen eines menschlichen Leichnams dann entstehen, wenn man Aloe verwendet, wie es bei Jo 19, 39 bezeugt ist. Jedoch erhält man dabei nicht solch deutlich ausgeprägte Bildspuren wie beim Turiner Grabtuch. Die sehr deutlichen Konturen beim Grabtuch von Turin könnten aber eine Folge der ganz besonderen physikalischen Bedingungen in dem Felsengrab und dem Zustand des Leichnams Jesu gewesen sein.
Aus der Fülle der eindeutigen, stichhaltigen Beweise, daß hier nicht ein künstlerisches Erzeugnis, sondern ein echtes Grabtuch mit Abdrücken eines gekreuzigten Mannes vorliegt, sollen hier einige wenige Tatsachen genannt werden:

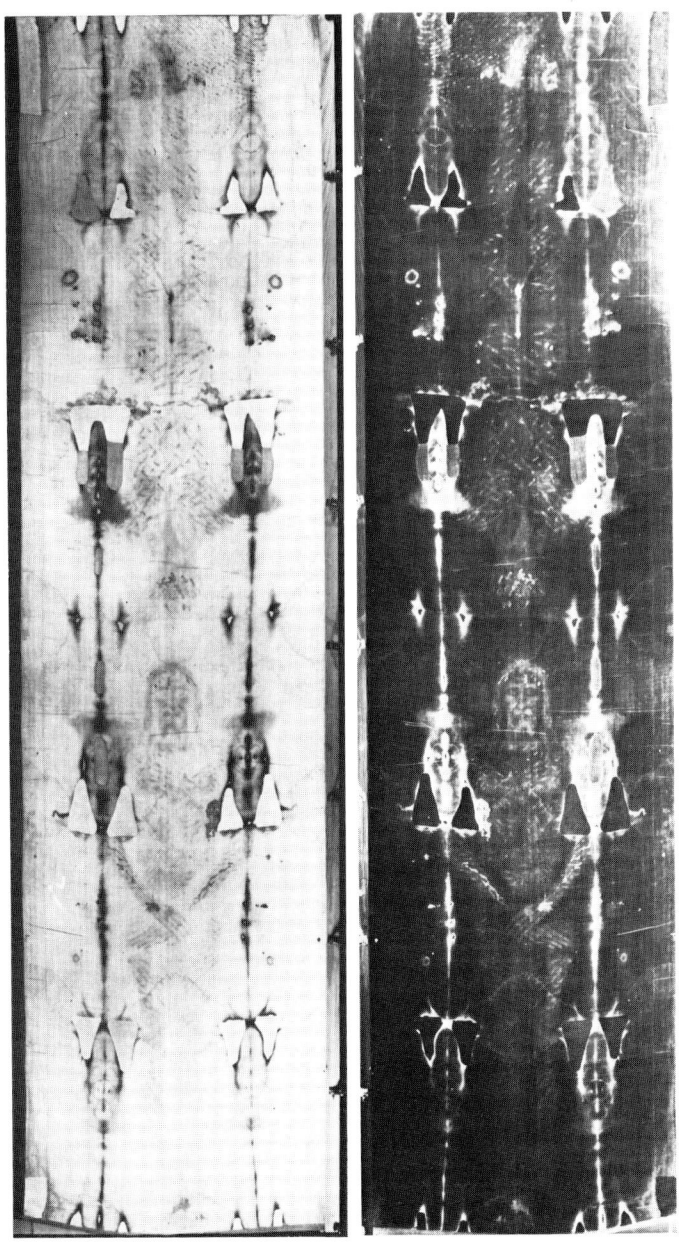

Abb. 21 Abb. 22

Abb. 21 (oben) Das Grabtuch von Turin (La S. Sindone)
So sieht es der Betrachter
Abb. 22 (unten) Eine Negativ-Aufnahme vom Grabtuch
Erst das „Negativ" zeigt ein verständliches Abbild eines gekreuzigten Mannes

1) Die Bildspuren zeigen exakten Negativcharakter; dieser wurde erst durch die Photographie entdeckt, und zwar zum ersten Mal durch einen Photoamateur, den Rechtsanwalt Secondo Pia im Jahre 1898. Mit einer wesentlich verbesserten Technik wurden im Jahre 1931 von Giuseppe Enrie Photographien auf Großformatplatten hergestellt. Anhand dieser wurden umfangreiche Untersuchungen in der Folgezeit vorgenommen. Die Abb. 21 zeigt das Grabtuch, wie es vom Betrachter wahrgenommen wird, die Abb. 22 ist ein Negativabdruck, der jedoch, wie man sich leicht überzeugen kann, die als „positiv" erscheinenden Bildspuren eines gekreuzigten Menschen aufweist. Besonders bemerkenswert ist dabei, daß die Blutspuren im Original dunkel aussehen, also Positivcharakter aufweisen, was durch einen direkten Abdruck dieser Blutspuren leicht erklärt werden kann [5].

Es ist unvorstellbar, wie und zu welchem Zweck ein Maler ein solches exaktes Negativ, dazu noch mit positiven Blutspuren, überhaupt hätte anfertigen können. Von diesem Grabtuch sind durch verschiedene Künstler Kopien angefertigt worden, aber alle Kopien (eine davon wird Albrecht Dürer zugeschrieben) zeigen sehr deutlich, daß die Maler nicht mit dem Negativcharakter der Bildspuren zurecht kamen, ihre Kopierversuche sind deswegen sehr fehlerhaft [7d]. Erst die Photographie hat diesen merkwürdigen Negativcharakter enträtseln können.

2) Wir erkennen auf dem Tuch genaueste Einzelheiten, wie sie sich bei einer solchen Kreuzigung zugetragen haben müssen, so z. B.:

- Die Nagelung des Gekreuzigten durch die Handwurzelknochen und nicht, wie in der Ikonographie gewöhnlich abgebildet, durch die Handflächen, wo die Hand sehr bald durch das Gewicht des daran hängenden Körpers zerrissen wäre.
- Bei der Nagelung der Hände mußte der *Nervus medians* verletzt worden sein, was unter furchtbaren Schmerzen zu einer ruckartigen Bewegung des Daumens zum Handflä-

chen-Inneren führt. Auf dem Grabtuch sind deswegen die beiden Daumen, die unter den Handflächen lagen, nicht zu sehen.
- Die Flußrichtung des Blutes an den Handwunden und den Unterarmen zeigen sehr deutlich, daß der Gekreuzigte, um atmen zu können, sich immer wieder aufgerichtet, auf die Füße gestützt haben muß und anschließend erschöpft wieder zusammensackte, dabei vornehmlich in den Nagelwunden der Hände hing.

3) Die Bildspuren des Turiner Grabtuches zeigen dunklere Färbungen an den Stellen, die dem Leichnam am nächsten, und blassere Spuren, die von der Hautoberfläche weiter entfernt

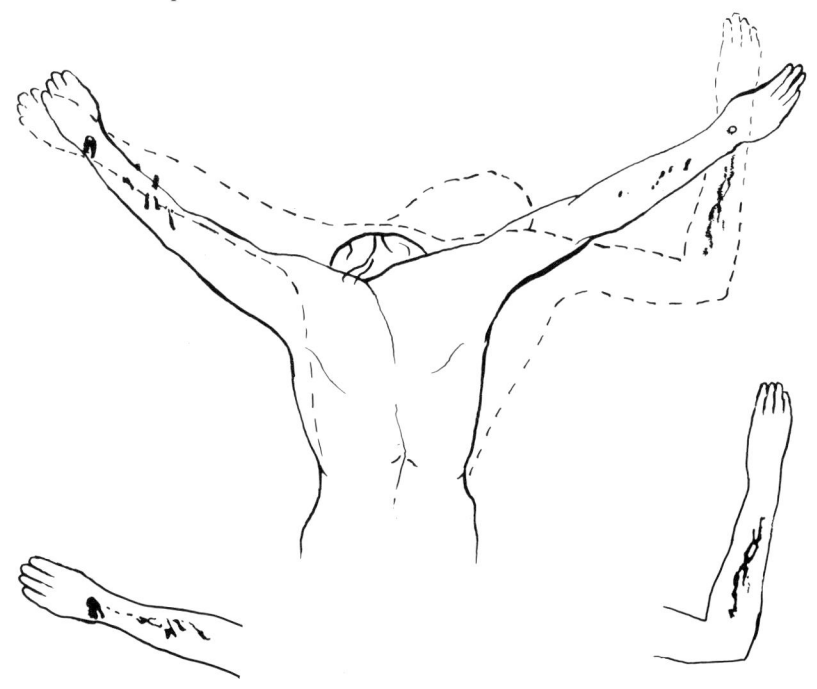

Abb. 23 Flußrichtungen des Blutes von den Handwunden:
Der Gekreuzigte hat sich abwechselnd auf die Fußwunden gestützt und ist dann wieder in sich zusammengesunken. Die Summe der oben angedeuteten (senkrechten) Flußrichtungen ergibt die unten eingezeichneten Blutspuren

waren. Aus den verschieden starken Tönungen konnte man durch Computeranalysen, wie man sie in der NASA für die Auswertung von Satellitenphotos entwickelt hat, ein dreidimensionales Bild als exaktes Relief eines Leichnams herstellen. Die gleichen Methoden versagten bei den naturgetreuesten Kopien des Turiner Tuches (z. B. 1868 von Cusetti und 1898 von Reffo angefertigt) und ergaben keinen anatomisch einwandfreien menschlichen Körper. Man muß dazu noch bedenken, daß den Künstlern das Turiner Grabtuch vorgelegen hat und die Kopie in der Absicht angefertigt wurde, das Original so naturgetreu wie möglich abzubilden. Um wieviel weniger wäre es dann möglich, daß früher einmal ein Künstler ein solches Grabtuch ohne Vorlage hätte herstellen können, das dann die genauesten Details enthielt, wie sie bei einer Kreuzigung auftraten, bei einer Todesstrafe, die bereits von Kaiser Konstantin (gestorben 337 n. Chr.) abgeschafft wurde.

4) Die Bildspuren (der Rückseite) des Gekreuzigten verlaufen auf dem Grabtuch schief nach einer Seite (vgl. Abb. 21 und 22), was mit einer entsprechenden Position des Tuches unter dem Leichnam seine natürliche Erklärung findet, während dies in einer „künstlerischen" Darstellung als vollkommen sinnlos erscheinen müßte.

Eine große Anzahl von „Indizienbeweisen" sprechen dafür, daß dieses Leinentuch das Grabtuch Christi ist. Die wichtigsten sind:

1) Eine Pollenanalyse [6], die von Max Frei-Sulzer (Zürich) in Zusammenarbeit mit Morano (Vercelli) gemacht wurde, zeigte einen überraschenden Befund:
„Wie zu erwarten, stammen viele Pollenkörner von Pflanzenarten, die in Süd- und Westeuropa oder allgemein im Mittelmeerraum wachsen. Sensationell aber war, daß auch Pollenkörner von bisher 11 Pflanzenarten identifiziert werden konnten, die in Europa nicht vorkommen, sondern in Palästina heimisch sind, darunter auch von solchen, die für das Wüstenklima am Jordan und den angrenzenden Gebieten

typisch sind. Ebenso überraschend war, daß neuerdings auch Pollenkörner von bisher 8 Pflanzenarten festgestellt werden konnten, die für die Steppen Kleinasiens und im besonderen für das Gebiet um Edessa, dem heutigen Urfa, kennzeichnend sind" [7a]. Es deuten viele schriftliche Zeugnisse darauf hin, daß das Grabtuch lange Zeit in Edessa aufbewahrt wurde [7b]. Die Pollenanalysen sind noch nicht abgeschlossen; es sind demnächst hierüber noch ausführlichere Berichte zu erwarten.

2) Es sind Spuren der Besonderheiten, die bei der Kreuzigung Christi in den Evangelien berichtet werden, auf dem Grabtuch zu erkennen, so z. B. folgende Einzelheiten:

– Der Gekreuzigte wurde vorher gegeißelt. Die Geißelwunden bedecken den ganzen Körper; die paarweise angeordneten, kleinen, dunklen Flecken lassen darauf schließen, daß an den Riemen der Geißeln ein paar Metallkügelchen befestigt waren; aus der Richtung der Geißelspuren – in Gesäßhöhe waagerecht, auf dem Rücken schräg aufwärts, an den Beinen schräg abwärts – läßt sich die Stellung der Folterknechte (es waren zwei, die rechts und links neben dem Gegeißelten standen) rekonstruieren.

– Der Gekreuzigte zeigt die Spuren von Verletzungen durch eine Dornenkrone. Jesus wurde als „Messiasprätendent" hingerichtet (näheres hierüber auf S.129). Die Verwendung einer Dornenkrone als Spott auf seinen, in den Augen der Verurteiler angemaßten Titel „König der Juden" ist naheliegend (und dies wird auch in den Evangelien berichtet), während eine solch ungewöhnliche Behandlung bei einem anderen Gekreuzigten keine vernünftige Erklärung finden könnte.

– Bemerkenswert ist, daß der Lanzenstoß von der rechten Seite (etwa zwischen der fünften und sechsten Rippe) gezielt ins Herz erfolgte. Es ist die Stelle, die bei den römischen Fechtern als bevorzugtes Ziel galt, da der Gegner sonst links durch einen Schild geschützt, rechts aber leichter zu treffen war. Normalerweise gab man den

Gekreuzigten den Gnadenstoß durch Zerbrechen der unteren Gliedmaße: Der Tod trat dann, wenn der Gekreuzigte sich nicht mehr auf die Füße stützen konnte, durch Ersticken ein. Im Johannes-Evangelium wird besonders betont, daß die Soldaten dem gekreuzigten Jesus (als sie sahen, daß er schon tot war) seine Beine nicht zerschlugen (wie den anderen beiden, die mit ihm gekreuzigt wurden), *„sondern einer von den Soldaten stieß ihm seine Lanze in die rechte Seite, und sofort kam Blut und Wasser heraus"* (Jo 19, 34).

- Die Seitenwunde durch den Lanzenstoß zeigt deutlich das bei Jo 19, 34 bezeugte ausgeflossene Blut und Wasser. Das Wasser stammt wahrscheinlich aus dem Herzbeutel oder aus den Brustfellsäcken, wo es sich, wie medizinisch bekannt ist, nach schweren Mißhandlungen ansammeln kann.
- Die Gegend des linken Schulterblattes und oberhalb des rechten Schulterblattes zeigen größere dunkle Stellen, die wahrscheinlich vom Tragen des Kreuzesbalkens herrühren können.
- Eine deutliche Schwellung unterhalb des rechten Auges erinnert zwar an den Schlag ins Gesicht, der bei Jo 18, 22 erwähnt wird, doch dürften diese Gesichtsverletzungen sowie die erkennbaren Verletzungen an der Nasenwurzel (Nasenbeinbruch?) eher als eine Folge von Stürzen beim Tragen des Kreuzesquerbalkens, an den Jesus wahrscheinlich mit den Händen gefesselt war, angesehen werden.

3) Die Gestalt und Erscheinung des Gekreuzigten lassen den Schluß zu, daß es sich nicht um einen Verbrecher, sondern um den gekreuzigten Messias handelt:
- Der Gekreuzigte ist wahrscheinlich etwa 1,80 Meter groß gewesen (die genaue Größe läßt sich wegen möglicher Verzerrungen, die durch die Lage des Tuches bedingt sein können, nicht mehr ermitteln); dies ist eine für damalige

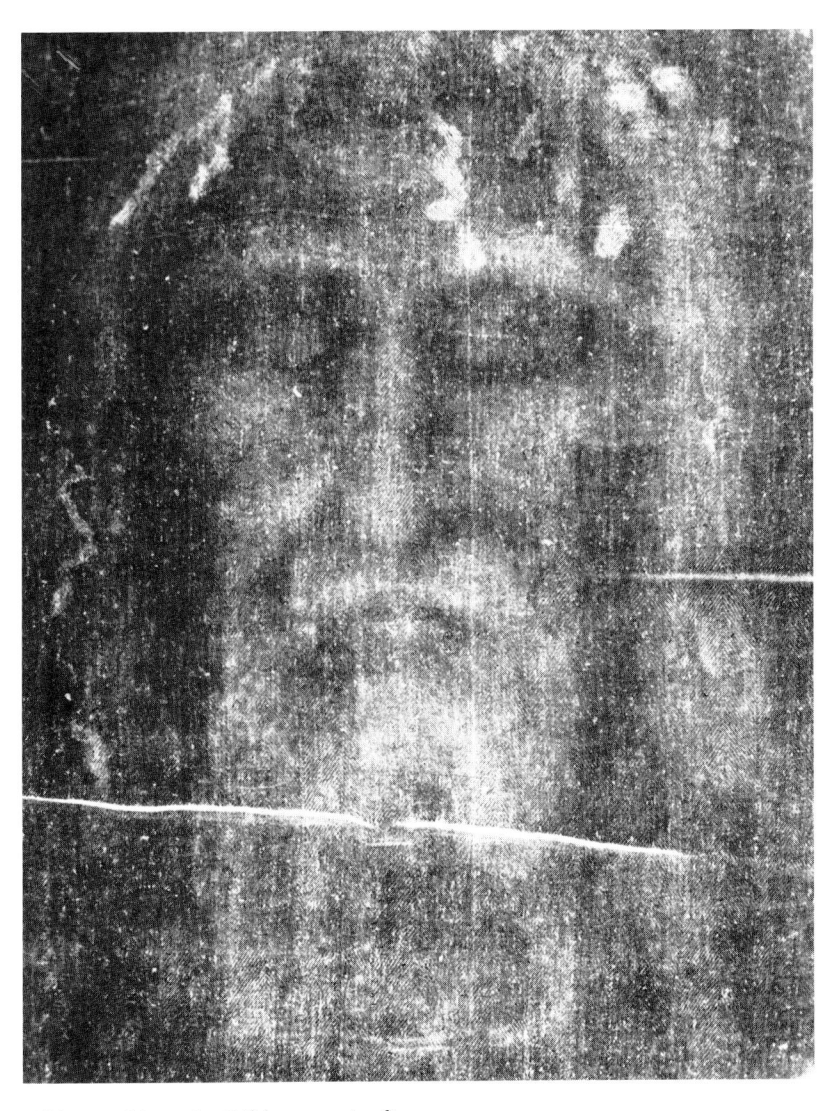

Abb. 24 Negativ-Bild vom Antlitz
Während die Helligkeitswerte des Gesichtes auf dem Tuch dem Betrachter unverständlich erscheinen (vgl. Abb. 21), zeigt erst eine Negativ-Aufnahme das wahre Antlitz, das trotz durchlittener Qualen Hoheit und Würde verrät; es ist das Antlitz Jesu Christi

Zeiten imponierende Größe, die bei den Juden auch den Eindruck körperlicher Vollkommenheit und einer besonderen Sendung hinterlassen mußte.
- Das Antlitz zeigt (trotz ausgestandener Martern und Qualen) Hoheit und Würde, daß man den Gekreuzigten schwerlich als Verbrecher ansehen könnte. Es ist kaum denkbar, daß der Gekreuzigte ein anderer als Jesus Christus gewesen sein könnte.
- Die auf dem Turiner Grabtuch zu erkennende Haar- und Barttracht war im griechisch-römischen Kulturraum außer Mode; nur die Juden trugen die Haare in solcher Weise.
- Seit dem 4. Jahrhundert setzt sich in der Ikonographie eine Christusdarstellung durch, die in jeglicher Hinsicht große Ähnlichkeit mit dem Abbild auf dem Turiner Grabtuch erkennen läßt. Es gilt als sehr wahrscheinlich (auch die Pollenanalyse bestätigt dies), daß das Grabtuch von Turin sich früher einmal in Edessa befand und das Antlitz auf dem Grabtuch von Turin mit dem Edessabild identisch ist, von dem die heute noch vorhandene älteste schriftliche Quelle (aus dem Jahre 544) sagt, daß dieses Bild „nicht von Menschenhand" gemacht wurde [7e].
- Die rechte Schulter ist etwas abgesenkt, eine typische Berufserscheinung, die man bei einem Zimmermann finden kann. Jesus war bis zu seinem öffentlichen Auftreten (in den letzten drei Jahren) als Zimmermann (Holzarbeiter) tätig.

4) Die näheren Umstände beim Begräbnis, wie sie in den Evangelien berichtet werden, haben überhaupt erst dazu beigetragen, daß die Bildspuren auf dem Grabtuch entstanden:
- Der Leichnam Jesu Christi mußte wegen des bevorstehenden Passah-Festes in großer Eile bestattet werden. Man konnte ihn deswegen sicherlich weder waschen noch bekleiden, sondern nur an den Händen, vielleicht auch an den Füßen binden und in ein großes Tuch hüllen.
- Der Textilbefund läßt darauf schließen, daß dieses handgewebte, kostbare Tuch aus dem 1. Jahrhundert stammt. Die

Evangelien bezeugen, daß Joseph von Arimathäa ein solches Tuch für das Begräbnis gekauft und für die Beisetzung des Leichnams gesorgt hat.

5) Die Tatsache, daß wir heute das Grabtuch besitzen, ist auch ein stichhaltiger Hinweis dafür, daß es sich nur um dasjenige von Jesus Christus handeln kann: Die Kreuzesstrafe wurde von den Römern für besonders schwere Vergehen verhängt, sie wurde erst von Kaiser Konstantin (gestorben 337) abgeschafft. Die Gekreuzigten ließ man dabei zur Abschreckung am Kreuz hängen; sie wurden wilden Tieren und Raubvögeln zum Fraß überlassen. Mit Rücksicht auf die Gebräuche und das religiöse Empfinden der Juden wurden die Gekreuzigten im jüdischen Bereich vor Sonnenuntergang abgenommen, zunächst in eine Grube gelegt und erst nach dem Verwesen, was als Zeichen der Sühne gewertet wurde, den Angehörigen zur Bestattung ausgehändigt [8]. Nach den Evangelien hat Joseph von Arimathäa, ein sehr einflußreiches Mitglied des Hohen Rates, den Leichnam direkt nach der Kreuzigung von Pilatus erhalten und in aller Eile die provisorische Beisetzung besorgt [9]. Die spätere Aufbewahrung und Verehrung eines mit Blut befleckten Grabtuches von einem Verbrecher wären nach der Mentalität der damals lebenden Menschen, insbesondere der Juden, vollkommener Unsinn gewesen, sie werden jedoch sofort verständlich, wenn dieser Gekreuzigte von den Toten auferstanden ist.

Die Bildspuren liefern zwar von sich aus und für sich allein keinen naturwissenschaftlich einwandfreien „Beweis" für die Auferstehung Christi, doch sind auf der anderen Seite die verschiedenen Indizien, *nur und ausschließlich* zu erklären, wenn man die Auferstehung Christi nach zwei bis drei Tagen als Realität voraussetzt. So schreibt Werner Bulst [4b]:
„Der Leichnam dieses Gekreuzigten kann höchstens zwei bis drei Tage in diesem Grabtuch gelegen haben. Andernfalls hätten sich infolge der dann aufhörenden Leichenstarre wohl Doppelzeichnungen ergeben müssen. Auf dem Tuch sind keine Anzei-

chen bereits eingetretener Verwesung, wie ein Ausfließen der Körperflüssigkeit u. ä., festzustellen. Auch erscheint der Rücken noch deutlich profiliert, während bei einem Leichnam, der bereits einige Tage liegt, infolge des langsamen Absinkens der gesamten Körperflüssigkeit eine Abflachung des Rückens eintritt.
Obwohl bei allen antiken Völkern, insbesondere bei den Juden, der Leichnam und alles, was mit ihm in nähere Berührung gekommen war, als im höchsten Grade unrein galt, hat man das Tuch, das überdies noch mit Blut befleckt war, in Ehrfurcht aufbewahrt (sonst wäre es nämlich nicht bis auf unsere Tage erhalten geblieben). Bei dem Grabtuch dessen, der in seiner Auferstehung den Tod überwunden hat, wäre eine solche Aufbewahrung verständlich, sogar naheliegend."

Die besondere Bedeutung des Grabtuches dürfte hauptsächlich darin liegen, daß hier ein *unabhängiges* Zeugnis vorliegt, das mit exakten Methoden feststellbare und belegbare Indizien aufweist, welche die in den Evangelien von gläubigen Menschen, also von „parteiischer Seite" gegebenen Aussagen bis in die letzten Einzelheiten bestätigen und damit bewahrheiten, so daß die Worte des Evangelisten Johannes (Jo 19, 35): *„Und der es gesehen hat, hat es bezeugt, und sein Zeugnis ist wahr; und er weiß, daß er die Wahrheit sagt, damit auch ihr glaubet"* für die entscheidenden Aussagen des Neuen Testamentes unterstrichen werden.
Wir besitzen gerade heute, in einer Zeit, wo die historischen Ereignisse des Neuen Testaments gerade auch für viele Christen in einem mythischen und ideologischen Nebel unterzugehen drohen, mit dem Grabtuch von Turin ein einmaliges, von den Naturwissenschaften und der Gerichtsmedizin kommendes und durch exakte Methoden gefestigtes, insbesondere aber ein „neutrales, unparteiisches" Zeugnis, das nicht nur darauf hinweist, daß die leibliche Existenz des Menschen Jesus Christus, der vor ca. 2000 Jahren gelebt hat, als hinreichend gesichert anzusehen ist, daß ferner spezielle Beschreibungen der Evangelien über die

Passion Jesu Christi bis in kleinste Details als wahrheitsgetreu und von Augenzeugen exakt berichtet erscheinen, sondern das darüber hinaus nur zu verstehen ist, ja dieses sogar in einem hohen Grade wahrscheinlich machen, wenn der vor rund 2000 Jahren gekreuzigte Messias in der Tat von den Toten auferstanden ist.

Wenn man an die heute angestellten, verschiedenartigsten Deutungsversuche des Auferstehungsgeschehens denkt (vgl. hierzu den nächsten Punkt 3.2), so kann man nur Werner Bulst zustimmen, der mit Recht in seinem neuen Buche [7c] schreibt: „Wir können überzeugt sein, daß in unsern Evangelien viel mehr an historischer Substanz steckt, als viele Exegeten heute wahrhaben wollen" [10].

b) Schriftliche Zeugnisse von der Auferstehung Christi
Es existiert eine Reihe von Schriften, welche die Auferstehung Christi bezeugen. Beim Versuch einer objektiven Beurteilung dieser schriftlichen Zeugnisse stößt man auf einige große Schwierigkeiten:
1) Alle schriftlichen Zeugnisse über die Auferstehung Christi wurden von gläubigen Menschen geschrieben. Sie implizieren deshalb einen festen Glauben an die Auferstehung und an das Fortleben des gekreuzigten Messias Jesus Christus.
2) Die Berichte sind in ein uns fremdes, überholtes Weltbild gekleidet und mit mythischen Vorstellungen durchsetzt.
3) Die Texte sind nicht in der Art von Beobachtungsprotokollen verfaßt worden, sondern sie sind der schriftliche Niederschlag einer mündlich verkündeten Botschaft.

Diese einzelnen Punkte sollen näher bedacht werden:
1) Es braucht nicht zu verwundern, daß alle schriftlichen Zeugnisse der Auferstehung von gläubigen Menschen stammen, denn die Begegnung mit dem Auferstandenen ist ein so überwältigendes Ereignis, daß es zu einer Wende im Leben eines Menschen werden mußte; so daß ein vielleicht zunächst Distanzierter oder sogar ein Gegner zum Glauben an den Messias, an Jesus Christus kommen mußte: Wir sehen das am deutlichsten, wie nach

der Apostelgeschichte aus dem eifrigen Christenverfolger „Saulus" der glühende Christusverkünder Paulus wurde (Apg 9, 1–30). Wenn ein unbeteiligtes Beiseitestehen, analysierendes Beobachten dabei unmöglich ist, wird es verständlich, daß es keine neutralen schriftlichen Zeugnisse gibt. Umso mehr muß man es als ein Geschenk an unsere sehr skeptisch gewordene Einstellung werten, wenn gerade heute mit dem Grabtuch von Turin ein „objektiver Anhaltspunkt", ein mit den exakten Methoden der Naturwissenschaften erfaßbarer und befragbarer „Zeuge" vorhanden ist, der die im Neuen Testament gemachten Angaben bestätigt.

2) Unter Punkt 2 wurde erwähnt, daß den neutestamentlichen Texten nicht nur ein überholtes Weltbild zugrunde liegt, sondern daß in ihnen viele mythische Vorstellungen enthalten sind. Es ist das Verdienst von Adolf Bultmann, dieses erkannt zu haben [11] und für viele Aspekte kann es vorteilhaft sein (vgl. *[12]* oder z. B. den folgenden Punkt c, wo wir nach der Natur des Auferstehungsleibes fragen), diese Sachverhalte zu berücksichtigen und zu entmythologisieren. Jedoch muß man bedenken, daß man auch heute ohne gewisse mythische Vorstellungen nicht auskommt; gerade, wenn es sich um die hinter der materiellen Welt verborgene Wirklichkeit handelt, wird man es ohne gewisse Bilder oder Chiffren nicht tun können *[13]*.
Leider ist es so, daß man ein einmal erkanntes, wichtiges Prinzip auf alle Bereiche anzuwenden versucht. So ist auch Bultmann der Versuchung erlegen, die Entmythologisierungsbestrebungen soweit zu überstrapazieren, daß schließlich die Fragen nach der Historizität des Geschehens im Neuen Testament, insbesondere aber der Geschichtlichkeit der Auferstehung Jesu für ihn irrelevant wurden. Nach der Auffassung Bultmanns ist dann Jesus „in das Kerygma", in die Verkündigung auferstanden [14]. Auferstehung könnte dann ein Terminus sein, der „nur" den Glauben der Jünger ausdrücken soll, als sie z. B. im Anblick des leeren Grabes *[15]* zur Überzeugung der Auferstehung Jesu gelangten. Hier zeigt sich besonders deutlich ein Bemühen, daß

man alle Tatbestände und Ereignisse nur und ausschließlich durch natürliche Vorgänge erklären will; ja, man postuliert heute sogar ein nicht zu beweisendes Dogma, daß Begebenheiten, die keine solchen natürlichen Ursachen aufweisen oder wenigstens wahrscheinlich machen können, sicherlich nicht stattgefunden haben, also reine Phantasieprodukte sein müßten. In diese Richtung gehen auch die Deutungsversuche der Auferstehung, die von Willi Marxsen gegeben werden [16], nämlich, daß Petrus auf eine uns nicht erklärbare Weise zur Vorstellung gekommen sei, daß Jesus auferstanden sei. Dieser Terminus „Auferstehung", der dann von den Aposteln verkündet wurde, sei nur ein Interpretament, eine Deutungsweise, die letztlich besagen soll, daß die „Sache Jesu" weitergehe.

Solche Erklärungsversuche haben zum Ziel, dem heutigen Menschen, der befangen ist in einer vordergründigen, positivistisch-materialistischen Denkweise keine „unzumutbaren" Schwierigkeiten zu bereiten. Es ist ferner nicht weiter verwunderlich, daß man bei vielen Erklärungsversuchen für die Auferstehung auf jene am wenigsten verfänglichen psychischen Vorgänge ausweicht oder sich auf subjektive Einbildungen, Vorstellungen oder Täuschungen bei den Zeugen zurückzuziehen versucht.

Eine Berücksichtigung von psychologischen Momenten bei den Jüngern müßte jedoch nach Würdigung aller Umstände bei dem damaligen Geschehen in Jerusalem zu ganz anderen Schlüssen führen: Jesus wurde von den religiösen Führern, vom Hohen Rat, der allerhöchsten Instanz für das jüdische Glaubensleben in Israel, der schmachvollen Todesstrafe überführt, weil er vorgab, der Messias zu sein, weil er sich selbst zum „König der Juden" (vgl. Anmerkung 59 vom Kapitel 1) gemacht und göttliche Vollmacht für sich in Anspruch genommen hat. Damit hat Jesus gegen die damals gültigen Ketzergesetze verstoßen, worauf die Todesstrafe stand. Zur Verdeutlichung der damaligen Rechtslage seien die entscheidenden Gesetze wiedergegeben [8b] (Die Zahlen verweisen auf die Paragraphen in der betreffenden Publikation von E. Stauffer):

„(13) Wer sich gegen den amtierenden Klerus in Jerusalem auflehnt, ist des Todes schuldig.

(18) Wer sich göttliche Ehren oder Reservatrechte anmaßt, ist ein Gotteslästerer.

(21) Der überführte Gotteslästerer wird gesteinigt.

(22) Nach der Steinigung wird der Leichnam des Gotteslästerers an einem kreuzförmigen Pfahl aufgehängt.

(23) Noch vor Ende des Hinrichtungstages (Spätnachmittag) wird der Leichnam des Gotteslästerers vom Kreuzespfahl abgenommen und ehrlos begraben.

(65) Das Große Synhedrium in Jerusalem ist letzte Instanz für alle schwierigen Rechtsfälle und Rechtsfragen.

(83) Ein wesentlicher Zweck der Strafe ist die Abschreckung.

(84) Die Hinrichtung des Apostaten soll darum in größtmöglicher Öffentlichkeit vollzogen werden.

(85) Die Hinrichtung soll darum vor den Toren Jerusalems stattfinden.

(86) Die blutige Demonstration soll darum um die Zeit der großen Wallfahrtsfeste (Laubhütten, Passah, Pfingsten) vollzogen werden, am zweckmäßigsten am Vortag des ersten Hauptfeiertags, wenn die Pilgermassen aus aller Welt in Jerusalem bereits versammelt sind, aber die Feiertagsruhe noch nicht begonnen hat.

(110) Alle römischen Verwaltungschefs in den Provinzen hatten das ius gladii. So auch der Prokurator von Judäa. Die übliche Hinrichtungsform, die die Römer über die Juden verhängten, war die Kreuzigung.

(112) Um 30 post entzog die Reichsregierung (Sejan) dem Großen Synhedrium zu Jerusalem die Blutgerichtsbarkeit. Das Große Synhedrium konnte Fahndungsedikte oder Haftbefehle erlassen und Verhaftungen vornehmen. Aber die Gerichtssitzungen zur Führung eines Kapitalprozesses mußten zuvor vom Prokurator genehmigt werden. Das Große Synhedrium konnte nach wie vor in religionsgesetzlichen Dingen Todesurteile fäl-

len, mußte aber den Verurteilten von nun an zur Bestätigung und Vollstreckung des Todesurteils (Kreuzigung) dem Prokurator (damals Pilatus) übergeben."

Das Todesurteil über Jesu wurde von den religiösen Autoritäten verhängt und von den Römern vollzogen, weil Jesus „sich zum Sohn Gottes gemacht hat" (Jo 19, 7). Dies mußte für die Jünger einem Gottesurteil gleichkommen: Denn Jesu Vollmachtsanspruch wurde von Gott nicht bestätigt, im Gegenteil der schmachvolle Tod am Kreuze mußte Jesus in den Augen der Jünger als Lügner entlarvt haben. Es ist unvorstellbar, wie die Jünger nach diesem offenbar gewordenen Gottesurteil nach und nach die „Sache Jesu" von sich aus weiter betreiben konnten, zumal nach den jüdischen Gesetzen ebenfalls die Todesstrafe darauf stand (vgl. [9b], § 47 und 48): „Abtrünnige vom jüdischen Glauben werden nach Jerusalem gebracht und im Einzelverfahren mit ordnungsgemäßen Zeugenverhör abgeurteilt. Die Schuldigen werden gesteinigt."

Die Kunde und die Botschaft von der Auferstehung Jesu kann man also nach all diesen Überlegungen nicht aus dem psychologischen Verhalten der Jünger erklären. Es muß nach der Hinrichtung Jesu ein neues Ereignis ihren Glauben an Jesus, den wahren Messias, erst begründet haben [17].

Eine unvoreingenommene, durch kein ideologisches Vorurteil getrübte Betrachtung des Neuen Testamentes, eine ehrliche Forschung nach dem Wahrheitsgehalt der Evangelien muß zu dem Schluß kommen, daß die Auferstehung Jesu keine zweckdienliche literarische Verdichtung eines Wunschdenkens der Jünger Jesu, sondern vielmehr ein über sie hereingebrochenes Widerfahrnis gewesen sein muß.

Dieses Ereignis, das ohne Beispiel in der gesamten Menschheitsgeschichte ist, ist der Angelpunkt des gesamten christlichen Glaubens. Auf dieses Fundament haben die Christen aller Zeiten gebaut: Denn ist Christus wahrhaft auferstanden, ist er seinem gläubigen Volke gegenwärtig, so steckt hinter dieser Bewegung eine Kraft, die nicht von Menschen gemacht ist. Wie anders wäre es zu erklären, daß aus einem gescheiterten Anfang eine Menschheitsbewegung entstanden ist, die, ob man es wahrhaben will oder nicht, die Welt verändert hat.

So sollte sich das in der Apostelgeschichte überlieferte Wort des jüdischen Gesetzeslehrers Gamalies bewahrheiten, wenn dieser sagt: „..., *denn ist dieses Vorhaben oder dieses Werk von Menschen, so wird es zunichte werden; ist es aber von Gott, so könnt ihr sie nicht vernichten*..." (Apg 5, 38–39).

Wenn sich einmal so etwas ereignet hat, was man als Auferstehung Jesu in eine andere Daseinswelt bezeichnet, dann wird man dieses Geschehen kaum durch Denkkategorien, die an der stofflichen Welt orientiert sind, beschreiben können. Und damit wären wir bei der dritten Schwierigkeit, die im Gefolge der neutestamentlichen Texte auftaucht (vgl. hierzu S. 127). Dies soll uns im folgenden Punkt c beschäftigen, wenn wir danach fragen, wie ein solcher Auferstehungsleib beschaffen sein könnte.

c) Die Natur des Auferstehungsleibes
Wir wollen besonders der Frage nachgehen, ob aus den Berichten des Neuen Testaments irgend etwas über die Natur, die Beschaffenheit des Auferstehungsleibes herauszulesen ist; wir suchen nach Antworten, die auch gerade die heutigen Menschen, welche von einem naturwissenschaftlichen Weltverständnis geprägt sind, zufriedenstellen können.

Wir müssen dabei aber feststellen, daß sich bei der Beantwortung dieser Frage zwei nahezu unüberwindliche Schwierigkeiten entgegenstellen:

Erstens haben die meisten Schriften apologetischen Charakter, d. h. es sind Schriften zur Verteidigung des christlichen Glaubens und keine bloßen Beschreibungen und Tatsachenberichte. Zweitens kann man leichter aussagen, was der Auferstehungsleib nicht ist, als umgekehrt in positiver Darstellungsweise mit den uns bekannten Begriffen, die aus der mit unseren Sinnen erfahrbaren Wirklichkeit genommen sind, an ihnen orientiert sind, konkrete Aussagen über eine vollkommen andere Welt zu machen.

Die ältesten Berichte, z. B. 1 Kor 15 sind von äußerster Knappheit und ohne nähere Beschreibung, wie man sich den Auferstehungsleib vorstellen soll. Auch das älteste der vier Evangelien (nach Markus, bis zum eigentlichen Markusschluß 16, 8; die darauffolgenden Verse sind nach unserer heutigen Kenntnis später angehängt worden) erwähnt nichts davon, wie der Auferstehungsleib aufzufassen sei.

Später geschriebene Berichte (der 2. Markusschluß, also Mk 16, 9–20, die Evangelien nach Mt, Lk und Jo sowie die Apg 1, 1–11) erwähnen nähere Einzelheiten, die man heute jedoch größtenteils als apologetische, d. h. zur Glaubensverteidigung geschriebene Erklärungen und nicht so sehr als Schilderungen von exakten Beobachtungen auffaßt; es sind Ausführungen, die dazu dienen sollten, den verschiedensten falschen Vorstellungen und Irrtümern über die Realität des Auferstandenen zu begegnen. Man kann diese Aussagen nach den Meinungen der meisten Exegeten am besten so verstehen, daß sie in anschaulichen Bildern, in „legendären" Umschreibungen und Beschreibungen das Entscheidende über den Auferstandenen und den Auferstehungsleib aussagen wollen. Also, pointiert ausgedrückt, bedeutet das: Die Aussageintension, der Zweck dieser Berichte ist nicht in erster Linie eine Erzählung, eine exakte Reportage eines Erlebnisses, sondern eine Schrift zur Abwehr von Irrtümern, von verkehrten Auffassungen und Vorstellungen über das, was den Jüngern bei der Begegnung mit dem Auferstandenen widerfahren ist. Der Wahrheitsgehalt eines solchen Berichtes, also das, was dann den Autor einzig und allein interessiert haben müßte, braucht dann also nicht Ort, Zeit, exakter Ablauf einer Handlung, materielle und stoffliche Beschreibung des Widerfahrenen zu sein, sondern sollte vielmehr darin zu suchen sein, wichtige Aussagen über eine Realität zu machen, Erlebtes von falschen Vorstellungen abzugrenzen und gegen Irrtümer zu verteidigen.

Bei der Wertung der Berichte erscheinen folgende Fakten besonders wichtig:

1) Paulus spricht im ältesten, schriftlich überlieferten Bericht über die Begegnung mit dem Auferstandenen, in 1 Kor 15, von einem geistigen Leib, von einem mit unseren materiellen Begriffen nicht vorstellbaren Auferstehungsleib.
Das konnte verschiedene spiritistische Strömungen der damaligen Zeit zur Annahme verleitet haben, daß es sich beim Auferstandenen nur um ein Gespenst handeln könnte. Daher wird, vor allem von Lukas in verschiedenen Darstellungen verständlich gemacht, daß es sich um einen realen Auferstehungsleib handelt, so z. B. bei der Erzählung der Emmaus-Jünger (Lk 24, 13–35), wo der Auferstandene den beiden Jüngern als fremder Weggefährte erschien und erst am Brotbrechen erkannt wurde, dann aber ihren Blicken entschwand. In Lk 24, 36–40 zeigt Jesus seinen Jüngern die Wundmale und läßt sie betasten. In den darauffolgenden Versen von Lk 24, 41–43 ißt Jesus Fisch und eine Honigscheibe.
Etwas ähnliches finden wir bei Johannes: Jesus zeigt seinen Jüngern die Wundmale (Jo 20, 20) und eine Woche später überzeugt sich Thomas, der Zweifler, durch Betasten der Wundmale von der Realität des Auferstandenen (Jo 20, 26–29) sowie im später angefügten Nachtrag ißt Jesus am See Tiberias Fisch und Brot (Jo 21, 10–13).

2) Der Auferstehungsleib Christi ist (im stofflichen Sinne verstanden) nicht identisch mit dem irdischen Leib Christi, der ins Grab gelegt wurde, er ist nicht aufzufassen, wie der ins Leben erneut zurückgerufene, später wieder verstorbene Lazarus (Jo 11, 1–53). Wir würden heute sagen, der Auferstehungsleib besteht nicht aus Atomen oder Molekülen, denn nach Lukas entschwand er nach dem Brotbrechen plötzlich den Blicken der Emmausjünger (Lk 24, 31) und noch deutlicher bei Jo 20, 19 und 20, 26 erscheint Jesus den Jüngern, die bei verschlossenen Türen versammelt waren. Materie kann sich aber nach den uns bekannten Naturgesetzen nicht plötzlich auflösen, plötzlich erscheinen oder andere Materie in der angegebenen Weise durchdringen.

Diese beiden für sich gegensätzlichen, (im wortwörtlichen Sinn aufgefaßt) widersprüchlichen Aussagen deuten darauf hin, daß es sich bei der Realität des Auferstehungsleibes um ein jenseits unserer Erfahrung liegendes Anderssein handeln muß, das sich jeglicher menschlicher Vorstellungskraft entzieht. Weil die sprachliche Formulierung dieser Sachverhalte dann äußerst schwierig sein muß und weil solche Berichte zusätzlich mit Texten apologetischen Charakters verquickt sind und mit ihnen zu einer Einheit zusammengewachsen sind, ist es kaum durchführbar, wenn nicht sogar unmöglich, berichtartige Schilderungen und bildhafte Erklärungen exakt voneinander zu trennen, bzw. die realen Begebenheiten von persönlichen Vorstellungen und deren bildhafter sprachlicher Gestaltung zu unterscheiden.

d) Begegnungen mit dem Auferstandenen
Die Erscheinung des Auferstandenen mußte ein so überwältigendes Ereignis sein, daß der Mensch unfähig ist, die Situation vollends zu begreifen, noch viel weniger, das nahezu Unfaßbare, gewissermaßen als Unbeteiligter, analysierend zu beobachten.

Die frühen schriftlichen Zeugnisse, so vor allem viele Stellen in den Paulus-Briefen, zeigen deutlich, daß die Begegnung mit dem Auferstandenen durch die Sprache schwierig und nur unzulänglich beschrieben werden kann, denn unsere Sprache ist von unserer Vorstellungswelt geprägt, die wir uns durch Erfahrungen mit unseren Sinnen gebildet haben. In Kor 15,8–9 schreibt Paulus nur ganz schlicht: *"Zuletzt aber von allen ist er auch mir erschienen, gleichsam der Fehlgeburt. Bin ich doch der geringste unter den Aposteln, der ich unfähig bin, Apostel zu heißen, weil ich die Kirche Gottes verfolgte."* Oder in 2 Kor 12,2–4 heißt es: *"Ich kenne einen Menschen in Christus, der vor vierzehn Jahren – ob im Leibe, das weiß ich nicht, oder außer dem Leibe, das weiß ich nicht, Gott weiß es – bis zum dritten Himmel entrückt wurde. Und ich weiß, daß der betreffende Mensch – ob im Leibe, das weiß ich nicht, oder außer dem Leibe, das weiß ich nicht, Gott weiß es – ins Paradies entrückt wurde und unsagbare Worte vernahm, die einem Menschen auszusprechen versagt sind."*

Begegnungen mit dem Auferstandenen werden nicht nur aus der biblischen Gegenwart, sondern durch alle Jahrhunderte bis hinein in unsere Tage berichtet, und immer haben die Menschen die gleiche Schwierigkeit, dieses unfaßbare Geschehen, dieses Widerfahrnis in Worte zu fassen.

Wie eine solche Begegnung mit dem Göttlichen für einen Menschen unserer Tage aussehen kann und welche Schwierigkeiten bestehen, das Erlebte in Worte zu fassen, kann man aus dem Widerfahrnis ersehen, das über einen französischen Atheisten und Kommunisten, namens André Frossard, hereingebrochen ist. Frossard hat dieses Erlebnis im Buch: „Gott existiert, ich bin ihm begegnet" [18] beschrieben. Interessant ist, daß er den größten Teil des Buches darauf verwendet hat, um nachzuweisen, daß er weder durch irgendwelche krankhafte Veranlagung noch durch Erlebnisse in seiner Umgebung zu einer solchen Begegnung auf psychologisch erklärbare Weise gekommen sei, während die Beschreibung des Ereignisses selbst, bei allen Bemühungen, es in Worte zu fassen, nicht mehr als in bildhaften Andeutungen steckenbleibt.

Die Erscheinungen wenden sich immer an ganz bestimmte Personen. Andere ebenfalls anwesende Personen können dieser Erscheinungen nicht gewahr werden: In der Apg 9,7 heißt es bei der Bekehrung des Apostels Paulus durch die Christuserscheinung vor Damaskus: „Seine Reisegefährten standen sprachlos da. Sie hörten zwar die Stimme, sahen aber niemand."

Fassen wir also das Wichtigste über die Auferstehung Jesu Christi zusammen: Eine Analyse der Auferstehungsberichte aller schriftlichen Zeugnisse aus dem Neuen Testament lassen den Schluß zu, daß Jesus nach seinem gewaltsamen Tod durch die Hinrichtung am Kreuz seinen Jüngern erschienen sein muß.

Der Auferstehungsglaube ist aus den Jüngern selbst nicht zu erklären, er setzt ein Ereignis, eine Begegnung mit dem Auferstandenen voraus, das die Jünger erlebt haben müssen und das ihren Glauben begründete.

Es gibt als wichtigen „Indizienbeweis" ein Grabtuch, dessen Bildspuren eine vernünftige Erklärung finden, wenn die schriftlichen Berichte des Neuen Testaments ein historisches, reales Geschehen beschreiben. Die Existenz des Grabtuches von Turin und seine auf ihm enthaltenen Spuren werden vollkommen unverständlich, wenn sich die Auferstehung Jesu nicht tatsächlich ereignet haben sollte.

Die schriftlichen Zeugnisse zusammen mit dem Indizienbeweis durch das Grabtuch von Turin liefern ein übereinstimmendes, widerspruchsfreies Zeugnis, das in der Lage sein kann, auch den heutigen, sehr kritisch eingestellten Menschen eine hinreichende Gewähr für die Richtigkeit der durch das Christentum verkündeten Botschaft von der Auferstehung Jesu Christi zu geben.

Der Apostel Paulus bringt in 1 Kor 15 die Auferstehung Jesu mit unserer eigenen Auferstehung in Verbindung. Es ist daher konsequent, wenn man Parallelen zwischen dem Auferstehungsleib Christi und dem Auferstehungsleib der Menschen zieht. Der Auferstehungsleib der Menschen müßte demnach ein nicht materieller, jedoch realer Leib sein. Das führt uns zur wichtigen Frage nach einem Leben nach dem Sterben. Wir wollen dabei hauptsächlich zwei Fragen nachgehen:

(3.2) Gibt es hierfür irgendwelche historische Zeugnisse, die etwas aussagen über das Weiterleben von Menschen über den leiblichen Tod hinaus?

(3.3) Welche Aussagen über ein mögliches Leben nach dem leiblichen Tod des Menschen könnten wir durch logische Überlegungen auf der Grundlage von unseren heutigen Kenntnissen naturwissenschaftlicher, philosophischer und theologischer Art machen?

3.2 Die Erscheinung Verstorbener

Es gibt eine ganze Reihe von Zeugnissen, nach denen Verstorbene (mit einem nichtstofflichen Leibe) den Lebenden erschienen sein sollen. Besonderes Aufsehen erregt haben Marien-Erscheinungen z.B. von Lourdes [19] und Fatima [20], weil im Gefolge dieser Vorkommnisse an den Erscheinungsorten medizinisch einwandfrei belegte Wunderheilungen festgestellt werden konnten, also momentane Heilungen von schweren organischen Erkrankungen, die weder durch psychosomatische Effekte noch durch sonstige biochemische Reaktionen oder andere medizinisch erklärbare Umstände zustande gekommen sind [21].

Es soll hier kein Überblick über die verschiedensten Erscheinungsberichte gegeben werden, vielmehr möchte ich (stellvertretend für viele andere Fälle) eine Begebenheit etwas näher beleuchten, wo auch die Erscheinungen von verstorbenen Menschen eine zentrale Rolle einnehmen: Es sind die Ereignisse um Jeanne d'Arc.

Jeanne d'Arc, als „Jungfrau von Orléans" bekannt, eine der imponierendsten Gestalten der französischen Geschichte, ein körperlich und geistig gesundes Bauernmädchen aus Domrémy, eine Analphabetin, hatte seit ihrem dreizehnten Lebensjahr sehr häufig Erscheinungen der Märtyrerinnen Katharina und Margaretha. Auf das ständige Drängen dieser Erscheinungen und „Stimmen" befolgt sie deren genaue, oft tägliche Anweisungen und führt, als ein in der Kriegskunst unerfahrenes, achtzehnjähriges Mädchen 1429 die französischen Truppen aus einer hoffnungslosen Lage heraus zum Sieg über die Engländer, die sich anschickten, ganz Frankreich zu erobern. Ihre Taten, die sie meist gegen erheblichen Widerstand (hauptsächlich im eigenen Lager) durchsetzen muß, bringen mit der Entsetzung des belagerten Orléans die entscheidende Wende zugunsten Frankreichs im hundertjährigen Krieg zwischen Frankreich und England.

Es gibt kein vernünftiges Argument, an der Echtheit der Erscheinungen und Stimmen der Jeanne d'Arc zu zweifeln.

Alles spricht dafür, daß es sich bei diesem Geschehen um Einbrüche einer uns unbegreiflichen übernatürlichen Sphäre in unsere Welt gehandelt hat; die Vorkommnisse und die historischen Ereignisse selbst sind sicherlich keine Erfindungen frommer Legenden.

Es sind selten Begebenheiten dieser Art durch so vielfältige, historisch gesicherte Beweisstücke und Unterlagen belegt. Jeanne d'Arc hat die Realität dieser Erscheinungen später vor Gericht bezeugt und für dieses Zeugnis den Tod erleiden müssen. Es existieren umfangreiche Protokolle vom Verurteilungsprozeß, der auf Betreiben der Engländer mit Hilfe bestochener kirchlicher Instanzen, in erster Linie des Bischofs von Beauvais, namens Cauchon, im Jahre 1431, stattfand. Diesem heuchlerischen Scheinprozeß, dessen Urteil bereits vor der Eröffnung feststand, nämlich Verurteilung der Jeanne d'Arc, folgte der Prozeß der Rehabilitation, 1450–1456. Im vergangenen Jahrhundert hat der (antiklerikal eingestellte) Historiker Quicherat eine Sammlung aller Prozeßunterlagen und Manuskripte veröffentlicht. Auszüge dieser Texte bringt der in deutscher Übersetzung veröffentlichte Dokumentarbericht von Régine Pernoud „Jeanne d'Arc" [22].

Beim Verurteilungsprozeß sagte Jeanne d'Arc, den Quellen zufolge, daß sie alles, was sie getan habe, auf Befehl Gottes getan habe, der über die Stimmen und Erscheinungen zu ihr gesprochen habe. Über diese Erscheinungen sagt Jeanne d'Arc mit völliger Gewißheit: „Ich sehe sie mit meinen leiblichen Augen genau so deutlich, wie ich Euch" (gemeint sind Jeannes Richter) „sehe" [22a]. Für Jeanne d'Arc gab es nicht den geringsten Zweifel an der Echtheit dieser Erscheinungen. Die Richter vermochten ihr kaum oder nur wenige Einzelheiten über diese Erscheinungen zu entlocken so z. B. einmal, als Bischof Cauchon sie selber fragte [22b]:

„Was für Gestalten seht Ihr?"

Jeanne: „Ich sehe ihre Gesichter."

„Haben die Heiligen, die Euch erscheinen, Haare?"

Jeanne: „Das will ich meinen! . . ."

„Wie sprechen sie?"
Jeanne: „Diese Stimme ist schön, sanft und bescheiden und sie spricht die französische Sprache."
Man ist oft versucht, die Vision Jeanne d'Arcs für Hirngespinste zu halten. Sollte es sich aber bei diesen Erscheinungen um den Einbruch übernatürlichen Geschehens in unsere stoffliche Welt handeln, so könnte man mit solchen „natürlichen" Erklärungen diesen Phänomenen nicht gerecht werden.
Jeanne d'Arcs Aussagen haben ein Höchstmaß an Glaubwürdigkeit, man kann annehmen, die Erscheinungen und die Stimmen waren reale Begebenheiten, denn Jeanne d'Arc hat gerade für diese Aussagen den Feuertod sterben müssen, eine Hinrichtungsart, vor der sie in ihrem Leben zutiefst erschauderte. Außerdem können die sich hieraus ergebenden historischen Ereignisse einwandfrei belegt werden.
Wir sind heute leicht geneigt, nur Dinge gelten zu lassen, die im naturwissenschaftlich einwandfreien Sinne beschrieben werden können. Mit den Methoden der Naturwissenschaften kann man aber nur einen bestimmten, begrenzten Bereich der Wirklichkeit erfassen. Es wäre überheblich zu meinen, daß die naturwissenschaftlich erfaßbare Welt das einzige wäre, was existiert; daß es darüber hinaus nichts geben könne.
Der Naturwissenschaftler kann durch seine Überlegungen nicht ausschließen, daß es auch noch andere Methoden zur Wirklichkeitserfahrung gibt. Wenn es Phänomene gibt, die wir nicht exakt beschreiben und auch nicht mit naturwissenschaftlichen Kategorien verstehen können (wie viele durchaus glaubhaft bezeugte Erscheinungen von Verstorbenen), so kann diesen doch ein hohes Maß von Glaubwürdigkeit zukommen, besonders dann, wenn solche Zeugen für diese Aussagen lieber den Tod auf sich genommen haben, als diese Erlebnisse zu verleugnen, wenn ferner nachweisbare Auswirkungen auf die stoffliche Welt und den Verlauf der Weltgeschichte vorhanden sind.
Die Hauptschwierigkeit in allen diesen Berichten liegt darin, daß solche Erlebnisse, solche Widerfahrnisse nur jeweils einer einzigen Person zuteil wurden. Es wäre aber methodisch kurz-

schlüssig, in diesen Fällen mit den pseudowissenschaftlichen Etiketten „psychische Täuschung, Halluzination oder Hysterie" zu arbeiten. Hingegen ist es ehrlicher und den Begebenheiten angemessener, die Dinge, wenn man sie schon nicht erklären kann, auf sich beruhen zu lassen, aber auch nicht zu verschweigen, genauso, wie es auch bei naturwissenschaftlich beobachteten, nicht erklärbaren Phänomenen oft die einzige Möglichkeit ist, solche Fakten zu erwähnen, ohne eine vernünftige und verständliche Erklärung dafür bereit zu haben, in der Hoffnung, daß neue Erkenntnisse ein besseres Verständnis der Sachverhalte ermöglichen.

Kurz: Glaubhaft berichtete und bezeugte Dinge sollte man nicht von vornherein aus ideologischen Gründen, nur weil es nicht in die eigene Grundvorstellung von der Welt hineinpaßt, abtun. Redlicher und ehrlicher ist das Eingeständnis, daß wir die uns umgebende Wirklichkeit nicht restlos erfassen und erklären können. Andererseits ist aber überall und allen Berichten gegenüber eine berechtigte Skepsis, Kritik und Prüfung angezeigt, um nicht auch den Betrügereien zu glauben.

3.3 Logische Überlegungen

Es soll nun der Versuch gemacht werden, der Frage nachzugehen, ob und inwieweit es überhaupt im Menschen so etwas geben könne, das den leiblichen Tod überdauert, ferner, wie dieser „weiterlebende" eigentliche Personenkern des Menschen dann beschaffen sein müßte.

Diese Überlegungen sollen jedoch keine leeren Spekulationen sein, sie fußen vielmehr auf gesicherten Forschungsergebnissen, die im folgenden beschrieben werden und sogar den Anspruch erheben können, im naturwissenschaftlichen Sinne exakt zu

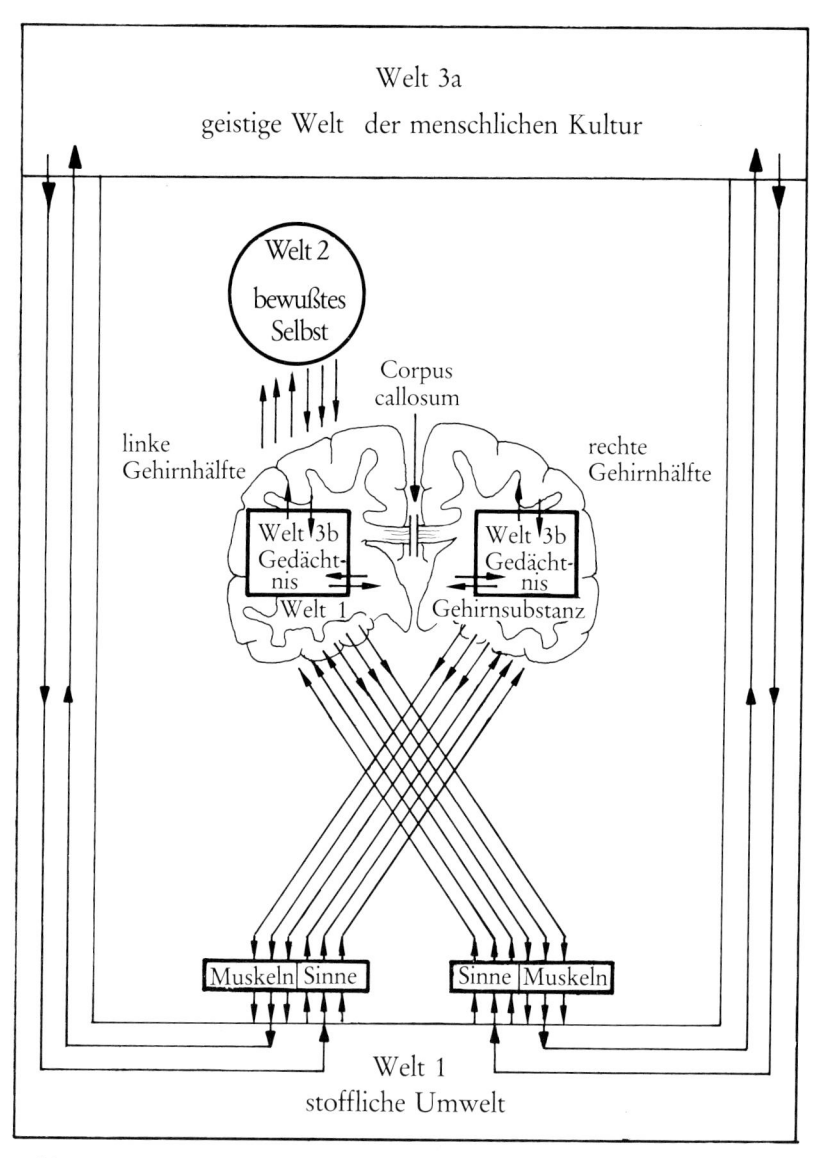

Abb. 25 Der Mensch und seine Natur im Informationsfluß
Bei 20 Personen wurde aus therapeutischen Gründen das Corpus callosum durchtrennt und damit der Informationsfluß zwischen beiden Gehirnhälften ▶

sein: Es sind wichtige bahnbrechende Entdeckungen auf dem Gebiete der Gehirnphysiologie, die möglicherweise sogar epochale Bedeutung erlangen werden.
Nobelpreisträger Eccles [23] berichtet über verschiedene Versuche, die man mit ca. 20 Personen gemacht hat, bei denen die beiden Großhirnhälften durch eine notwendig gewordene Gehirnoperation von einander getrennt wurden, indem man die große Kommissur des Corpus callosum (etwa 200 Millionen Nervenfasern (vgl. Abb. 25), durchtrennte. Durch sinnreiche Versuchsanordnungen konnte man feststellen, daß bei diesen Personen mit der linken Gehirnhälfte der Personenkern, die menschliche „Selbst-Bewußtheit" ungeteilt, unvermindert verbunden ist, während bei der rechten Gehirnhälfte nichts davon festzustellen ist; die rechte Gehirnhälfte hat nur den Status eines höchstentwickelten Säugetiers, wohl höher entwickelt als bei den Affen oder anderen Säugetieren, jedoch ohne das menschliche Selbstbewußtsein, obwohl doch beide Gehirnhälften einen analogen Bau und die gleichen biochemischen Reaktionen zeigen.
Damit ist die häufig vertretene materialistische These, daß der Geist nur eine Ausschwitzung der Materie sei, das Bewußtsein des Menschen nichts anderes, als die Summierung der verschiedensten Hirnfunktionen, das menschliche Selbstbewußtsein ausschließlich eine Folge physikalisch-chemischer, biochemisch-elektrischer, rein materieller Funktionen sei, nicht mehr aufrechtzuerhalten. Denn sonst müßte man beim Durchtrennen der beiden Gehirnhälften auf beiden Seiten (vielleicht in verminderter Form) etwas wiederfinden.

unterbrochen: Nur der linken Gehirnhälfte ist das bewußte, menschliche „Selbst" angeschlossen, während die rechte Gehirnhälfte nur den Status eines höchstentwickelten Säugetieres ohne menschliches Selbstbewußtsein hat. Der immaterielle und unteilbare Personenkern (Welt 2) steht in inniger Wechselwirkung mit der Welt 1 des menschlichen Körpers und hat Zugang zu Welt 3 der menschlichen Kultur. Der Informationsfluß von der nicht der Verwesung anheimfallenden menschlichen „Seele" (Welt 2) zur stofflichen Welt 1 des menschlichen Körpers (Gehirns) wird im Tode unterbrochen

Eccles beschreibt die erkennbare geistige Struktur des Menschen in Anlehnung an den Philosophen Popper [23] so, daß über einer Welt 1 der physiologischen Körperfunktionen des Gehirns auf unerklärliche Weise eine anders geartete Welt 2 der menschlichen Selbstbewußtheit existieren müsse. Dieser menschliche Personenkern (die Welt 2) ist durch vielfache Wechselwirkungen mit der stofflichen Welt 1 (dem Gehirn) verbunden. Er kann ferner auf dem Wege über die stoffliche Welt des menschlichen Körpers und unserer materiellen Umgebung (Welt 1) an einer Welt 3 partizipieren, welche man die Welt des „objektiven Geistes" bezeichnen könnte, eine Welt, die alle menschliche Kultur, Wissenschaften und Ideen, die Philosophie, die Religionen umfaßt, zu der kein Tier irgendeinen Zugang hat *[24]*.
Von dieser geistigen Welt der menschlichen Kultur (Welt 3a) kann der Mensch einen beträchtlichen Anteil in seinem Gehirn speichern (in Abb. 25 als Welt 3b bezeichnet). Zwischen der Welt 2 des menschlichen Personenkerns und der Welt 1 des menschlichen Körpers besteht eine innige Wechselwirkung, man denke z. B. an den Einfluß von Drogen, von körperlichem und „seelischem" Schmerz oder an psychosomatische Effekte usw. Nach unseren heutigen, doch recht guten Kenntnissen der biochemischen Reaktionen im Gehirn ist es nicht denkbar, daß dieser Personenkern des Menschen (die Welt 2) ein einzelnes Eiweißmolekül, ein elektrischer Regelkreis oder eine „pontifikale Nervenzelle" [25a] sein könnte.
Auch scheint das bewußte Selbst des Menschen nicht eine bloße Folge seiner stofflichen Erbkomponente, der Chromosomengarnitur zu sein, denn bei eineiigen Zwillingen, die in ihren Genen exakt die gleichen Erbanlagen (Basensequenz der DNS) haben, fühlen sich beide Individuen bei solchen Zwillingen als vollkommen einzigartige Personen: der Einzelmensch ist „in seinen eigenen bewußten Erfahrungen und seinem Selbst-Sein so verschieden von seinem Zwilling, wie er es von jedem anderen Selbst ist" [25b]. Nach diesen und weiteren Überlegungen kommt Eccles „zu dem religiösen Konzept der Seele und ihrer Erschaffung durch Gott" [25c].

Wir finden also eine Bestätigung, daß der menschliche Personenkern, diese Welt 2, wohl das ist, was die Menschen seit jeher als Seele bezeichnet haben, die dann unverweslich sein und den physischen Tod des Menschen überdauern müßte. Diese Seele kann jedoch, wenn sie aber immateriell ist, nicht mit naturwissenschaftlichen Methoden erfaßt werden.

Was läßt sich überhaupt von naturwissenschaftlicher Seite über die Möglichkeit eines Lebens nach dem Sterben des Menschen aussagen? Ein solcher, den Tod überdauernder Personenkern des Menschen, der gemäß dem christlichen Glauben in ein ewiges Leben eingehen soll, kann nicht aus organischer Materie bestehen, denn organische Stoffe sind metastabil, sie zerfallen nach mehr oder weniger langer Zeit in andere Bestandteile.
Man wird auch aus philosophischen Überlegungen folgern müssen, daß ein solcher als Seele bezeichneter Personenkern des Menschen nicht zusammengesetzt sein kann, weil damit die Möglichkeit gegeben wäre, daß dann diese Seele in zwei Hälften oder in mehrere Teile zerfallen könnte, und damit aufhören würde, als solche zu bestehen [26].
Durch die griechische Philosophie stark beeinflußt, hat man in der Vergangenheit geglaubt, daß die Seele des Menschen in einem Körper hause, ähnlich, wie in einem Gefängnis, daß sie durch den Tod von den Fesseln des Leibes befreit werde [27]. Heute herrscht allgemein die Meinung vor, daß der Mensch eine untrennbare Einheit aus Physis und Psyche bildet, eine auch in der Bibel oft dominierende Auffassung [28]. In konsequenter Durchdenkung dieser Auffassung vom Menschen kann man sich ein Fortbestehen des Personenkerns nach dem Tode sehr schwer vorstellen.
Möglicherweise geben beide Auffassungen ein einseitiges, und darum nicht ganz richtiges, unvollständiges Menschenbild wieder, und es lassen sich nicht alle Phänomene restlos mit diesen Menschenbildern verständlich machen *[29]*. Wohl muß man heute annehmen, daß die Verbindung des menschlichen Personenkerns (Seele) mit dem Körper viel inniger sein muß, als man

sich das früher vorgestellt hat, andererseits muß man gerade heute sehr stark betonen, daß der menschliche Personenkern, seine Fähigkeit, in die Welt des Geistes und der Ideen vorzudringen, einen Schöpfer der Welt zu erkennen, mehr und etwas anderes sein muß, als nur rein biologische, letztendlich physikalische und biochemische Reaktionen eines Lebewesens.

Diese menschliche Seele wird geprägt durch Erlebnisse und Ereignisse der stofflichen Welt; sie weist aber auch über diese materielle Welt hinaus und sucht eine unvergängliche Heimat. Diese Seele ist, so lehrt es der christliche Glaube, dasjenige, was den Tod überdauern wird, in die Ewigkeit eingehen und eine letzte Verantwortung für die Taten, Absichten und Unterlassungen des Menschen wird tragen müssen. Eine Weiterführung dieser Gedanken, die insbesondere die Fragen nach dem freien Willen des Menschen aufwerfen, soll noch im 4. Kapitel erfolgen.

Angelpunkt und Unterpfand jedoch für ein Leben des Menschen nach dem leiblichen Tode ist die am Anfang dieses 3. Kapitels eingehender behandelte Auferstehung Jesu Christi, Deswegen soll hier noch einiges Prinzipielle über die Einzigartigkeit des vor ca. 2000 Jahren gekreuzigten und auferstandenen Messias angeführt werden.

Ein Kernpunkt christlichen Glaubens besagt, daß der historische Jesus Gott und Mensch war, daß er beide Naturen (die göttliche und die menschliche) in einer „hypostatischen Union" [30] in sich vereinigte. Um diese Überzeugung von Falschinterpretationen zu reinigen, hat das Konzil von Chalcedon (451 n. Chr.) definiert, daß in Christus zwei Naturen (die göttliche und die menschliche) „unvermischt, unverwandelt, ungetrennt und ungesondert" bestehen [31]. Diese Lehre hat das 2. Konzil von Konstantinopel (im Jahre 553) bestärkt und das 3. Konzil von Konstantinopel (680–681 n. Chr.) auf die Wirkweisen (Willen) erweitert [32].

Der Glaube der Christen, daß der historische Jesus Gott und Mensch war, bedeutete schon immer für viele Menschen ein Ärgernis, und heute findet man in diesem Anspruch vielerorts

etwas Provozierendes. Und doch besteht zu einem solchen Ärgernis keinerlei Anlaß: Wenn nämlich derjenige, auf den der christliche Glaube baut, Gott selber ist, so ist damit nicht eine ungerechte Bevorzugung derjenigen verbunden, die dieser Religionsgemeinschaft angehören (vgl. hierzu insbesondere den Anfang des Römerbriefes vom Apostel Paulus, z. B. die auf 2, 6 folgenden Verse!), sondern hier leuchtet etwas auf, was allen Menschen gilt.
Es kann nicht genug betont werden, daß dann, wenn das Geheimnis Jesu Christi Wirklichkeit ist, dadurch die menschliche Natur und damit das Dasein *aller* Menschen eine grandiose Aufwertung erfährt.

3.4 Spekulatives über ein Leben nach dem Tode

Das vorliegende Buch verfolgt die Absicht, einen Überblick über die heute bekannten Forschungsergebnisse zu geben und in groben Zügen unsere Kenntnisse über die Herkunft und das Ziel aller Entwicklung in der uns umgebenden Wirklichkeit aufzuzeigen. Wir stießen dabei auf die bedeutende Frage: Gibt es eine Auferstehung von den Toten und ein Fortleben des menschlichen Personenkerns nach dem physischen Tode?
Bei diesem zentralen Thema des christlichen Glaubens habe ich versucht, gerade diejenigen Fakten aufzuführen, die in möglichst objektivierender Weise für die Realität einer Welt jenseits der uns erfahrbaren stofflichen Welt sprechen.
Man muß immerhin feststellen, daß verschiedene, belegbare, teilweise sogar materielle, stoffliche Realitäten vorhanden sind, die nur zu erklären sind, wenn man die Auferstehung Christi und dessen Übergang in eine andere, uns unbegreifliche Daseinsweise als Faktum voraussetzt, bzw. wenn es ein Fortleben des menschlichen Personenkerns, der menschlichen Seele nach

dem physischen Tode des Menschen gibt. Hingegen blieben solche Erscheinungen unerklärbar, wenn man ein solches Fortleben, aus welchem Grunde auch immer, leugnen wollte.
In diesem letzten Teilkapitel soll nun der Versuch einer spekulativen Deutung gegeben werden, wie man sich ein solches Fortleben nach dem Tode vorstellen könnte. Auch hier gehen wir von verschiedenen Erfahrungen aus, die einige Menschen gemacht haben, wenn auch diese Erfahrungen lange nicht den Sicherheitsgrad aufweisen, wie er in den vorangegangenen Abschnitten vorherrscht, so daß dieses Teilkapitel vorsichtig mit „Spekulatives über ein Leben nach dem Tode" überschrieben wurde.
Trotzdem sollen solche Überlegungen auch hier nicht völlig aus der Luft gegriffene Annahmen sein. Aber die diesen Überlegungen zugrunde liegenden Phänomene sind noch zu wenig gesichert; sie tangieren das Gebiet der Parapsychologie, das noch sehr im Dunkeln liegt und wenig mit wissenschaftlichen Methoden durchforscht und erhellt ist. Dennoch möchte ich in einem gedanklichen Ausflug einiges andeuten, gewissermaßen als mögliche Hypothese für eine solche Existenzweise. Eingehendere, auch nach wissenschaftlichen Kriterien arbeitende Studien, die sich auf diesen Gegenstand beziehen, gibt das Buch: „Leben nach dem Tod?" von Nils-Olof Jacobson. Daraus möchte ich einige Gedanken wiedergeben und einen Abschnitt zitieren, wo Jacobson im Anschluß an Martinus Thomsen über den Zustand nach dem physischen Tod einige interessante Spekulationen anstellt [33]:
Mit dem Tode des Menschen – so lautet die Spekulation – wird der Kontakt seines Personenkerns, seiner Seele mit dem physischen Körper unterbrochen. Diese vom Körper getrennten geistigen Wesen, die Jacobson kurz „Wesen" nennt, treten in ihren eigenen geistigen Lebensraum ein, der geprägt ist aus den eigenen geistigen Vorstellungen der Menschen. Verschiedene solcher Wesen können in dieser geistigen Welt nur miteinander in Verbindung treten, wenn sie die gleiche Wellenlänge haben. Dafür ein Beispiel [33a]:

„Ein erfolgreicher Geschäftsmann, dessen Hauptinteresse es war, ein Vermögen zu erwerben, stirbt und kommt in die erste Sphäre der geistigen Welt. Hier setzt er mit größerem Erfolg denn je seine Tätigkeit fort; Reichtümer häufen sich rings um ihn in atemberaubendem Tempo. Natürlich kommt ihm auch der Gedanke, er könne bestohlen und beraubt werden – im selben Augenblick stellen sich Diebe und Räuber ein, und er wird das Opfer von Gangsterüberfällen, schlimmer als alles, was er je in einem Fernsehkrimi gesehen hat. Seine Phantasie bemächtigt sich all dieser Geschehnisse und gelangt daran anknüpfend zu Vorstellungen von noch Schlimmerem, und auch das wird augenblicklich Wirklichkeit. Seine Lage wird durch den Umstand verschlimmert, daß er jetzt nur noch Kontakt zu Wesen seiner eigenen Wellenlänge herstellen kann – das heißt Wesen, die auch nur am Gelderwerb interessiert sind und daher in ihm einen Konkurrenten sehen. Aber gleichzeitig sind sie alle ebenso tüchtig wie er, und es gibt niemanden, der seine Erfolge bewundern könnte. Er ist vollkommen einsam, nur von Konkurrenten umgeben und von den Dieben und Banditen, die er selbst durch Suggestion erzeugt hat. Je weiter diese Vorstellungen ihn treiben, desto mehr gerät er in ihren Bann, und desto weniger gelingt es ihm, sich auf irgendeine andere Wellenlänge einzustellen, um dadurch seine Umwelt zu verändern. Den Zustand, in dem er sich befindet, kann man nur als Alptraum oder Hölle charakterisieren, hundertprozentig wirklich, aber gleichzeitig ganz und gar von ihm selbst erzeugt."
So kann ein Wesen Gefangener seiner eigenen Gedankenwelt werden.
„Ein Wesen, das beispielsweise ganz und gar in einer positiven religiösen Vorstellungswelt lebt, erwartet eine solche positive Welt" [33b]. Da anzunehmen ist, daß nur sehr wenige Menschen vollkommen frei von Konflikten oder egoistischen Wünschen und Begierden sind, werden die meisten Menschen diese erste Sphäre als harte Wirklichkeit (Hölle) erleben. Für einen Menschen, der überwiegend frei von Konflikten und egoistischen Wünschen ist, der hauptsächlich vom Wunsch erfüllt ist,

anderen Menschen zu helfen, wird diese Wirklichkeit bedeutend weniger hart erleben [33c].

In dem Maße, in dem das Wesen seine ursprüngliche Haltung aufgibt, sich „erinnert, daß es eine höhere Macht geben könnte, an die man glauben und zu der man beten kann", würde sein Bewußtsein, seine „Wellenlänge" geändert. Es eröffneten sich neue Möglichkeiten mit anderen Wesen in Kontakt zu treten (Schutzgeister, Fürsprecher) [33d]. Eine solche Entwicklung, die man mit dem altbekannten, in der katholischen Kirche mit dem als „Purgatorium" oder „Fegefeuer" [34] bezeichneten Zustand vergleichen könnte, ist ein Schmelztiegel, dessen es bedarf, um die Psyche von „psychischer Schlacke" zu reinigen. Das Wesen zieht nach und nach „Hochzeitskleider" an und erhält Zugang zu einer anderen Form des Erlebens, das man das „Paradies" nennt [33e].

Interessant ist, daß gerade in jüngster Zeit eine Reihe von Fällen bekannt geworden sind, wo Menschen von eigenartigen Erlebnissen berichten, die sie an der Schwelle des Todes gehabt haben. So berichtet Raymond A. Moody in seinem Buch: „Leben nach dem Tod" und neuerdings in der Folgepublikation: „Nachgedanken über das Leben nach dem Tod" [35], über sehr viele Menschen (in seinem ersten Buch sind ca. 150 Fälle), die nach der Reanimation teilweise sehr genau angeben konnten, was sich bis in viele kleinste Details während der an ihnen vorgenommenen Wiederbelebungsversuche zugetragen hat. Sie gaben ferner an, daß sie all dies in einem merkwürdigen Zustand außerhalb ihres eigenen Leibes, gewissermaßen von außen, in einiger Distanz auf ihre körperliche Hülle schauend, beobachten konnten ("Out-of-the-body-experience").

Diese Personen hatten vielfach helle, personifizierte Lichterscheinungen, gaben an, Verstorbenen begegnet zu sein, seien aber an einer gewissen Grenze umgekehrt und wieder in den Leib zurückgefahren. Bei Selbstmordversuchen wurden auch sehr schreckliche Erlebnisse an der Schwelle des Todes wahrgenommen.

Bei all diesen Fällen konnten die üblichen klinischen Lebenszeichen, wie Herzschlag, Atmung, Blutdruck nicht mehr festgestellt werden, die Betreffenden konnten aber nach den Wiederbelebungsversuchen ins Leben zurückgeholt werden.

Man wird wohl nicht behaupten können, daß diese Personen wie durch ein Fenster in eine jenseitige Welt geschaut hätten, wohl aber bestätigen solche durchaus glaubhafte Berichte (die vielen Argumente, die eine Glaubwürdigkeit nahelegen, geben die Bücher von Moody an) die neuerdings durch die Gehirnchirurgie gefundenen Phänomene, nämlich, daß der menschliche Personenkern unteilbar ist und nach allem, was sich heute darüber aussagen läßt, nichtstofflicher Natur ist und in inniger Wechselwirkung mit der dominanten Gehirnhälfte steht.

Nach den von Moody beschriebenen Erlebnissen vieler Menschen und anderen Beobachtungen parapsychologischer Art, über die insbesondere Jacobson ausführlich in dem oben genannten Buch [33] berichtet, ist dieser Personenkern auch getrennt vom Körper des Menschen existent; nach der Überzeugung der christlichen Religionen ist die Seele des Menschen das, was nach dem Tode weiterleben und in ein ewiges Leben eingehen wird.

Die Auferstehung des „Fleisches" oder des „Leibes" würde dann implizieren, daß beim Übergang in jene andere Daseinsweise [36] alles, was in dieser stofflichen Welt mit Hilfe des irdischen Leibes diesen Personenkern des Menschen geformt hat, auch Bestandteil dieses „auferstehenden" Menschen wird. Dafür sprechen z. B. auch die Phänomene, daß die ins Leben zurückgerufenen Menschen an der Schwelle des Todes angeben konnten, daß sie in diesen Grenzsituationen ihr gesamtes Leben mit allen Details vergangener Erlebnisse und wesentlicher Begebenheiten in einer großen Gesamtschau erfahren haben.

Während die eben angedeuteten Erfahrungen von Menschen sicherlich noch diesseits der eigentlichen Todesschranke gemacht wurden – denn sie konnten wieder ins körperliche Leben zurückgeholt werden –, gibt es auch in den verschiedensten Kulturbereichen Aufzeichnungen, die einige Angaben über die jenseitige Welt machen, so z. B. in dem berühmten Tibetischen Totenbuch, bei Plato im Buch Polyteion, bei Immanuel Swedenborg (1688–1772) oder beim Pfarrer Johann Friedrich Oberlin [37], der von 1704–1826 im Steintal, im Elsaß, gelebt hat. Dem Pfarrer Oberlin soll seine verstorbene Frau öfter im Verlaufe von neun Jahren erschienen sein und auch einige spärliche Mitteilungen über eine jenseitige Welt gemacht haben. Erwähnenswert ist z. B. die „Mitteilung", daß die verstorbenen Menschen eine Entwicklung in der jenseitigen Welt durchmachen: „Denn die, welche sterben, ehe sie das Werk der Aufopferung an sich haben vollenden lassen" [37a], müssen sich erst nach einer Reihe schmerzlicher Entwicklungen von ihren egoistischen Neigungen lösen, bis sie in den Bereich des Göttlichen treten können.

Bemerkenswert ist auch, daß die verstorbene Frau dem Pfarrer Oberlin teils im wachen Zustand, teils während des Schlafs, oftmals auch unter verschiedenerlei Gestalt erschienen ist (z. B. als Oberlins Mutter, als sein Freund, einem Sekretär der russischen Gesandtschaft in Wien), jedoch erkannte Oberlin diese Erscheinungen jedesmal als seine Frau, ein Phänomen, das z. B. auch in der Bibel berichtet wird, z. B. Lk 24, 19–32, wo Christus den Emmausjüngern begegnet, später aber beim Brotbrechen erkannt wird und dabei ihren Blicken entschwindet. Als Oberlin einmal gefragt wurde, wie man zwischen eigentlicher Vision und gewöhnlicher Träumerei unterscheiden könne, hatte er geantwortet, „daß es fast ebenso schwer sei, jemandem, der nichts Ähnliches erfahren hat, diesen Unterschied begreiflich zu machen, als es schwer sei, einem Blinden den Unterschied zwischen der blauen und der grünen Farbe zu erklären" [37b].

Es soll hier nicht untersucht werden, ob und inwieweit solchen Berichten auch tatsächlich reale Begebenheiten zugrunde liegen; dafür wird auch dieser Abschnitt überschrieben mit: „Spekulatives über ein Leben nach dem Tode". Es ist auch zu bezweifeln, ob es der Menschheit jemals gelingen wird, den Schleier vor dieser merkwürdigen „jenseitigen" Welt ein klein wenig lüften zu können, und zwar in einer Weise, die man (im naturwissenschaftlichen Sinne) als exakt bezeichnen könnte. Dafür liegen die Dinge auf einer anderen Ebene, die man mit exakten Methoden wohl kaum wird erfassen können. Man ist hierbei angewiesen auf Erlebnisse, auf nicht reproduzierbare Widerfahrnisse, die einzelne Personen gehabt haben. Wie man auch zu den einzelnen Aussagen stehen mag, zustimmend oder kategorisch ablehnend, es läßt sich dennoch nicht leugnen, daß es vieles gibt, was in hinreichend gesicherter Weise dafür spricht, daß diese stoffliche Welt nicht das einzige ist, was die uns umgebende Wirklichkeit ausmacht. Ein positivistisch eingestellter Mensch gleicht einem, der überall da Scheuklappen anlegt, wo Begebenheiten auftauchen, die nicht in sein Konzept passen. Und von solchen Erscheinungen und Fakten wurde ein Überblick gegeben in den Unterkapiteln 3.1, 3.2 und 3.3.

Aber die dort angegebenen Fakten ermöglichen von sich aus noch nicht automatisch einen Brückenschlag zu jener geistigen, übernatürlichen Welt. Wohl aber sind solche Phänomene nur zu erklären, wenn man diese z. B. im Christentum geglaubten und verkündeten „Offenbarungswahrheiten" als bekannt voraussetzt. Die hier beschriebenen Tatsachen bringen also, wie bereits auf S. 144f aufgeführt, eine Bestätigung des christlichen Glaubens an eine geistige Welt. Man kann das auch etwas positiver ausdrücken: Die lange Zeit angezweifelten Aussagen der christlichen Religionen über ein Fortleben der menschlichen Seele nach dem Tode finden ihre Bestätigung durch Entdeckungen in unserer Zeit, während eine Geisteshaltung, die man als positivistisch, materialistisch bezeichnet, eine Denkweise, die lange Zeit als die einzig wahre und richtige angesehen wurde, durch diese Phänomene nicht bestätigt wird, ja, als engstirnig, einseitig und darum falsch, nicht der vollen Wirklichkeit gerecht werdend, angesehen werden muß.

Nach diesem Exkurs mit Gedanken über eine Welt, die für uns Menschen verschlossen ist, solange wir unser körperliches Dasein zu leben haben, wollen wir im nächsten Kapitel Überlegungen anstellen, die auf die geistig-ethischen Situationen des Menschen in dieser Welt abzielen, wir wollen nach dem Sinn menschlichen Handelns fragen, daß ein Handeln in einer gewissen Freiheit ist.

4. Freiheit und Lebenssinn

Dieses vierte Kapitel beschäftigt sich zunächst mit dem Problem, ob das Handeln des Menschen in gewissen Grenzen als frei zu bezeichnen ist oder ob der Mensch durch seine Anlagen und die Umwelteinflüsse exakt vorherbestimmt ist; denn daraus ergeben sich wichtige Konsequenzen für die ethische Beurteilung menschlicher Taten. Die Fragen nach dem eigentlichen Ziel und dem Sinn menschlichen Lebens bilden den Abschluß dieses Kapitels. Solche Reflexionen sind von entscheidender Bedeutung, denn von diesen Gegebenheiten hängt das eigentliche Glück des Menschen und seine letzte Lebenserfüllung ab.

4.1 Hat der Mensch Willensfreiheit?

Im vergangenen Jahrhundert wurde das naturwissenschaftliche Denken sehr stark von einer mechanistisch-deterministischen Weltauffassung her geprägt. Man hatte die Newtonschen Gesetze der Mechanik [1] als letztgültige Naturgesetze erkannt und versuchte diese Prinzipien auf alle Bereiche der Wirklichkeit anzuwenden. Man sah keinen Grund zur Annahme, daß diese Gesetzmäßigkeiten nur auf das von den Naturwissenschaften Erfaßbare beschränkt sein sollten. Man meinte damals, daß sich auch der Lauf der gesamten Weltgeschichte und der Weltentwicklung exakt vorausberechnen ließe, wenn man zu einem bestimmten Zeitpunkt den Ort, die Geschwindigkeit und die Masse jedes einzelnen Atoms im Weltall und alle Naturgesetze kennen würde. Ein solcher „Laplacescher Geist" [2] wäre dem-

nach imstande, jedes Ereignis der Zukunft in allen Einzelheiten vorauszuberechnen oder auch jede Begebenheit in der Vergangenheit genau zu rekonstruieren.
Diesen Gesetzmäßigkeiten müssen folgerichtig auch jene Atome unterliegen, aus denen der Mensch besteht. Also muß der Mensch und sein Handeln durch den bisherigen Weltverlauf vollständig und zwingend vorherbestimmt und determiniert sein. In diese Denkweise paßt auch die Vorstellung von Karl Marx über den Ablauf der Geschichte, deren Gesetzmäßigkeiten es zu erforschen galt; es ist ein Ablauf der Geschichte, der nach seiner Vorstellung in der Zukunft zur Diktatur des Proletariats uns schließlich zur klassenlosen Gesellschaft führen muß. Es wird verständlich, daß Marx, bevor er seine Prognosen aufstellte, versuchte durch ein intensives Studium der geschichtlichen Entwicklung die zukünftige Entwicklung zu erkennen.
In eine solche Weltauffassung paßt nicht das Phänomen der Freiheit, insbesondere der menschlichen Willensfreiheit. Und man hat konsequenterweise dann auch die menschliche Willensfreiheit geleugnet; man hat behauptet, daß der Mensch und sein Handeln vollständig durch die Ereignisse der Vergangenheit und seiner Gegenwart, durch Erbanlagen und Umwelteinflüsse bestimmt, determiniert sei. Es galt nur noch, diese Gesetzmäßigkeiten, die zum großen Anteil auch im Unterbewußten lagen, zu erkennen und aufzudecken.
Dieses mechanistisch-deterministische Weltbild ist heute von den Naturwissenschaften von Grund auf überholt. Eine tiefgreifende Veränderung im Wirklichkeitsverständnis brachten neuere Erkenntnisse aus der Atomphysik (insbesondere der Quantenphysik) seit Beginn dieses Jahrhunderts: Man hat nämlich feststellen müssen, daß im atomaren Bereich Einzelereignisse nicht voraussagbar, nicht genau determinierbar und auch mit den genauesten Meßmethoden nicht mehr exakt bestimmbar sind. Solche Ereignisse sind nur noch durch statistische Gesetzmäßigkeiten erfaßbar, man kann nur noch die Wahrscheinlichkeit angeben, daß ein bestimmtes Ereignis eintreten kann, man kann aber das Einzelereignis nicht vorhersagen. Die Konsequenzen

aus diesen Erkenntnissen werden auf S. 159 aufgezeigt. Hier sollen zunächst einmal die Phänomene im klein gedruckten Text etwas näher erläutert werden:

Von einer bestimmten Menge Radium zerfällt in 1590 Jahren jeweils immer die Hälfte der vorhandenen Radiumatome: die sogen. „Halbwertszeit" des Radiums beträgt also 1590 Jahre, d. h. nach diesem Zeitraum sind nur noch halb so viel Radiumatome wie ursprünglich vorhanden; nach abermals 1590 Jahren ist die Anzahl der Radiumatome auf wiederum die Hälfte der damals noch vorhandenen, also insgesamt auf ¼ der ursprünglichen Anzahl, nach weiteren 1590 Jahren auf ⅛ usw. gesunken. Die Abb. 26 soll dies verdeutlichen.
Diese statistischen Gesetzmäßigkeiten gestatten uns jedoch nicht, eine Voraussage zu machen, wann ein ganz bestimmtes Radiumatom zerfällt, es kann in der nächsten Sekunde oder z. B. erst nach 10 000 Jahren zerfallen. Es hat, wie der Physiker sagt, nur eine gewisse Wahrscheinlichkeit zu zerfallen. Der Zer-

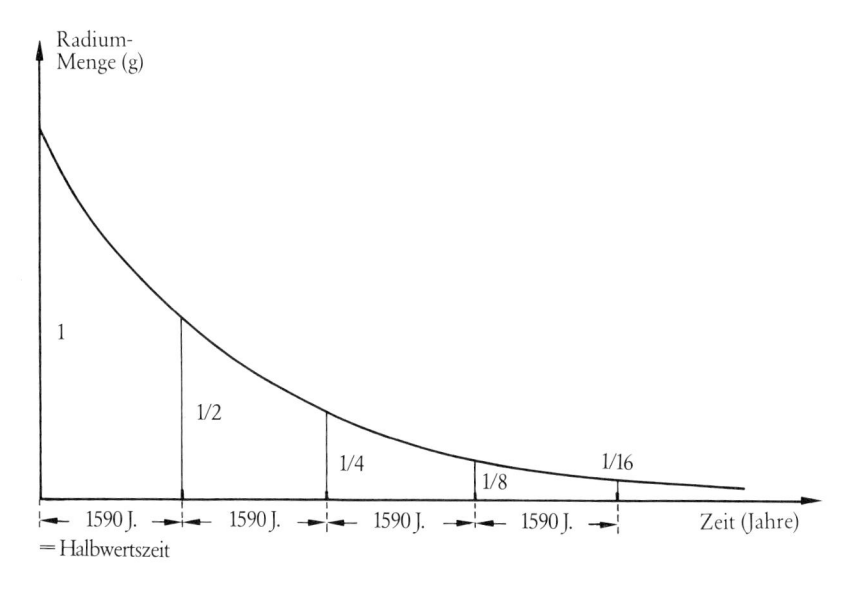

Abb. 26 Radioaktiver Zerfall und Halbwertszeit
Beim Radium zerfällt nach 1590 Jahren immer die Hälfte der jeweils vorhandenen Atome. War die ursprüngliche Menge der Radiumatome 1g, so sinkt sie nach 1590 Jahren (Halbwertszeit) auf die Hälfte, also ½ g, nach weiteren 1590 Jahren auf ½ · ½ = ¼ g, nach abermals einer Halbwertszeit auf ⅛ g usw.

fall eines bestimmten Radiumatoms ist jedoch nicht vorausberechenbar, ist nicht determinierbar. Wir haben hier ähnliche statistische Gesetzmäßigkeiten vorliegen, wie sie die Versicherungen für ihre Berechnungen zugrunde legen: Man kann sagen, wie alt im Durchschnitt bei uns ein Mann oder eine Frau wird, dieses Durchschnittsalter erlaubt jedoch keine Aussage, wie lange ein ganz bestimmter Einzelmensch lebt, er kann im Säuglingsalter sterben oder auch 80 Jahre alt werden.

Dennoch gibt es physikalische Gesetzmäßigkeiten, die eine Berechnung und damit auch eine Vorhersage von Ereignissen gestatten. Man denke nur an die Berechnungen der Flugbahnen für die Raumschiffe zum Mond. Wenn es solche voraussagbare und vorausberechenbare Ereignisse gibt, wenn wir in makroskopisch wahrnehmbaren Bereichen solche strengen Kausalitäten bemerken, so liegt es daran, daß die vielen undeterminierbaren Einzelereignisse sich zu sehr großen Gesamtheiten addieren, und dann als solche nach den Regeln der Statistik berechenbar werden. Im atomaren Bereich auftretende Einzelereignisse jedoch können indeterminiert sein, lassen dann die Formulierung kausaler Gesetze nicht zu.

Die kleinsten Bausteine der Materie, die Elementarteilchen, zeigen Eigenschaften, die unserem Verstand, der sich an Erfahrungen mit unseren Sinnen orientiert, unbegreiflich erscheinen müssen: So kann sich z. B. ein Elektron, je nachdem, wie man das Experiment anstellt, entweder wie ein kleines Masseteilchen zeigen, oder es verhält sich wie eine Welle. Dieser Sachverhalt wird auch als Dualismus Welle-Korpuskel bezeichnet. Wellennatur und Körpernatur (Korpuskelnatur) lassen sich nicht in unserer Vorstellung miteinander vereinigen. Und doch ist die Welle und mit ihr die Wellenlänge ebenso real und experimentell bestimmbar, wie umgekehrt das Elektron durch andere Experimente auch wirklich als kleinstes Masseteilchen zu erfahren ist.

Andere Aspekte des gleichen Sachverhalts sind die berühmte Heisenbergsche [3] Unschärferelation und das Komplementaritätsprinzip von Bohr [4]: Das Komplementaritätsprinzip von Bohr besagt folgendes: Man kann atomare Erscheinungen durch verschiedene Modelle beschreiben und berechnen. z. B. kann man Elektronen als um den Kern kreisende Masseteilchen oder als stehende Materiewellen annehmen, die sich in einer Atomhülle ausbilden. Jedes dieser Modelle erklärt bestimmte, beobachtbare Erscheinungen. Diese Modellvorstellungen lassen sich jedoch nicht miteinander vereinbaren, sie schließen sich gegenseitig aus: Gebraucht man das eine Modell, so ist das andere ausgeschlossen, genauso, wie man von einem Gegenstand zur gleichen Zeit (ohne Spiegel) nicht die Vorder- und die Rückseite gleichzeitig betrachten kann.

Die Formulierung der Heisenbergschen Unschärferelation lautet: Ein Elektron läßt sich nach Ort und Impuls bestimmen. Beide Größen sind nur mit einer gewissen Unschärfe erfaßbar. Das Produkt der Unschärfen ist von der Größenordnung des Planckschen Wirkungsquantums h:

$\Delta x \cdot \Delta p \approx h;\quad h = 6{,}630 \cdot 10^{-34}$ Js (= Joule mal Sekunden)
Δx = Unschärfe bei der Ortsbestimmung des Elektrons
Δp = Unschärfe bei der Impulsbestimmung des Elektrons
Man kann zwar grundsätzlich entweder den Ort oder den Impuls mit großer Genauigkeit messen, dann wird aber jeweils die andere Größe um so ungenauer: Bei sehr genauer Ortsbestimmung wird der Impuls vollkommen unbestimmt (und umgekehrt).
Man darf diesen Sachverhalt nicht dahingehend mißverstehen, als handele es sich bei der Unschärferelation nur um eine Grenze der praktischen Meßmöglichkeiten, die mit genaueren Meßmethoden später einmal zurückgedrängt werden könnte, sondern es ist vielmehr so, daß einem unbeobachteten Teilchen überhaupt kein Zustand im klassischen Sinne zugeschrieben werden kann; erst durch den Beobachtungsakt wird ein Elementarteilchen veranlaßt, einen Zustand (Welle – Korpuskel oder Impuls – Ort) überhaupt anzunehmen.
Der Dualismus Welle – Korpuskel, die Bohrsche Komplementarität bzw. die Heisenbergsche Unschärferelation haben zur Folge, daß im atomaren Bereich, bei den Elementarteilchen eine gewisse Unbestimmtheit, Indeterminiertheit vorliegt.
Die Ereignisse im atomaren Bereich folgen nach den Erkenntnissen der Quantenmechanik [5] nur statistisch beschreibbaren Gesetzmäßigkeiten der Wahrscheinlichkeitslehre; das tatsächlich auftretende Einzelereignis ist jedoch nicht voraussagbar, nicht im voraus genau berechenbar, nicht determinierbar.
Nach Heisenberg brachte die Quantenphysik die „definitive Widerlegung des Kausalitätsprinzips" [6], und zwar eines Kausalitätsprinzips, wie es der materialistisch-deterministischen Weltauffassung zugrunde liegt.
Unsere Welt ist wohl so beschaffen, daß auf der einen Seite ein nicht voraussagbares, indeterminiertes Möglichkeitsspektrum von Einzelereignissen vorhanden ist, was dann konsequenterweise auch durch genaueste Methoden niemals einen exakt vorausberechenbaren Verlauf ergibt, auf der anderen Seite entstehen aber durch die Summierung von diesen vielen, für sich allein indeterminierten Einzelvorgängen große statistische Mengen, welche nach den Gesetzen für große Quantitäten in ihrem durchschnittlichen Gesamtverhalten dann doch wiederum eine makroskopisch beobachtbare Abhängigkeit nach dem Kausalitätsprinzip erkennen lassen.

Erst die Kombination dieser beiden Phänomene, also einerseits die beobachtbaren kausalen Naturgesetzmäßigkeiten, die allerdings auf der Summierung und Ausmittelung großer statistischer Quantitäten beruhen, und andrerseits eine Variationsmöglichkeit auf der atomaren Ebene mit ihren nicht determinierbaren Einzelereignissen schafft die Voraussetzungen dafür, daß es eine sinnvolle Weiterentwicklung geben kann:

Denn eine „gesetzlose" Welt, die allein aus zusammenhanglosen, nicht bestimmbaren Einzelereignissen bestünde, ergäbe ein nicht erfaßbares, sinnloses Chaos, denn es wären dann keine Anhaltspunkte für eine sinnvolle Entwicklung zu finden. In einer restlos determinierten Welt ohne jegliche Variationsmöglichkeiten durch nicht voraussagbare Einzelereignisse wird man schwerlich die Frage nach einem Sinn stellen können; denn wäre alles voll determiniert, so müßte man konsequent folgern, daß diese Zeilen, die ich in diesem Moment niederschreibe und alles, was sich daraus ergibt, also z. B. das Bemühen des Lesers, diese Zusammenhänge zu verstehen, schon beim Start des Weltalls exakt vorausbestimmt worden seien. Die gesamte Weltentwicklung liefe dann bei voller Determination wie ein Uhrwerk ab, ohne daß auch nur die geringste Variationsmöglichkeit gegeben wäre. Dann würde auch die Frage nach dem Sinn einer echten Lebensgestaltung, einer persönlichen Einflußnahme letztendlich absurd werden.

Erst die Kombination von kausalen Naturgesetzmäßigkeiten mit nicht vorhersagbaren Variationsmöglichkeiten durch indeterminierte Einzelereignisse verleihen der Weltentwicklung einen einmaligen, nicht wiederholbaren Verlauf, und innerhalb dieser Gegebenheiten kann man überhaupt erst eine Frage nach dem Sinn einer solchen Entwicklung stellen.

Das Zusammenspiel von invarianten Naturgesetzen mit nicht vorhersagbaren Indeterminiertheiten kann man am besten in folgender Weise begreifen:

Die Naturgesetze geben einen Rahmen ab, innerhalb deren Gesetzmäßigkeiten sich die Entwicklung durch bestimmte, nicht voraussagbare, konkrete Einzelereignisse in der einen oder anderen Richtung bewegen kann.

Am deutlichsten erscheint dieses am Beispiel der biologischen Evolution: Die Lebensfackel wird durch Teilung von Zellen von einer Generation auf die andere übertragen: Die Tochterzellen z. B. von einzelligen Lebewesen sind im allgemeinen eine exakte Kopie der Mutterzellen. Nun wird aber, wie bereits auf S. 44ff. ausführlich beschrieben, die Kette der Invarianz durch Fehler beim Kopieren solcher Zellen, durch Mutationen unterbrochen (z. B. durch Einwirken radioaktiver Strahlung auf die DNA in den Zellen).

Im Falle, daß diese Veränderungen Vorteile mit sich bringen, daß die Nachkommen dann günstigere Eigenschaften haben, kommt es zu einer Höherentwicklung der Organismen. Alle heute auf der Erde existierenden Lebewesen haben sich durch Mutationen (z. B. im Gefolge von nicht vorhersagbaren atomaren Ereignissen), daran anschließende Auslese (Selektion) und Fortpflanzung der Exemplare mit günstigen Veränderungen aus einer gemeinsamen Wurzel heraus entwickelt. Daß dieses möglich werden konnte, dazu haben auf der einen Seite eine Konstanz der Natur- und Vererbungsgesetze, auf der anderen Seite eine hinzukommende Variationsmöglichkeit durch akausale Indeterminiertheiten beigetragen.

Der Verlauf der biologischen Evolution war also nicht exakt vorausbestimmt, es gab nur durch die vorhandenen Naturgesetze und durch die spezifischen Eigenschaften der Materie ein mannigfaches Möglichkeitsspektrum, das dann durch die historische Entwicklung eine konkrete Realisation erfahren hat.

Wie steht es nun um die menschliche Willensfreiheit? Hierzu findet man sehr interessante und aufschlußreiche Überlegungen in dem Buch [7]: „Wahrheit und Wirklichkeit" von J.C. Eccles, der für seine vielfältigen und bahnbrechenden Arbeiten auf dem Gebiet der Gehirnphysiologie 1963 den Nobelpreis erhielt. Hier sollen nur einige Aspekte dieser interessanten Erkenntnisse

angedeutet werden. Der Leser, welcher nicht an diesen Details interessiert ist, kann die folgenden Abschnitte überschlagen und beim 2. Absatz auf S. 166 weiterlesen.
Wie schon auf S. 142ff erwähnt, ist der menschliche Personenkern (dort auch als die „Welt 2" bezeichnet) auf eine für uns unerklärliche Weise an das menschliche Gehirn angeschlossen. In der ca. 3 mm dicken Großhirnrinde des Menschen sind pro

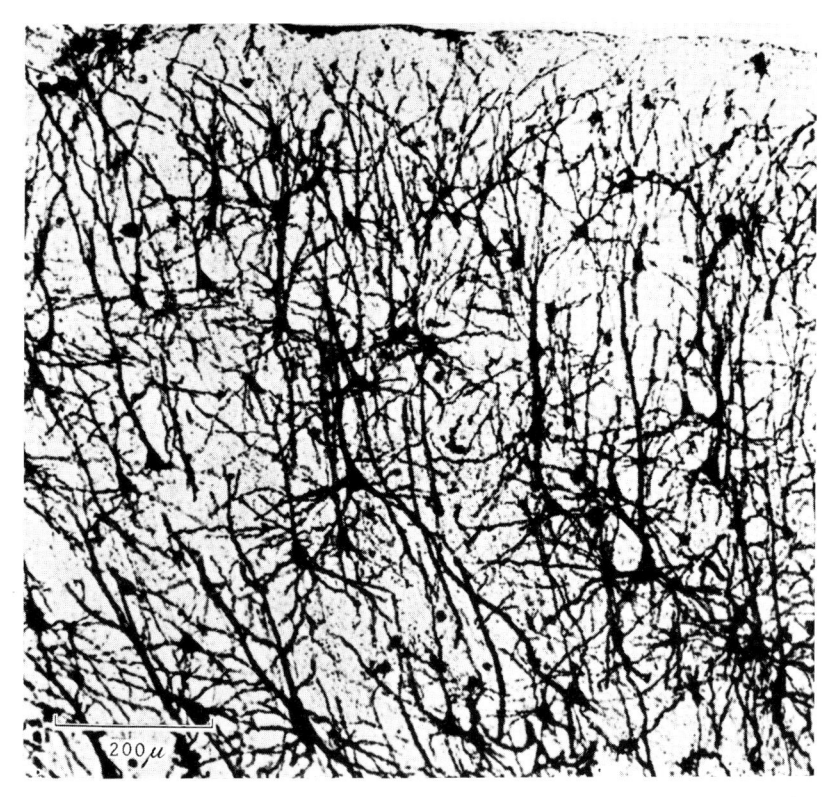

Abb. 27: Schnitt durch die Großhirnrinde
(entnommen aus Eccles "Facing Reality", Springer-Verlag, 1970, S. 9)
In diesem Präparat sind nur etwa 1,5 % der Nervenzellen angefärbt. Eine einzige Nervenzelle (in der Abb. als pyramidenähnliche Verdickungen mit langen Fortsätzen und vielen Verästelungen zu erkennen) ist mit Hunderten von anderen Zellen über „Synapsen" verbunden.

Quadratmillimeter etwa 40 000 Nervenzellen (Neuronen) untergebracht. Je ein Neuron ist mit Hunderten bis über Tausend anderen Nervenzellen über sogennannte „Synapsen" verbunden (vgl. Abb. 27). Das Denken, die Willensbetätigungen gehen mit dem Fließen elektrischer Ströme im menschlichen Gehirn einher.

Diese elektrischen Ströme pflanzen sich in der Großhirnrinde in folgender Weise fort: Die einzelnen, allseitig von Zellmembranen umgebenen Nervenzellen erfahren bei Anregung eine elektrische Umladung von ca. $-60\,mV$ auf etwa $+40\,mV$; dieser Vorgang wird bedingt durch ein Eindringen von Natriumionen in das Zellinnere, denn bei Anregung öffnen sich in der Zellmembran kleine Spalte, durch die dann die Natriumionen (welche sich im Ruhezustand außerhalb der Zellen befinden) in die Zelle gelangen können. Eine solche Umladung wird sofort wieder durch Hinausbefördern der Natriumionen (durch biochemische Reaktionen, die man als „Natriumpumpe" bezeichnet) rückgängig gemacht, der vorherige Zustand wiederhergestellt. Diese Vorgänge spielen sich in einem sehr kleinen Zeitintervall von weniger als einer Millisekunde ab. An den Verbindungsstellen zu den Hunderten von Nachbarzellen kann sich diese eben beschriebene Potentialumladung durch Zwischenschaltung von biochemischen Reaktionen weiter fortpflanzen: Denn aus den in der Nähe dieser Verbindungsstellen befindlichen Vesikeln (vgl. Abb. 28) werden Überträgermoleküle in den synaptischen Spalt zwischen jeweils zwei Nervenzellen entleert, die dann an der Membran der Nachbarzelle Spalte öffnen, durch welche dann wiederum Natriumionen eindringen und die Nachbarzelle umladen. Somit kann also der Stromimpuls auf die folgende Zelle übertragen werden. Damit aber eine Nervenzelle auf solche Weise angeregt werden kann, muß sie die Impulse an mehreren Synapsen gleichzeitig empfangen.

Die Zeit für die Impulsweiterleitung von einer Nervenzelle zur nächsten beträgt etwa eine Millisekunde. Die untere Grenze erfaßbarer geistiger Vorgänge im Gehirn liegt hingegen bei 20 Millisekunden, somit wären in dieser Zeit 20 hintereinanderschaltete Umladungsfolgen möglich. Wenn man annähme, daß z. B. jede der angeregten Zellen ihrerseits auf nur fünf andere Zellen wirksam werdende Impulse übertrüge, würden in 20 Millisekunden durch ein einziges Neuron 800 000 andere Neuronen direkt oder indirekt angeregt werden können.

Auf diese Weise pflanzen sich bei einer Gehirnaktivität elektrische Ströme durch das Netzwerk der Nervenzellen in der Großhirnrinde fort. Es entstehen ausgebreitet über Millionen von Nervenzellen gewisse Aktivitätsmuster, wie sie in einer schematischen Darstellung in Abb. 29 angedeutet sind.

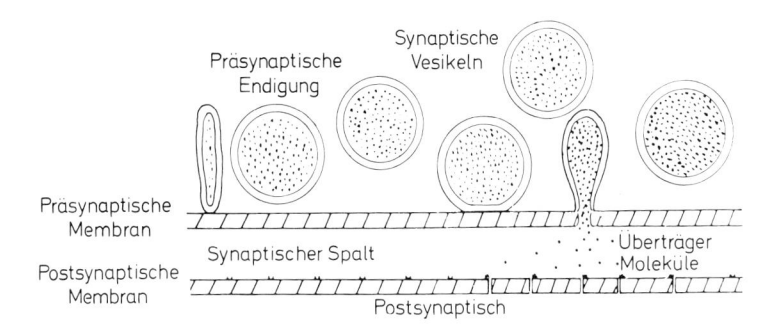

Abb. 28: Schematische Zeichnung einer synaptischen Spalte
(entnommen aus Eccles „Wahrheit und Wirklichkeit", Springer-Verlag, 1975, S. 16)
Die Abb. zeigt schematisch eine stark vergrößerte Verbindungsstelle zwischen zwei Nervenzellen und die sich dort ereignenden Reaktionen bei der elektrischen Impulsübertragung: Die Nervenzellen werden durch Membranen begrenzt (die obere Nervenzelle durch die präsynaptische, die untere durch die postsynaptische Membran). In unmittelbarer Nähe der Membran befinden sich kleine, mit Übertrager-Molekülen gefüllte Bläschen (synaptische Vesikeln). Wird die obere Zelle elektrisch angeregt, so befördern die Vesikeln die Übertrager-Moleküle durch die präsynaptische Membran in den synaptischen Spalt. Diese Übertrager-Moleküle treffen auf Rezeptoren in der postsynaptischen Membran der unteren Nervenzelle und machen damit die Membran durchlässig: Im rechten Teil der Abb. haben sich kleine Kanälchen geöffnet, durch die Natriumionen in die postsynaptische Nervenzelle eindringen und diese zur Umladung induzieren: So kann der Stromimpuls (elektrische Umladung) durch biochemische Reaktionen von einer Nervenzelle auf die andere übertragen werden.

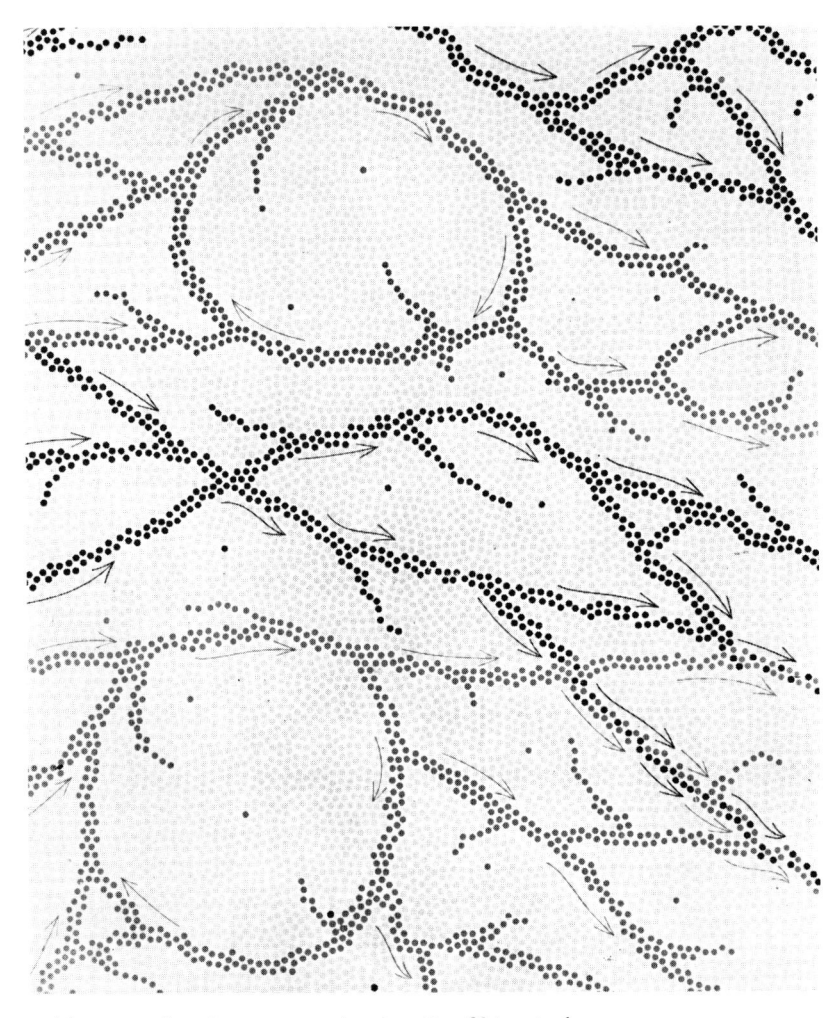

Abb. 29: Aktivitätsmuster in der Großhirnrinde
(entnommen aus Eccles: "Facing Reality", Springer-Verlag, 1970, S. 23)
In der Abb. sollen die kleinen, hellgrauen Punkte jeweils nichtaktivierte, die dunkleren Punkte angeregte Nervenzellen symbolisieren. Beim Fließen von Gehirnströmen entstehen in der Großhirnrinde Aktivitätsmuster: Die Pfeile zeigen die Fortpflanzungsrichtung für zwei verschiedene Muster (schwarz und dunkelgrau), welche an zwei Stellen miteinander verschmelzen (Wahrnehmungssynthese).

Welcher Art diese Muster sind, d. h. über welche Nervenzellen sich die elektrischen Ströme fortpflanzen, hängt von mehreren Faktoren ab:
1) Entscheidend ist zunächst einmal die Art der Verknüpfung der einzelnen Nervenzellen miteinander. Diese ist genetisch bedingt, wird aber auch entscheidend durch Umweltfaktoren beeinflußt, denn die synaptische Verknüpfung erfolgt gerade auch in den ersten Lebenswochen, so daß der Mensch hier eine entscheidende Prägung seines Wesens erfährt.
2) Weiterhin müssen von außen kommende Sinnesreize das Fließen von solchen Gehirnströmen induzieren.
3) Schließlich ist anzunehmen, daß der menschliche Wille die Richtung und die Art, wie solche Ströme fließen, beeinflussen kann.

Wie kann aber der menschliche Wille (die „Welt 2" von Abb. 25) im Gehirn wirksam werden? Denn hier müßte die Nahtstelle sein zwischen dem nichtstofflichen menschlichen Personenkern und der stofflichen Welt 1 des menschlichen Gehirns. Die häufig vertretene Hypothese, daß der menschliche Personenkern nur innerhalb der Heisenbergschen Unschärferelation (vgl. S. 158f), d. h. innerhalb atomarer Indeterminiertheiten, wirksam werden könne, enthält eine gewisse Inkonsequenz: Denn nach dieser Auffassung würde der menschliche Wille nur wirksam werden können innerhalb der Grenzen, wo ohnehin durch statistische Abweichungen gewisse Schwankungen auftreten; und das müßte, damit die Aktivitätsmuster in der Großhirnrinde erheblich geändert werden, gleichzeitig an vielen Stellen in einer nichtzufälligen, willentlich bedingten Weise geschehen.
Für wahrscheinlicher müßte man annehmen, daß im Großhirn gewisse Transmitter existieren, die den menschlichen Personenkern, seinen Willen, mit der stofflichen Welt und seinen biochemischen Funktionen verbinden. Eine solche Hypothese entspräche besser den beobachteten Gegebenheiten bei der Willenseinwirkung auf das menschliche Gehirn: Ist nämlich die neuronale

Aktivität zu gering (Schlaf, Narkose, Koma), so kann diese Verbindung nicht wirksam werden; bei Überaktivität der Neuronen (Krampfzustand) würde durch ein „Fehlverhalten der empfindlichen Detektoren" die Wille-Gehirn-Verbindung ebenfalls eine Unterbrechung erfahren. Die vorhin erwähnten Transmitter zwischen Wille und Gehirn sind vielleicht schon „von uns als außerhalb der Physik Stehendes" [7a] anzusehen.

Die aktive Großhirnrinde (der linken Gehirnhälfte) zeigt, wie auf S. 142ff erwähnt, eine solche Verbindung mit dem menschlichen Personenkern und seinem Willen. Diese Einflüsse auf die nahe der exzitatorischen Schwelle gehaltenen Neuronen sind dabei wahrscheinlich von so geringer physikalischer Intensität, daß sie mit physikalischen Instrumenten nicht mehr gemessen oder jemals entdeckt werden können.

Demnach würde der Wille in einer einzigartigen, mit physikalischen Mitteln kaum jemals entdeckbaren Weise auf die Großhirnrinde einwirken, dabei ihre Aktivitätsmuster verändern können. Hierzu ist aber ein hoher Organisationsgrad der Großhirnrinde notwendig. Dieser ist jedoch bei Tieren oder bei den im „Tier-Mensch-Übergangsfeld" befindlichen Vorstufen des heutigen Menschen (Homo habilis und Homo erectus) nicht gegeben. Da hierbei eine wechselseitige Beeinflussung, also auch eine Prägung des menschlichen Personenkerns durch den Körper (Welt 1 in Abb. 25) angenommen werden muß, dürfte eine heute noch vielfach geglaubte Seelenwanderung, die über tierische Lebewesensarten geht, mit einiger Sicherheit auszuschließen sein. Die Wechselbeziehungen zwischen dem menschlichen Personenkern und seinem Körper ist so innig und intensiv, so stark von den Einzigartigkeiten und der Einmaligkeit des Individuums bestimmt, daß man auch nicht an eine Seelenwanderung zwischen menschlichen Individuen nach den Reinkarnationshypothesen verschiedener Glaubensrichtungen denken könnte.

All diese Überlegungen geben uns ein vertieftes, detailliertes Verständnis, wie man sich die Verbindung des menschlichen

Personenkerns (Welt 2) mit dem Gehirn des Menschen (Welt 1) vorzustellen hat. Es wird jedoch auch gleichzeitig deutlich, daß es ein unmögliches, daher auch niemals zu realisierendes Unternehmen bedeuten würde, wenn man durch irgendwelche Messungen am menschlichen Gehirn, durch physikalische, exakte Methoden die begrenzte Freiheit des menschlichen Willens nachweisen wollte; man denke dabei außerdem noch an die außergewöhnliche Kompliziertheit des menschlichen Gehirns und die kleinen Ausmaße der Neuronen (vgl. S. 162f).

Man kann aber mit der Begründung, daß die gesamte Natur in ihrem Aufbau eine gewisse Kohärenz der Eigenschaften und Gesetzmäßigkeiten aufweisen sollte, mit einem hohen Grad an Sicherheit folgern, daß der Mensch Willensfreiheit hat. Denn es müßte äußerst unwahrscheinlich sein, wenn es auf der niedrigsten Ebene der Elementarteilchen eine gewisse Variationsbreite der Entfaltung durch das Vorhandensein von nicht vorausberechenbaren, indeterminierten Ereignissen gibt, während auf einer höheren Ebene, nämlich im Bereich der menschlichen Person, alles restlos determiniert sein sollte. Eher wäre das Gegenteil der Fall: nämlich eine viel größere Freiheit des menschlichen Willens.

Das, was durch exakt beweisende, unmöglich durchführbare Experimente nicht realisiert werden kann, das erfühlen wir aber intuitiv bei vielen unserer Handlungen. Wir spüren es, daß wir in so vielen Situationen zur Entscheidung aufgerufen werden, daß wir die Entwicklung in verschiedene Richtungen lenken können.

Auch die Frage, inwieweit bei unseren willentlichen Entscheidungen die Erlebnisse der Vergangenheit uns steuern, kann man wahrscheinlich nicht genau beantworten. Es dürfte nahezu unüberwindliche Schwierigkeiten verursachen, wollte man durch Erfassen aller wirksamen Einflüsse exakt festzustellen versuchen, inwieweit neben der ererbten Ausstattung des Menschen, neben den auf den Menschen einwirkenden Umweltbedingungen diese entscheidende dritte Komponente, nämlich der freie Wille des Menschen im Spiel ist [8].

Daß eine solche Entscheidungsfreiheit beim menschlichen Willen besteht, dazu können die Naturwissenschaften im weitesten Sinne zwar keinen exakten Beweis liefern; aber schon die Forschungsergebnisse der Atomphysik zeigen eine Verwerfung des alten, im vergangenen Jahrhundert (vielfach sogar noch bis in unsere Tage hinein!) vertretenen Weltbildes mit einem strengen Determinismus.

Wir dürfen also nach diesen Überlegungen und nach den Erkenntnissen der Gehirnphysiologie mit hinreichender Sicherheit annehmen, daß das menschliche Handeln sich zusammensetzt aus:

1) physiologisch und psychologisch ablaufenden Gesetzmäßigkeiten (dies kann man messen, mit naturwissenschaftlichen Methoden verfolgen, dies geht letztendlich auf molekulare, biochemische, elektrische Vorgänge zurück und wird heute sehr häufig in den Vordergrund gerückt),
2) nicht vorhersagbaren, darum wahrscheinlich nicht erfaßbaren, indeterminierten, freien Willensentscheidungen.

4.2 Sinnverwirklichung und Sinnvernichtung

Wenn alles voll determiniert abliefe, gäbe es keine Möglichkeit, die Entwicklung in der einen oder anderen Richtung voranzutreiben, hingegen würde eine gewisse Freiheit, also die Wahl zwischen mehreren Möglichkeiten, die Frage nach dem Sinn stellen.

Mit jeder Entscheidung für *eine* von vielen Möglichkeiten werden aber die anderen Entwicklungsrichtungen abgeschnitten. Jede Sinnverwirklichung bedingt deshalb gleichzeitig auch die Sinnvernichtung aller anderen Möglichkeiten:

Wenn ein Mensch z. B. nach Australien auswandert, um sich dort für die Entwicklung des Landes einzusetzen, muß er darauf verzichten, hier in Europa weiter physisch anwesend zu sein. Er kann nicht beides zu ein und derselben Zeit tun; wenn er das eine tut, muß er auf das andere verzichten. Oder: Wäre das Holz, aus dem Antonio Stradivari die besten Meistergeigen dieser Welt gefertigt hat, zur Herstellung von Tischen verwendet worden, so hätte er nicht aus diesem Holz die unübertroffenen Geigen herstellen können. So bringt also jede Sinnverwirklichung gleichzeitig eine Sinnvernichtung für alle anderen Möglichkeiten mit sich.

Wir haben die Freiheit, die Entwicklung in der einen oder der anderen Richtung zu beeinflussen. Wenn wir uns für eine Richtung entscheiden, müssen wir alle anderen Möglichkeiten fallen lassen. Wenn ein Mensch sich für eine weniger gute Sache entscheidet, wobei er gleichzeitig eine bessere Möglichkeit aufgeben muß, könnte er dadurch an seiner Lebensaufgabe vorbeigehen, sich an seinem eigentlichen Lebensziel versündigen.

4.3 Die bedrohte Freiheit

Die menschliche Willens- und Handlungsfreiheit kann sehr stark durch äußere Umstände eingeschränkt werden. Bekannt ist, daß in vielen Ländern unserer Erde die Menschen durch Gewalt und Terror in Unfreiheit gehalten werden. Aber auch in Ländern mit liberaler Verfassung kann die persönliche Willensfreiheit des Menschen durch Manipulation reduziert werden. Das soll näher erklärt werden:

Der Mensch braucht, um seine freien Willensentscheidungen verwirklichen zu können, ein gewisses Maß an Bindungen. Ohne diese Bindungen kann der Mensch zu einem unfreien Spielball der verschiedensten Einflüsse werden: Wie kein anderes Lebewesen kommt der Mensch als unfertiges Individuum auf die Welt. Mit Hilfe der Bindungen an die ihm vorgegebene Umwelt ist er überhaupt erst in der Lage, sich zu entwickeln. Für das Heranreifen des Menschen zur freien Persönlichkeit sind Bindungen an die folgenden drei wichtigen Bereiche notwendig, die durch die bekannten menschlichen Institutionen Familie, Staat, Religionsgemeinschaft verkörpert werden.

1) Die Familie

Am stärksten und am bekanntesten ist die Mutter-Kind-Bindung innerhalb der Familie, die von entscheidender Bedeutung für die Prägung der Persönlichkeit eines Menschen ist. Ist diese Bindung von Anfang an nicht vorhanden oder übernimmt die Rolle der Mutter nicht irgendeine andere Bezugsperson, auf die das Kind geprägt wird, so sind ernsthafte, nicht mehr gut zu machende Schäden beim Kind die Folge. Ja, ein mit allen notwendigen biochemischen Stoffen versorgtes Kind stirbt nach kürzester Zeit, wenn die feste Bindung an eine solche Bezugsperson überhaupt fehlt.

Diese Bindung an die Mutter wird schrittweise erweitert zunächst auf alle anderen Angehörigen der Familie und dann auf den weiteren Freundes- und Bekanntenkreis, wobei jedem Mitglied dieser Familie und jeder weiteren Person eine spezielle Rolle zufällt.

Eine harmonische Entwicklung des Kindes ist nur möglich, wenn die Familie intakt ist. Bestehen jedoch erhebliche dauerhafte Spannungen zwischen den einzelnen Familienmitgliedern, so ergeben sich hieraus auch gewisse negative Auswirkungen auf die Entwicklung des Kindes.

Man sieht, daß die Bindungen des Menschen, in diesem Fall an die Bezugspersonen, notwendig sind, damit der Mensch sich frei entwickeln kann. Die Bindungen an die Familie ermöglichen es, daß der Mensch in einer gewissen Geborgenheit seine Persönlichkeit frei entfalten kann.

2) Der Staat

Er gewährt dem Menschen Schutz gegen innere und äußere Feinde (also gegen Verbrecher oder kriegerische Nachbarvölker), er verhilft dem Menschen sein Recht zu finden; Pflicht des Staates ist es, über die unveräußerlichen Menschenrechte zu wachen. Dabei soll der Einzelne die Möglichkeit erhalten, sich in der Gesellschaft frei zu entfalten, er darf es aber nur soweit, als dabei die Interessen anderer bzw. die Interessen der

Gemeinschaft nicht beeinträchtigt werden. Denn die Gemeinschaft hat ein Anrecht auf ein soziales Verhalten der einzelnen, dies aber nur soweit, wie es zur Erhaltung der Volksgemeinschaft wichtig ist. Der Staat darf aber seine Macht nicht über Gebühr ausdehnen, sie als Unterdrückungsinstrument benutzen.

3) Die Religionsgemeinschaft

Sie verhilft dem Menschen einen festen Halt zu gewinnen, um unerschrocken für Wahrheit und Gerechtigkeit einzutreten. Viele Menschen konnten dadurch ihre Gewissensentscheidungen auch gegen die härtesten Repressalien, ja bis zum gewaltsamen Tod durchhalten. Wir sehen das besonders deutlich am englischen Staatsmann und Märtyrer Thomas Morus, der seinem Gewissen folgte und diese Gewissensentscheidung selbst gegen den englischen König behauptete, ja, lieber den Martyrertod in Kauf nahm, als gegen sein Gewissen zu handeln [9].

Diese drei Institutionen sind heute, auch in Staaten mit liberalen Verfassungen, starken Angriffen ausgesetzt. Man sollte sehr wachsam sein, wenn jemand vorgibt, die Menschen von Bindungen zu befreien, sie zu emanzipieren. Denn oft könnte hinter solchen Parolen die Absicht stecken, die Menschen zu entwurzeln, um sie dann nach Gutdünken besser manipulieren zu können, sie schließlich unfrei zu machen. Zur Entwurzelung der Menschen können folgende Rezepte dienen:

Rezept 1:

Man verweise auf die vielen Mißbräuche kirchlicher Macht, löse den Menschen aus der „Vormundschaft" der Kirche und sage ihm, daß ein von Grund auf guter Mensch gar nicht die Mittlerrolle einer Institution, der Kirche brauche, um seinen Schöpfer zu erkennen, um ein sittlich hochstehendes Leben zu führen.

Rezept 2:

Man untergrabe die staatliche Autorität, was wegen der vielen Mißbräuche in Geschichte und Gegenwart nicht schwer fallen dürfte; man propagiere eine freie Gesellschaft, in der die Individualität des Menschen und der Eigennutz Vorrang vor dem Gemeinnutz haben soll. Worte wie Vaterland, Heimatland sind heute ohnehin suspekt geworden.

Rezept 3:
Man zerstöre nach allgemeiner Auflösung der Großfamilien und der Clans nun auch die Geborgenheit der Kleinfamilie, indem man den Beruf der Hausfrau und Mutter als minderwertig diffamiere und in falsch verstandenen Gleichberechtigungsbestrebungen nur eine dem Manne gleichwertige Berufsarbeit gelten lasse. Man sehe die Ehe als überholt und rückständig an und meine, die Partner brauchten ohne verpflichtende gegenseitige Bindung als Eß- und Schlafgemeinschaft höchstens nur solange zusammenzuleben, wie es ihnen beliebt.

Es soll hier nicht bestritten werden, daß viele Emanzipationsbestrebungen den Menschen eine größere Freiheit gebracht haben. Wenn aber solche Entwicklungen zur Entwurzelung des Menschen führen, dann machen sie ihn, z. B. durch Massenmedien, durch gezielte Propaganda und Agitation leichter beeinflußbar, und damit letztlich unfreier. Aus solchen manipulierbaren Massen werden dann nicht so leicht unerschütterliche Kämpfer für Recht und Freiheit hervorgehen.

4.4 Ist menschliche Freiheit neben einem allmächtigen Gott möglich?

Dieses Problem hat insbesondere die Menschen vergangener Jahrhunderte beschäftigt. Aber auch heute ist diese Frage nicht verstummt; vielen bedeuten die sich daraus ergebenden Folgerungen ernsthafte Schwierigkeiten: im Existentialismus, z. B. eines Jean Paul Sartre, wird diese Frage sogar zum Ärgernis, denn dieser französische Philosoph (geb. 1905) meint, nur wenn Gott nicht existiert, ist alles erlaubt, ist der Mensch frei [10], (man müßte richtiger sagen: bindungslos).
Es muß jedoch gleich zu Beginn einer Erörterung dieser Thematik, nämlich, ob eine begrenzte menschliche Freiheit neben einem allmächtigen Gott bestehen könne, die Feststellung

getroffen werden, daß wir die Schwierigkeiten in diesem Punkt nie auflösen werden können; denn wollten wir die Zusammenhänge vollständig durchschauen, so könnten wir dieses nur tun, wenn der menschliche Verstand die alles übersteigende Unbegreiflichkeit und Erhabenheit Gottes voll erkennen könnte. Das ist aber prinzipiell unmöglich, denn dazu müßte der menschliche Verstand größer als Gott sein.

In diesem Zusammenhang sei erwähnt, daß bereits im Jahre 1607 der Streit zwischen zwei sich heftig bekämpfenden Lehrmeinungen, wie das freie Handeln des Menschen mit der Allmacht Gottes zu vereinbaren sei, nämlich der Molinismus [11] und der Bañezianismus [12], von Papst Paul V als unentscheidbar und unentschieden beendet wurde [13].

Dennoch drängt es den Menschen, Erklärungen auf die Frage zu finden, wie eine gewisse Koexistenz der menschlichen Freiheit neben einer Allmacht Gottes möglich sein könne. Auch hängen hiervon wichtige ethische Folgerungen ab: Denn der Mensch könnte für seine Taten doch sicherlich nur dann verantwortlich gemacht werden, wenn er eine gewisse Entscheidungsfreiheit besitzt, wenn das menschliche Leben nicht, wie es verschiedentlich vertreten wird [14], von vornherein total prädestiniert ist oder restlos von Gott gesteuert wird.

Wenn es auch nie gelingen wird, das Spannungsfeld zwischen der Handlungs- und Gewissensfreiheit des Menschen einerseits und der Allmacht Gottes andererseits zu erhellen und den menschlichen Verstand voll durchschaubar zu machen, so kann man doch versuchen, dieses Unbegreifliche in menschlichen Denkkategorien erklärlich zu machen. Dazu soll die folgende Überlegung dienen:

Man wird leicht den Gedanken nachvollziehen können, daß ein Schöpfer die Welt so gestaltet haben könnte, daß er die Möglichkeit behält, in ihr wirken zu können *[15]*, daß er in der Lage sein müßte, die Menschen vor Situationen der Prüfung und Entscheidung zu stellen, in denen der Mensch seine freie Entscheidung treffen kann.

Es gibt ein merkwürdiges Phänomen, das wir Gewissen nennen, jene wertende Instanz im Menschen, die eine Beurteilung der menschlichen Willensentscheidungen und seiner Taten herbeiführt. Nach den Aussagen der Bibel [16] sind mit dem Gewissen nicht nur die Forderungen des Sittengesetzes in das Herz des Menschen geschrieben, sondern durch das Gewissen leuchtet Gott im Herzen des Menschen auf.

Wir können in dieser Welt wichtige grundlegende Prinzipien und Strömungen des Geistes, der geistigen Haltung feststellen, die zum Guten oder zum Bösen, zum Frieden oder zur Freundschaft, zur Liebe oder zum Haß führen. Diese den Menschen beeinflussenden Prinzipien, werden in der biblischen Vorstellungswelt als Engel und Dämonen, also als personale Mächte angesehen, in unserer heutigen Vorstellungswelt oft nur als gute und böse Geistesströmungen oder anonyme Mächte dargestellt.

Ein Meister in der Unterscheidung dieser auf den Menschen einwirkenden „Geister" ist Ignatius von Loyola [17]. Er hat wichtige Kriterien für das Erkennen dieser Kräfte, ob sie zum Guten oder zum Bösen führen, im Anhang zu seinem Exerzitienbüchlein niedergelegt [18]. Ein Versuch diese Erkenntnisse des Ignatius von Loyola für den heutigen Menschen als Wegweisung verständlich zu machen, enthält das Buch von Ladislaus Boros: „Befreiung zum Leben" [19]. Einige besonders wichtige der insgesamt 22 Regeln zur „Unterscheidung der Geister" aus dem Exerzitienbüchlein des Ignatius von Loyola sollen hier wiedergegeben werden. Es geht dabei grundsätzlich um die Frage, ob der Mensch von guten oder bösen Prinzipien geleitet und beeinflußt wird.

Welcher Art diese den Menschen beeinflussenden „Geister" sind, läßt sich an ihrer Wirkung auf den Menschen erkennen. Diese Wirkung hängt aber entscheidend von der Grundverfassung und dem Seelenzustand des Menschen ab. Als besonders wichtige Regeln sollen die ersten beiden in der wörtlichen Übersetzung von Alfred Feder und Emmerich Raitz von Frentz abgedruckt werden [18]. Man beachte dabei insbesondere, daß (entgegen einer heute weit verbreiteten Vorstellung!) nicht alles, was Vergnügen und Freuden bereitet, vom „guten Geist" ist, zum Guten führt. Und nun die Regeln:

„Regel 1.: Denen, die von einer Todsünde zur anderen schreiten, pflegt der böse Feind gewöhnlich scheinbare Freuden vor Augen zu führen, indem er bewirkt, daß sie sich sinnliche Genüsse und Lüste vorstellen, damit er sie um so mehr in ihren Lastern und Sünden erhalte und weiterführe. Der gute Geist hingegen befolgt bei solchen Personen das entgegengesetzte Verfahren, indem er sie ständig schreckt und ihnen durch die innere Stimme der Vernunft Gewissensbisse verursacht.

Regel 2.: Bei denen, die eifrig bestrebt sind, sich von ihren Sünden zu reinigen und im Dienst Gottes, unseres Herrn, vom Guten zum Besseren aufzusteigen, ist die Art des Verfahrens der in der ersten Regel beschriebenen Art entgegengesetzt. Dann ist es nämlich dem bösen Geist eigen, Gewissensangst zu erregen, traurig zu stimmen und Hindernisse zu bereiten, indem er die Seele durch falsche Gründe beunruhigt, damit sie nicht weiter voranschreite. Dem guten Geist hingegen ist es eigen, der Seele Mut und Kraft, Tröstungen, Tränen, Anregungen und Herzensruhe zu spenden, indem er alles leicht macht und alle Hindernisse entfernt, damit sie im Gutestun immer weiter fortschreite."

Besonders bemerkenswert ist die Feststellung in der 16. Regel (2. Regel für die zweite Woche):

„Gott, unserm Herrn, allein kommt es zu, der Seele ohne vorausgehende Ursache Trost zu spenden. Denn nur dem Schöpfer ist es eigen, in der Seele ein- und auszugehen und in ihr seine Anregungen zu bewirken, indem er sie ganz zur Liebe seiner göttlichen Majestät hinzieht. Ich sage »ohne Ursache«, d. h. ohne irgendwelche vorhergehende Wahrnehmung oder Erkenntnis eines Gegenstandes, wodurch der Seele eine derartige Tröstung mittels der eigenen Verstandes- und Willensakte zuteil würde."

Das „Eingehen" des Schöpfers in den Bereich einer menschlichen Seele erfolgt als ein Geschenk. Der Mensch hat keine Verfügungsgewalt darüber. Aber nach den Erfahrungen vieler Menschen ist dieses in einer merkwürdigen Verbindung mit einer personalen Entscheidung des Menschen gekoppelt, die man am besten als freie Antwort des Menschen auf einen vorausgehenden Anruf Gottes bezeichnen könnte. Eine durch die freie Entscheidung des Menschen erfolgte Ablehnung dieses Angebots hingegen versetzt den Menschen in Trostlosigkeit; eine solche Ablehnung, eine Verweigerung des göttlichen Anrufs wäre dann das, was man als „Sünde" bezeichnet.

Der Mensch kann von sich aus, durch eigenen freien Willensentschluß, nicht zum göttlichen Bereich vordringen. Er ist angewiesen auf eine ungeschuldete Hinwendung des Schöpfers zu seinem Geschöpf. Eine solche Hinwendung soll das häufig hierfür verwendete Wort „Gnade" ausdrücken. Diese kann sich auf unterschiedlichste Weise äußern. So hatte ein Ignatius von Loyola die entscheidendsten Gotteserfahrungen erst nach einer Reihe von Jahren mühsamen Ringens, bei André Frossard (vgl. 3. Kapitel, S. 136) ereigneten sich diese unerwartet, unangekündigt, trafen ihn vollkommen unvorbereitet.

Der Mensch hat nur die Möglichkeit sich diesem Anruf zu stellen. Er kann diesem Ruf folgen, oder er kann ihn ablehnen. Wichtige Voraussetzung jedoch dafür, daß der Mensch diesem Ruf folgt, ist eine Ehrlichkeit und Redlichkeit, ein Ablegen der Lüge und die Aufgabe des Versuchs, das eigene Ich zum Mittelpunkt der gesamten Welt zu erheben.

Fragen wir noch zum Schluß dieses Abschnittes, warum Gott sich nur verhüllt dem Menschen offenbart. Ein möglicher Grund könnte darin liegen, daß nur auf diese Weise der Mensch seine volle geschöpfliche Freiheit bewahrt, während bei einer unverhüllt über den Menschen hereinbrechenden Gotteserfahrung der Mensch durch diese Begegnung praktisch nicht mehr anders handeln könnte, als dem Anruf zu folgen. Damit wäre er wohl auch nicht mehr voll seiner zum irdischen Leben gehörenden Situation der Prüfung unterworfen, hätte nicht mehr diejenige Freiheit, die auch insbesondere die Möglichkeit der Ablehnung, der Verweigerung impliziert.

4.5 Vom Sinn menschlichen Lebens

Wir wollen nun versuchen, die wichtigsten Schlußfolgerungen aus den vorangegangenen Kapiteln zu ziehen. Versuchen wir, in wenigen Sätzen die Gesamtwirklichkeit umrißhaft zu charakterisieren, so können wir feststellen: Die Welt, der Kosmos ist vor rund 18 Milliarden Jahren entstanden, es haben sich aus der entstandenen Materie Spiralnebel mit ihrer ungeheuer großen Zahl von Fixsternen gebildet, ein solcher Fixstern ist unsere Sonne, die mit unserer Erde seit knapp fünf Milliarden Jahren existiert. Auf unserer Erde hat sich vor vier bis drei Milliarden Jahren Leben gebildet, das Leben hat sich in einem gewaltigen Evolutionsprozeß zu den vielfältigsten Formen und Arten entwickelt, aus dieser Entwicklung ist schließlich der Mensch hervorgegangen, ein Lebewesen, das fähig ist, über sich selbst, über die inneren Zusammenhänge in der Natur, über den Sinn allen Geschehens, über den letzten Urgrund des Seins, über Gott nachzudenken.

Die Welt, der gesamte Kosmos hat einmal einen Anfang gehabt und wird auch einmal ein Ende nehmen. Die Sonne wird nur noch wenige Milliarden Jahre in unverminderter Stärke strahlen, danach wird sie sich für eine relativ kurze Zeit ausdehnen, dabei die Erde verschlingen, um dann für immer zu verlöschen, als „schwarzer Zwerg" zurück zu bleiben. Spätestens dann, wenn dieses eintritt, wird ein Leben auf der Erde nicht mehr möglich sein. Aber auch der Kosmos als Ganzes ist einmal dem Untergang geweiht.

Das gewaltige Evolutionsgeschehen, die Weltentwicklung, die einmal einen Anfang gehabt hat und auch ein Ende nehmen wird, veranlaßt den Menschen immer wieder die Frage nach dem Sinn einer solchen Entwicklung zu stellen. Ein solcher letzter Sinn kann nicht in der dem Untergang geweihten stofflichen Welt liegen. Wenn die gesamte Weltentwicklung einen letzten Sinn haben soll, dann kann dieser nur in einer anderen, nichtstofflichen, unvergänglichen Welt liegen. Diese ist zwar mit naturwissenschaftlichen Methoden nicht nachweisbar, da die

Naturwissenschaften an die Voraussetzungen Raum und Zeit, Materie und Energie gebunden sind, von einer solchen anderen Welt gibt es aber eine überwältigende Anzahl von Hinweisen und Berichten. Bemerkenswert ist dabei insbesondere, daß die exakten Methoden der Naturwissenschaften sogar Auswirkungen dieser nichtstofflichen Wirklichkeit auf die materielle Welt bestätigen können, während bei der Annahme, daß ein Weiterexistieren des menschlichen Personenkerns nach dem leiblichen Tode nicht möglich sei, viele Dinge überhaupt keine Erklärung finden können.

Welche Bedeutung kann vor diesem Hintergrund dem menschlichen Leben zukommen, das nach unseren Erfahrungen eine gewisse Freiheit des Wollens und Handelns zeigt?

Jeder Mensch besitzt verschiedene Anlagen und Fähigkeiten; auf das Maß dieser Begabungen hat er keinen Einfluß; auch kann er nicht verhindern, vor entscheidende Situationen gestellt zu werden, und solche Begebenheiten sind für alle Menschen grundverschieden.

Wenn man aber voraussetzt, daß ein allmächtiger Weltschöpfer das auch im Menschen tief verwurzelte Prinzip der Gerechtigkeitsliebe in einem Höchstmaße in sich darstellt und in der Welt verwirklicht, muß man folgern, daß dasjenige, was der Mensch in seinem Leben tatsächlich erreicht, nicht das eigentlich Entscheidende sein kann; denn der eine wird mit großen Begabungen entweder sehr viel erreichen können oder nur in Mittelmäßigkeit stecken bleiben; ein anderer aber, mit viel geringeren Talenten, könnte selbst bei größter Nutzung seiner persönlichen Anlagen zwar lange nicht an das herankommen, was ein Hochbegabter selbst unter Vernachlässigung seiner Möglichkeiten noch leistet, dafür hätte er aber das maximal Mögliche in seinem Leben verwirklicht.

Wenn wir heute (entscheidend beeinflußt durch sozialistische Zeitströmungen) an der unterschiedlichen Verteilung der Gaben Ärgernis nehmen, sollten wir bedenken, daß die Menschen sich nur dann auf vielfältigste Weise in dieser Welt betätigen können, wenn die Begabungen so unterschiedlich verteilt sind: Wie könnte einer, den die Sorge für das Wohl von anderen besonders beschäftigt, diese Fähigkeiten entwickeln wenn es keinen gäbe, für den er sich einsetzen könnte. Wie sollte sich einer, der sich für Medizin interessiert, betätigen können, wenn es keine Kranken gäbe, wie sollte sich einer für Gerechtigkeit einsetzen, wenn es kein Unrecht gäbe usw.

So kann man sicherlich folgern, daß bei der ungleichen Verteilung der Begabungen und auch der Lebensschicksale dasjenige, was die Menschen im Leben tun, nicht das Entscheidende sein könne, denn darauf hat der Mensch wohl keinen entscheidenden Einfluß. Maßgebend müßte dann hingegen sein, *wie* der Mensch seine persönlichen Fähigkeiten nutzt und was er aus den vorgegebenen Situationen macht.

Ein Jeder bekommt ein bestimmtes Maß an „Talenten" zugeteilt, mit denen er wirken soll, ein Jeder wird vor Entscheidungen gestellt, in denen er sich bewähren soll. So wird nicht die irdische Entwicklung das Entscheidende sein, so wichtig diese auch im einzelnen sein mag, denn alles irdische Leben ist einmal dem Untergang geweiht.

Einen letzten Sinn kann das irdische Leben (und in ihm die Bewährung in den Möglichkeiten und Gegebenheiten freier Willensentscheidungen) erst dann gewinnen, wenn es in Bezug steht zu einer anderen unvergänglichen Welt. Glücklich ist der, welcher sich in der Verwaltung seiner ihm verliehenen Anlagen und in der Nutzung seiner Möglichkeiten als treuer Diener erweist.

Für die Beurteilung dieses entscheidenden Verhaltens hat jeder Mensch einen Maßstab erhalten, der sich inbesondere auf die eigenen Lebensentscheidungen und Handlungen bezieht: es ist das Gewissen.

Dann, wenn man dieser inneren Stimme folgt, auch unter äußeren persönlichen Nachteilen, ja selbst, wenn man dies mit dem eigenen Leben bezahlen muß, wird man einen inneren Trost, Ruhe und Frieden finden können. Einer solchen Haltung hat Ludwig van Beethoven in seinem Fidelio ein unvergeßliches

Denkmal gesetzt, wo es nach dem Text von Joseph Sonnleithner und Friedrich Treitschke in der berühmten Arie des Florestan heißt:

> „In des Lebens Frühlingstagen
> ist das Glück von mir geflohn,
> Wahrheit wagt ich kühn zu sagen,
> und die Ketten sind mein Lohn.
> Willig duld ich alle Schmerzen,
> ende schmählich meine Bahn;
> süßer Trost in meinem Herzen,
> meine Pflicht hab ich getan."

Hingegen wird man, selbst bei äußerem Erfolg, dann innerlich unzufrieden, leer und ausgehöhlt, wenn man sich gegen diesen inneren Maßstab entscheidet und sich damit gegen seine eigentliche Lebensaufgabe versündigt.

Dieses menschliche Gewissen ist aber leicht verletzlich, es kann abgestumpft und verbogen werden. Oft sind es Summierungen von unaufrichtigen Einstellungen, die sich im Laufe des Lebens steigern und dann zur eigentlichen „Lebenslüge" werden. Solche inneren Verbiegungen, wie z. B. pharisäische Haltungen aufzuspüren, dient das aufrichtige und ehrliche Fragen nach seinen eigentlichen Lebensintensionen. Man kann dies auch in einer gewissen Systematik tun, wie es in dem schon erwähnten Buch von Ladislav Borros: „Befreiung zum Leben" in Anlehnung an Ignatius von Loyola angeregt wird [19].

Fragen wir zum Schluß nach dem entscheidenden, dem letztendlich Bleibenden, was dann auch den Sinn und den Wert eines menschlichen Lebens bestimmen müßte: Wenn es nicht das Was sondern das Wie, nicht der sichtbare Erfolg [20], sondern die personelle Einstellung bei der Handlung das ist, was letztlich in dem Spannungsfeld, in das der Mensch in seinem Leben gestellt ist, von Bedeutung ist, so ist es Klugheit, besonders sorgfältig auf die innere Einstellung, Haltung und Absicht, die man bei allem Tun verfolgt, zu achten.

Bei allen Taten, bei der Verfolgung der Ziele, bei der Begegnung mit anderen Menschen kann man prinzipiell zwei einander entgegengesetzte Haltungen realisieren:
Bei einer dieser prinzipiellen Einstellungen strebt der Mensch danach, alles nur für sich persönlich nutzbar zu machen, er betrachtet dann die anderen Menschen nur danach, wie sie ihm persönlich nützlich sein können, er bewertet alles nur unter dem Gesichtspunkt, ob man daraus einen persönlichen Vorteil ziehen kann. Es ist die Haltung des Egoismus. Zu dieser Haltung gehört auch das Bestreben des Menschen, selbst darüber bestimmen zu wollen, was als gut und was böse gelten soll, es ist das Streben nach sittlicher Autonomie, eine Haltung, die auch der Ursünde zugrunde liegt (vgl. S. 110 f).
Nach dem anderen Prinzip, das der eben skizzierten Haltung diametral entgegengesetzt ist, strebt der Mensch danach, anderen zu dienen, sich für wichtige und bedeutende Aufgaben einzusetzen, auf andere in selbstloser Weise zuzugehen, anderen zu helfen, sich für Recht und Wahrheit auch dann einzusetzen, wenn damit persönliche Nachteile verbunden sind. Es ist die Haltung der Liebe. Die Liebe stiftet Friede, Freude, Gemeinschaft, der Egoismus hat innere Leere, Freudlosigkeit, Feindschaft zur Folge, er macht den Menschen nicht glücklich, kann die vorgegaukelten Wünsche nicht erfüllen [21].
Diese beiden Grundhaltungen werden insbesondere da von größter Bedeutung sein, wo es um die wichtigsten Grundentscheidungen im menschlichen Leben geht: in der Einstellung zum Schöpfer dieser Welt und im Verhalten zum Mitmenschen, angefangen von der innigsten Zweier-Beziehung zwischen Mann und Frau über die Einstellung zu den engsten Angehörigen einer Familie bis hin zu einer Haltung gegenüber den anderen, näher und ferner stehenden Menschen, ja zur Menschheit insgesamt.
Egoismus ist es, die uns aufgetragenen Dinge nur tun zu wollen, um es in diesem Leben oder auch später einmal, nach diesem Leben, in einer gewissen „Rückversicherung" entlohnt zu bekommen; Liebe hingegen ist es, die dem Menschen aufgetra-

genen Dinge in Dankbarkeit seinem Schöpfer gegenüber zu tun, ohne auch nach einem Lohn zu fragen. Egoismus ist es, den anderen Menschen nur als Objekt zur Befriedigung seiner Lust anzusehen; Liebe, dem Partner sein Bestes zu geben und das Edelste im anderen zu fördern, dazu beizutragen, daß dieses zur Entfaltung kommt. Egoismus zeigt sich in dem Bestreben, andere Menschen nur für seine eigenen Ziele und Zwecke auszunutzen; Liebe hingegen am Bemühen, den anderen Menschen zu dienen, ihnen zu helfen. Egoismus ist es, die Güter dieser Erde rücksichtslos nur für sich haben zu wollen; Liebe, in den Gütern dieser Erde insbesondere die Mittel zu sehen, um anderen durch einen geordneten Gebrauch dieser Güter dienen zu können.

Zum Abschluß dieses Kapitels soll eines der wertvollsten Kleinodien der Weltliteratur abgedruckt werden, das „Hohelied der Liebe" aus dem 13. Kapitel des 1. Korintherbriefes vom Apostel Paulus (13, 1–13):
„Wenn ich mit Menschen-, ja mit Engelszungen rede, habe aber die Liebe nicht, so bin ich ein tönendes Erz und eine gellende Schelle. Und wenn ich die Prophetengabe habe und alle Geheimnisse weiß und alle Erkenntnis besitze und wenn ich allen Glauben habe, so daß ich Berge zu versetzen vermöchte, habe aber die Liebe nicht, so bin ich nichts. Und wenn ich all meine Habe zu Almosen mache und wenn ich meinen Leib hingebe zum Verbrennen, habe aber die Liebe nicht, so nutzt es mir nicht. Die Liebe ist langmütig, gütig ist die Liebe, die Liebe ist nicht eifersüchtig, sie prahlt nicht, ist nicht aufgeblasen. Sie handelt nicht taktlos, sie sucht nicht den eigenen Vorteil, sie läßt sich nicht erbittern, sie trägt das Böse nicht nach. Sie freut sich nicht über das Unrecht, freut sich vielmehr mit an der Wahrheit. Alles deckt sie zu, alles glaubt sie, alles hofft sie, alles erträgt sie. Die Liebe hört niemals auf. Prophetengaben – sie verschwinden; Sprachengaben – sie hören auf; Erkenntnis – sie verschwindet. Denn Stückwerk ist unser Erkennen und Stückwerk unser Prophezeien. Wenn aber das Vollendete kommt,

dann wird das Stückwerk abgetan. Als ich ein Kind war, redete ich wie ein Kind, dachte wie ein Kind, urteilte wie ein Kind. Seit ich jedoch ein Mann geworden bin, habe ich die kindische Art abgelegt. Wir sehen nämlich jetzt durch einen Spiegel rätselhaft, dann aber von Angesicht zu Angesicht. Jetzt ist mein Erkennen Stückwerk, dann aber werde ich ganz erkennen, wie ich auch ganz erkannt worden bin. Nun aber bleiben Glaube, Hoffnung, Liebe, diese drei; am größten jedoch unter ihnen ist die Liebe."

Epilog

Die wissenschaftliche Forschung hat heute eine schier unübersehbare Fülle von Erkenntnissen zutage gefördert. Ziel dieses Buches war es, einen Überblick über unser heutiges Wissen von der uns umgebenden Gesamtwirklichkeit zu gewinnen, um von da aus für die Frage nach dem Sinn des menschlichen Lebens einige Hinweise zu erhalten. Es sollten insbesondere unsere naturwissenschaftlichen Kenntnisse in einem Gesamtüberblick zum Ausgangspunkt genommen werden, in einer Grenzüberschreitung durch logische Überlegungen, aber auch durch Untersuchung der schriftlichen Zeugnisse von sogenannten „Offenbarungen", also möglichen Mitteilungen eines Weltschöpfers an bestimmte Menschen, eine Antwort auf wichtige Fragen unseres Lebens gegeben werden.
Wenn aufgezeigt wurde, daß gerade die im christlichen Glauben vorgestellten tiefsten Wahrheiten durch die Forschungsergebnisse der Naturwissenschaften dann bestätigt wurden, wenn diese Tatsachen des Glaubens Auswirkungen zeigen in die uns umgebende stoffliche Wirklichkeit, so bedeutet das, daß im Christentum eine über die materielle, stoffliche Welt hinausgehende Wirklichkeit aufleuchtet, die mit einem hohen Grade der Wahrscheinlichkeit bedeutungsvolle Realität ist.
Auch viele andere Religionen zeigen, wenn auch in meist abgeschwächter und oft verhüllter Form, ähnliche Aussagen, die dann wohl in einer anderen Denk- und Darstellungsweise, in einer anderen Kulturwelt, einem anderen Weltbild, diese tiefsten Wahrheiten enthalten. Das gilt insbesondere für die großen Weltreligionen, die auf eine reiche Tradition zurückgreifen können, die damit auch eine gewisse Bewährung gezeigt haben.

Zu warnen ist in diesem Zusammenhang vor den neuen, sich rasch ausbreitenden, sogenannten „Jugendreligionen", die teilweise von gerissenen und gewinnsüchtigen Menschen gegründet wurden. Bei solchen „Sekten" kann man sogar beobachten, daß sie tiefste menschliche Gefühle und Werte, vor allem aber die Liebe in schändlichster Weise mißbrauchen.

Es ist gerade für den heutigen Menschen, der in einer Zeit lebt, die durch den Materialismus [22] stark geprägt ist, wo das Denken vieler Menschen durch die auf das Materielle gehenden Aspekte einseitig verzerrt sind, wo im Geistigen eine Orientierungslosigkeit und Vergiftung immer weiter um sich greift, sicherlich eine wertvolle Hilfe, wenn er zu den tiefsten Wahrheiten der Religionen zurückkehrt, sein Lebensziel überdenkt, um auch in einer schwierigen Zeit, die in vielem der menschlichen Natur nicht sehr günstig ist, bestehen zu können und sein Lebensglück zu finden.

Denn schauen wir auf unsere Welt, in der wir leben, so wird gerade das, was den Menschen nicht glücklich macht, der Egoismus, das Besitzenwollen durch die überstark wirkende Reklame, durch vielfältige, überall erhobene Forderungen und insbesondere durch das vielfach verherrlichte Machtstreben überbetont, während die entgegengesetzte Haltung des Opferns, des Dienens, was letztlich die Grundhaltung der Liebe ist, gering geachtet wird. Diese Grundhaltung der Liebe zu verwirklichen, ist jedoch das Wesentlichste, was dem Menschen in seinem Leben aufgetragen wird.

Wenn aber das Wichtigste die Verwirklichung der Liebe ist, ist es dann noch richtig und wichtig, für einen als wahr erkannten Glauben einzutreten, insbesondere um die Verbreitung des christlichen Glaubens mit den von ihm vorgestellten tiefsten Wahrheiten bemüht zu sein? Diese Frage muß aus folgenden Gründen entschieden bejaht werden:

1) Es ist immer gut und richtig, sich für die Wahrheit einzusetzen, der Wahrheit zum Sieg zu verhelfen. Das gilt in jeder wissenschaftlichen Auseinandersetzung, im besonderen Maße

aber für die den Menschen betreffenden Existenzfragen. Ja, das Gewissen verpflichtet sogar den Menschen, der erkannten Wahrheit zu folgen, insbesondere dort, wo es um die letzten und tiefsten Wahrheiten im Menschenleben geht.

2) Wenn es in den wesentlichen Aussagen der christlichen Religion um das wahrhaft Wichtigste im Menschenleben geht, wenn der Mensch nur einen letzten Sinn findet und sein eigentliches Ziel dann erreicht, wenn er sich gemäß den Gesetzmäßigkeiten, die seiner menschlichen Natur inhärent sind, verhält und in freiem Willensentschluß das erstrebt, was ihm zu seinem eigentlichen, letzten Glück verhilft, so ist es ein Gebot der mitmenschlichen Liebe, die vielen suchenden Menschen auf das eigentlich Erstrebenswerte im menschlichen Leben aufmerksam zu machen. Und das ist heute besonders wichtig, weil der Mensch unserer Tage durch den immer weiter um sich greifenden Materialismus sein letztes Ziel aus den Augen zu verlieren droht.

Bei allen Bestrebungen muß man jedoch (ähnlich wie bei allen wissenschaftlichen Bemühungen) einkalkulieren, daß man sich wegen der Unzulänglichkeit der menschlichen Erkenntnis irren kann. Man muß deshalb in einer Haltung der Wahrhaftigkeit bereit sein, persönliche Irrtümer einzugestehen und seine Ansichten zu korrigieren. Insbesondere haben die christlichen Religionen es gelernt, eine Haltung der Intoleranz gegenüber Andersdenkenden aufzugeben, denn eine solche Einstellung widerspricht ja dem verkündeten Primat der Liebe. Man hat dabei entdeckt, daß in vielen anderen Religionen, manchmal in verschlüsselter Form, tiefste Wahrheiten enthalten sind [23]. Besonders hervorzuheben ist, daß heute bei der Verkündigung und der Verbreitung des christlichen Gedankengutes die Gesinnungs- und Entscheidungsfreiheit des einzelnen Menschen in hohem Maße respektiert wird [24], während viele Ideologien der Gegenwart durch psychischen und physischen Terror einen massiven Druck und Zwang auf die Menschen unserer Tage zur Verbreitung ihrer Lehren einsetzen.

Es sieht so aus, daß eine Ideologie, je weiter sie sich von der Wahrheit und Wirklichkeit entfernt, um so raffiniertere Methoden anwenden muß, um die Menschen zu überlisten, ferner starken Zwang und Druck ausüben muß, um ihre Lehren durchzusetzen. Hingegen wird eine Religion, die auf der Wahrheit baut und auch der menschlichen Natur entspricht, Wert darauf legen, daß die Menschen ihr freiwillig folgen.
Für das Erkennen der Wahrheit besitzt der menschliche Geist entscheidende Kriterien; er ist in der Lage, die vorgetragenen Lehren an der Wirklichkeit zu prüfen: Dabei führen ihn die beiden wichtigen Prinzipien Übereinstimmung einerseits und Widerspruch andrerseits auf den richtigen Weg. Wichtig ist jedoch, daß der Mensch sich ohne Vorurteil an die Prüfung begibt.

Blicken wir zurück auf unsere Bemühungen in diesem Buch, so zeigen sich als besonders tragfähige Elemente die folgenden Überlegungen in Übereinstimmung mit unseren Kenntnissen von der Gesamtwirklichkeit:
1) Das Vorhandensein der Welt und der in ihr geltenden Naturgesetze ist nicht anders zu erklären, als daß es einen Schöpfer geben muß.
2) Wenn Gott der Verursacher der Welt ist, so muß er von Ewigkeit her sein; er kann selbst nicht Ergebnis einer anderen Ursache sein; er kann selbst auch nicht Teil dieser Welt sein, etwa aus Materie bestehen oder den Phänomenen von Raum und Zeit unterworfen sein.
3) Die Welt zeigt einen einmaligen, nicht wiederholbaren Verlauf, die Geschichte ist nicht die Episode eines sich von Ewigkeit her und in alle Ewigkeit hin wiederholenden Einerleis.

Hierin stimmen alle monotheistischen Religionen überein.
Unter den monotheistischen Religionen nimmt das Christentum eine zentrale Stellung ein. Sein Ideengut hat in verschiedenster Form Eingang in das Denken und Handeln der heutigen, auch nichtchristlichen Menschen gefunden. Im Christentum leuchtet

eine unvergleichliche Erhöhung der menschlichen Person und der menschlichen Natur auf. Und gerade heute, wo die Würde des Menschen vielerorts mit Füßen getreten wird, und die christliche Anthropologie, die christliche Auffassung vom Menschen vielfach verachtet wird, ist es hilfreich zu wissen, daß die christliche Lehre, ihre Sichtweise der Gesamtwirklichkeit am ehesten den Realitäten entspricht, daß dies durch gewichtige, logische Argumente unterstrichen wird und durch eine Reihe von belegbaren, durch exakte Methoden nachweisbaren Tatsachen bestätigt wird.

Insbesondere zeigt sich, daß das christliche Gottesbild der „Trinität" das einzige ist, welches mit einer in Evolution befindlichen Welt zu vereinbaren ist.

Denn, so kann man folgern, wenn Gott von Ewigkeit her sein muß, keinen Anfang gehabt haben kann, wäre es vollkommen unverständlich, wie er als einsamer Gott existieren konnte, ohne (anthropomorph ausgedrückt) sich zu „langweilen", bevor er (vor ca. 18 Milliarden Jahren) die Welt ins Dasein gerufen hat.

Wenn aber Gott von Ewigkeit her in sich Leben ist, in ständigem Zeugen und Gezeugtwerden stets Neues hervorbringend, so wird es verständlich, daß in seiner sich stets neu gestaltenden Schöpfung auch eine Spur davon zu erkennen ist, daß die Schöpfung einen schwachen kreatürlichen Abglanz dieses innergöttlichen, von Ewigkeit her strömenden, immer neu werdenden Lebens enthält.

Dann ist die Welt nicht etwa entstanden, damit „Gott etwas Abwechslung habe", sondern damit der Mensch sich entwickeln konnte, damit diese vernunftbegabte Wesen einmal Anteil nehmen können am immerwährenden, stets Neues hervorbringenden, göttlichen Leben.

Dazu wurde dem Menschen eine gewisse geschöpfliche Freiheit verliehen. Und diese Freiheit scheint ein so hohes Gut zu sein, daß Gott selbst das Scheitern des Menschen in Kauf nimmt. In dieser geschöpflichen, begrenzten Freiheit vermag der Mensch jedoch ein so hohes Ziel zu erreichen, wie es im christlichen Glauben mit der Bezeichnung „ewiges Leben bei Gott" verheißen ist.

Für diese Glaubenswahrheit gibt es eine Fülle von schriftlichen Zeugnissen, die von Menschen unterschiedlicher Charaktere und verschiedenartigster Begabungen gegeben wurden. Daß diese Zeugnisse wahr sind, dafür gibt es u. a. ein konkretes, sogar mit den exakten Methoden der Naturwissenschaften gefundenes, hinreichend gesichertes Unterpfand: Das Grabtuch von Turin, es bezeugt als unabhängiges, materielles Beweisstück, daß die Auferstehung Jesu als eine Realität anzusehen ist.

Die Entdeckungen der Gehirnphysiologie, die den klaren, logischen Schluß für die Existenz einer menschlichen Seele zulassen, bestätigen in einer exzellenten Weise die alles Materielle übersteigende Würde des Menschen, die auch sein letztes und tiefstes Geheimnis ausmacht, so daß die christliche Botschaft die großartigste Hoffnung in unserer Zeit bleibt, wo die Menschheit durch große Gefahren, vor allem aber durch menschenfeindliche Ideologien bedroht wird.

Die Ergebnisse, zu denen wir durch einen Gesamtüberblick in diesem Buch gekommen sind, rechtfertigen den Buchtitel „Evolution – Weltende – Freiheit: Drei Schlüssel zum Sinn menschlichen Lebens". Denn das Fragen nach der Herkunft der Welt in Evolution, nach dem Ende der Weltentwicklung mit der Verheißung eines Weiterlebens des menschlichen Personenkerns nach dem Tode, schließlich das Problem der Freiheit, dieser bedeutungsvollen und schicksalshaften Daseinssituation des Menschen bilden drei wichtige Schlüssel zum Sinn menschlichen Lebens.

Eine letzte Klarheit über die tiefsten Wahrheiten wird wohl ein menschlicher Verstand im irdischen Leben niemals erlangen können. Jedoch: Die christliche Botschaft ist da und es gibt keine, die ihr gleichzusetzen wäre. Viele Generationen haben aus diesen Quellen, insbesondere aus dem Buch der Bücher, der

Bibel, den Schriften des Alten und Neuen Testaments, schier unerschöpflichen Reichtum zutage gefördert und haben sich diesem Anruf gestellt. In dem Maße, wie der Mensch diesem Rufe folgt, wird er gewahr, daß er der Wahrheit folgt. Freilich wird er dadurch nicht aller Schwierigkeiten und Prüfungen enthoben. Aber er wird damit zunächst einen Halt gewinnen, der, wenn er nicht immer weiter ausgebaut wird, wieder verlorengeht, der sich jedoch bei ständigem Weiterbemühen zur tragenden Lebensgrundlage entwickelt.

Der christliche Glaube ist kein „sacrificium intellectus", kein Glaube wider alle Vernunft. Und dennoch ist der Glaube ein Wagnis, das der Mensch auf sich nehmen muß. „Warum einige von uns nicht glauben", so schreibt Albino Luciani (Papst Johannes Paul I.) im Brief an Trilussa, „ist nicht ganz zu erklären. Gott hat ihnen nicht die Gnade gegeben. Aber warum hat er ihnen diese Gnade nicht geschenkt? Weil sie seiner Stimme nicht gefolgt sind. Und warum sind sie ihr nicht gefolgt? Weil sie frei sind und ihre Freiheit mißbraucht haben. Warum haben sie die Freiheit mißbraucht? Das ist der Kern der Frage, lieber Trilussa, hier gebe ich es auf, verstehen zu wollen" [25a].

Das Wachstum im Glauben erfordert eine Abkehr vom Egoismus und eine Hinwendung in Liebe zu Gott und zu den Menschen. Zu einem solchen Schritt wird der Mensch oft aufgerufen. Und dazu nochmals einige Gedanken von Albino Luciani [25b]: „Wir dürfen uns nicht von einer vielleicht schlechten Vergangenheit abschrecken lassen. Die Fehler der Vergangenheit werden in der Gegenwart zu etwas Gutem, wenn sie uns dazu bringen, die Heilmittel für unsere Besserung zu suchen. Sie werden zu Juwelen, wenn wir sie Gott schenken; denn er freut sich, wenn wir ihn um Verzeihung bitten. . . . Keine Sünde ist zu groß. Eine Schlechtigkeit, wie groß sie auch sein mag, kann immer von der unendlichen Barmherzigkeit ausgelöscht werden . . . Es wäre falsch immer nur zu warten, immer alles aufzuschieben. Wer sich auf den Weg des »Später« begibt, endet auf dem Weg des »Nie«."

Vor dem Hintergrund einer Bedrohung der Menschheit durch eine ausufernde Bevölkerungsexplosion, durch Rohstoffverknappung, durch Umweltzerstörung und durch eine Verrohung der Sitten, angeheizt von egoistischen Bestrebungen im Fahrwasser eines alle Bereiche durchsetzenden Materialismus, ist der Mensch der Gegenwart aufgerufen, nicht nur an alle heute lebenden Menschen zu denken, sondern auch für das Leben kommender Generationen Sorge zu tragen, Opfer zu bringen, um die Lebensgrundlage für zukünftige Generationen zu erhalten und auszubauen, damit man auch morgen menschenwürdig leben kann.

Anmerkungen

Vorwort und Einleitung
[1] Wenn hier von Theologie die Rede ist, so ist damit insbesondere die christliche Theologie gemeint. Dies hat zwei entscheidende Gründe: Erstens verfügt der Autor durch ein Zusatzstudium auf diesem Gebiet über vertiefte Kenntnisse, während er die anderen großen Weltreligionen nur oberflächlich kennt. Zweitens liegt es an der Einzigartigkeit der christlichen Religion, in deren Verkündigung der Mensch eine Qualitätserhöhung ohnegleichen erfährt, was für das hier behandelte Thema von besonderer Bedeutung ist. Auch hat das Christentum direkt oder indirekt die Denk- und Handlungsweise aller Völker beeinflußt.
Dennoch versucht der Autor von persönlichen Glaubensüberzeugungen, soweit er es vermag, abzusehen und in distanzierter Weise, abwägend, wie es beim wissenschaftlichen Bemühen notwendig ist, an die Probleme heranzugehen.
[2] Synopsis (gr.) = vergleichende Übersicht, Zusammenschau.
[3] Die vom Autor ins Deutsche übersetzte englische Originalfassung des Zitates findet man z. B. in: "The Autobiography of Charles Darwin", Collins, London 1958, S. 141.
[4] Ein Glas Wasser mit 125 ml H_2O enthält
$$\frac{125}{18} \cdot 3 \cdot 6{,}02252 \cdot 10^{23} \approx 1{,}2547 \cdot 10^{25} \text{ Atome.}$$
Die Ozeane haben ein Volumen von etwa $1{,}4 \cdot 10^9$ km = $1{,}4 \cdot 10^{21}$ Liter. Die Atome des Glases Wasser gleichmäßig auf alle Weltmeere verteilt, ergibt pro Liter noch eine Anzahl von:
$$\frac{1{,}2547 \cdot 10^{25}}{1{,}4 \cdot 10^{21}} = 8962 \text{ Atomen.}$$
Der menschliche Körper, zu etwa 65% aus Wasser bestehend, enthält etwa eine Anzahl von:
$$70 \cdot \frac{1000}{18} \cdot 3 \cdot 6{,}02252 \cdot 10^{23} \approx 7{,}027 \cdot 10^{27} \text{ Atomen.}$$
Die Erde besteht, wenn man folgende relative Häufigkeit (bezogen auf Si = 100) der verbreitetsten chemischen Elemente für die Gesamterde annimmt: O = 380; Si = 100; Mg = 150; Fe = 135; S = 18; Al = 4; Ca = 3; Na = 1;

193

Vorwort und Einleitung

Ni = 10, was dann ungefähr ein mittleres Atomgewicht von 26,8 ergäbe, und wenn man mit einer Erdmasse von 5,977·10^{27} g rechnet, aus:
$$\frac{5,977 \cdot 10^{27}}{26,8} \cdot 6,0225 \cdot 10^{23} = 1,34 \cdot 10^{50} \text{ Atomen.}$$
[5] Es gibt etwa 100 verschiedene Atomarten, die „chemischen Elemente", die sich durch die Anzahl der in dem Kern vereinigten, positiv geladenen Protonen unterscheiden: Das leichteste Element („Wasserstoff") hat 1 Proton im Kern. Das Eisen hat z. B. 26, das Uran, eines der schwersten Elemente, hat 92 Protonen im Kern. Diese Kerne enthalten außerdem jeweils noch bestimmte Quantitäten von Neutronen, die in gewissen Grenzen variieren. Aus der verschieden großen Anzahl von Neutronen resultieren dann die Isotope für ein chemisches Element. Die Atomhülle enthält negativ geladene Elektronen, und zwar mit der gleichen Anzahl, wie es Protonen im Kern hat.
Der Kern erfüllt nur etwa ein Billionstel des gesamten Atomvolumens (Kerndurchmesser: ca. 10^{-14} bis 10^{-15} m). Man stelle sich die Größenverhältnisse in einem Atom bildlich so vor, daß der zu einem Stecknadelkopf vergrößerte Kern in etwa 10 Meter Entfernung von Elektronen umkreist wird, die als noch winzigere, fast punktförmige Teilchen zu denken sind (der Durchmesser der Elektronen ist kleiner als 10^{-17} m).
[6] Durch Forschungsarbeiten bei der Zertrümmerung von Materie in großen Teilchenbeschleunigern (Cyclotronen) ist es bis heute gelungen, weit über hundert subatomarer „Teilchen" zu entdecken. Diese lassen sich in zwei große Familien einteilen: 1) Die Leptonen, zu denen die Elektronen und die Myonen mit ihren Antiteilchen, ferner die Neutrinos, bzw. Antineutrinos gehören, und 2) die Hadronen mit ihren Unterfamilien der Baryonen (schwere Teilchen, zu denen auch die Protonen und die Neutronen zählen) und Mesonen. Während man die Leptonen (Elektron, sein Neutrino, Myon, sein Neutrino außerdem deren jeweilige Antiteilchen, also insgesamt 8 Teilchen) für wirklich elementar hält, die strukturlose, nahezu „punktförmige" Gebilde zu sein scheinen, setzen sich die Baryonen und Myonen aus einfacheren Gebilden zusammen, die man Quarks nennt. Man glaubt, daß es vier verschiedene Quarks gibt (u, d, s, c), die mit ihren Antiteilchen, in Dreier-Konfigurationen zusammengeschlossen, jeweils ein Baryon (z. B. Proton, Neutron) bilden, oder in der Kombination ein Quark und ein Antiquark jeweils zu einem Meson zusammengeschlossen sind.
Nimmt man die in diesem Schema nicht enthaltenen Photonen (Lichtquanten) und eventuell mögliche, theoretisch für die Wechselwirkung zwischen den Teilchen geforderte Feldquanten (Gluonen und Higgs) samt ihren Verwandten hinzu, so glaubt man in einer neuen „Quantenchromodynamik" die Bestandteile der materiellen Welt in fünf fundamentalen Feldern, bzw. deren Feldquanten (Leptonen, Quarks, Gluonen, Higgs, schließlich Photonen mit ihren

1. Kapitel Weltentstehung und Evolution

übrigen elektromagnetischen Quanten), eine umfassende, widerspruchsfreie Theorie für den Aufbau der Materie gefunden zu haben. Prinzipielles über Elementarteilchen findet sich auch im vierten Kapitel dieses Buches.

[7] Mittlerer Erddurchmesser 12 742,46 km
Mittlerer Sonnendurchmesser 1 392 000 km = 109 Erddurchmesser
Monddurchmesser 3476 km = 0,272 Erddurchmesser
Mittlere Entfernung Erde–Mond = 384 403 km
Mittlere Entfernung Erde–Sonne = 149 600 000 km
Entfernung Sonne – α-Centauri ca. $40 \cdot 10^{12}$ km = 4,3 Lichtjahre

1. Kapitel: Weltentstehung und Evolution

[1] Die Kosmologie befaßt sich mit Problemen der Entstehung des Kosmos als ganzem. Demgegenüber bezeichnet man als Kosmogonie meist die Lehre von der Entstehung und Entwicklung von Sternen und Sternsystemen. Die Grenze zwischen beiden wird jedoch nicht sehr scharf gezogen, oft werden beide Begriffe wechselseitig verwendet.

[2] V. H. Ambarzumjan: „Probleme der modernen Kosmogonie", Birkhäuser Verlag, Basel und Stuttgart, 1976. Wenn man annimmt, daß in den Kernen von Galaxien Materie ständig neu entsteht, lassen sich einige Beobachtungsfakten, die mit den bisherigen, klassischen Entstehungstheorien der Galaxien nicht oder nur schwierig in Einklang zu bringen sind, besser verstehen, so z. B. die Entstehung und charakteristische Ausprägung der verschiedenartigen Galaxientypen, insbesondere der Balkenspiralen, oder die Existenz von Trabanten, Tochtergalaxien oder Galaxienhaufen, ferner, daß aus dem Zentrum der Milchstraße Wasserstoffwolken mit Geschwindigkeiten von 50 bis 60 km/sec ausgestoßen werden, außerdem die kosmische Strahlung und einige andere Phänomene.

Diese neue Theorie widerspricht aber heute bekannten physikalischen Gesetzen, insbesondere dem Satz der Erhaltung von Energie und Masse. Andrerseits entspricht es durchaus dem naturwissenschaftlichen Denken und Bemühen, neue Erklärungsmöglichkeiten dann zu suchen, wenn alte Auffassungen verschiedene Beobachtungsergebnisse nicht mehr zufriedenstellend erklären können. Man tut es in der Hoffnung, daß dann dabei neu auftauchende Widersprüche (in diesem speziellen Fall die Unvereinbarkeit mit dem Satz der Erhaltung von Masse und Energie) sich in einem größeren Zusammenhang dadurch auflösen, daß die heute als gültig erkannten Gesetzmäßigkeiten nur als Spezialfälle unter ganz bestimmten Bedingungen anzusehen sind.

[3] Die Verschmelzung von vier Protonen zu einem Heliumkern kann auf verschiedenen Wegen erfolgen (durch direkte Proton-Proton-Prozesse oder beim Bethe-Weizsäcker-Zyklus durch sukzessiven Aufbau von Heliumkernen in den „als Katalysator" wirkenden C, N, O-Kernen). Bei diesen Prozessen

1. Kapitel Weltentstehung und Evolution

wandeln sich je 2 Protonen in Neutronen unter Aussendung von 2 Positronen und 2 Neutrinos um. Beim gesamten Kernverschmelzungsprozeß werden große Energiemengen frei (24,7 MeV pro He^{++} = 2,58 · 10^9 kJ/mol). Näheres siehe: Jean Audouze / Sylvie Vauclair: „Die Entstehung der Elemente", 1974, Deutsche Verlags-Anstalt GmbH, Stuttgart.
[4] Das in der Natur häufigst vorkommende Eisenisotop Fe 56 enthält 26 Protonen und 30 Neutronen und ist durch sukzessive Fusion von 14 Heliumkernen entstanden. Bei jedem Einbau eines Heliumkernes wurde Energie frei. Die Aufnahme von weiteren Heliumkernen jedoch würde Energie verzehren. Deswegen kann die Bildung noch schwererer Elemente als etwa das Eisen in den Sternen auf diese Art nicht im nennenswerten Umfang erfolgen.
Die Abb. 30 zeigt die Kernbindungsenergien der chemischen Elemente. Auf der waagerechten Achse ist die Massenzahl, also die Summe der Protonen und Neutronenzahl aufgetragen, auf der senkrechten Achse die Bindungsenergie pro Nucleon (Kernbestandteil Proton oder Neutron). Beim Verschmelzen von

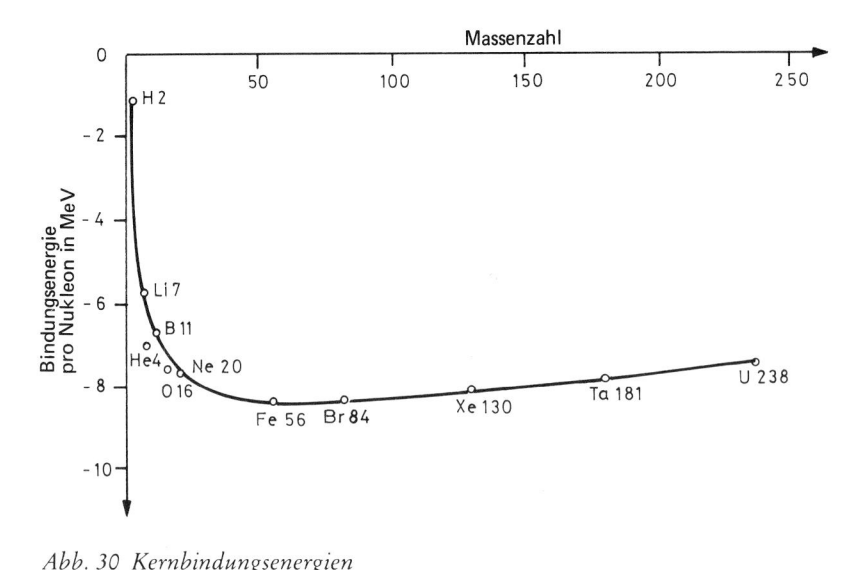

Abb. 30 Kernbindungsenergien
Beim Aufbau von schwereren Kernen (höhere Massenzahl) aus leichteren wird nur bis zum Eisenatom (Fe 56) Energie frei, während beim Übergang zu noch höheren Massenzahlen wegen des Ansteigens der Kurve wieder Energie hineingesteckt werden müßte. Umgekehrt wird der Energiegewinn bei der Spaltung von Urankernen in zwei leichtere Atomkerne zur Energieerzeugung in Kernreaktoren ausgenutzt

1. Kapitel   Weltentstehung und Evolution

leichten Kernen erfolgt der Übergang von einem höheren zu einem tieferen Energieniveau, dabei wird Energie von den Sternen abgestrahlt. Zum Aufbau von massereicheren Kernen als Eisen (Fe 56) würde Energie verbraucht werden. Solche Elemente bildeten sich z. B. bei Supernovaexplosionen.

[5] Der Doppler-Effekt erklärt folgendes Phänomen: Ein Ton wird höher empfunden, wenn sich der Sender auf uns zu bewegt, und erscheint tiefer, wenn die Tonquelle (z. B. ein Kraftfahrzeug mit Martinshorn) sich von uns wegbewegt. Der Grund ist leicht einzusehen: Im ersten Fall, wenn z. B. ein Fahrzeug sich auf uns zu bewegt, werden die Schallwellen zusammengeschoben, die Wellenlänge ist demnach kürzer; im zweiten Fall, wenn das Fahrzeug sich von uns wegbewegt, werden die Schallwellen gedehnt, die Wellenlänge wird länger, der Ton damit tiefer. Einen ähnlichen Effekt kann man beim Licht beobachten, nur sind, damit der Doppler-Effekt überhaupt in Erscheinung treten kann, dazu sehr viel größere Geschwindigkeiten notwendig (Schallgeschwindigkeit = 340 m/sec; Lichtgeschwindigkeit = 300 000 km/sec).

[6] Die kosmische Hintergrundstrahlung sollte der Temperatur eines „schwarzen Körpers" von 2,7 K entsprechen. Durch die Maßeinheit K (= Kelvin) wird die Temperatur angegeben. Die tiefstmögliche Temperatur (der absolute Nullpunkt) liegt bei −273,3 °C = 0,0 Kelvin, der Schmelzpunkt von Eis bei 0 °C = 273,3 K. 2,7 K bedeutet also eine Temperatur von −270,6 °C.

[7] Als indirekte Methode eignet sich die Messung von Differenzen im CN-Absorptionsspektrum, welche durch die kosmische Hintergrundstrahlung hervorgerufen werden.

[8] Unter Singularitäten sollen hier einmalige, einzigartige Ereignisse verstanden werden, die nicht den bekannten Naturgesetzen unterliegen und auch nicht wie sonst beim naturwissenschaftlichen Experiment wiederholbar sind. Insbesondere sind es die Materieentstehung beim Beginn des Weltalls und das Verschwinden der Materie in Schwarzen Löchern, die als Singularitäten angesehen werden müssen. Wenn man an die Materiequellenhypothese denkt, mag es dahingestellt bleiben, ob man die Entstehung der Materie in den Galaxienzentren oder (einen Schritt weiter zurückgehend, wenn man meinte, es handele sich bei der Materieentstehung nur um heute noch nicht bekannte Naturgesetzmäßigkeiten) die Entstehung der Materiequellen selbst als Singularität betrachtet.

[9] Die bisher ältesten Mikrofossilien stammen aus der etwa 3,1 Milliarden Jahre alten Fig-Tree-Gruppe (E.S. Barghoorn und J.W. Schopf: Science **152**, 1966, 758–763) und aus Sedimenten der Onverwacht-Gruppe (ca. 3,2 Milliarden Jahre alt) des östlichen Transvaals. Es handelt sich um kleine, je nach Herkunft 0,3 bis ca. 30 μm große, aber in der Regel am Fundort einheitlich

1. Kapitel Weltentstehung und Evolution

große, meist runde Einschlüsse kohliger Substanz, die von bakterienartigen Gebilden (Eobacterien) stammen können. Eine eindeutige Identifizierung dieser Mikrofossilien als Zeugen ältesten Lebens auf unserer Erde ist nach allen vorliegenden Befunden (insbesondere durch Analysen der chemischen Substanzen, sowie des Verhältnisses der Kohlenstoffisotope C 13 : C 12 zueinander) heute noch nicht möglich. Eine letzte Unsicherheit durch solche Identifikationsmethoden wird auch immer noch dadurch bestehen bleiben, daß biogene chemische Verbindungen zu späterer Zeit in diese Fundstellen eingesickert sind.

[10] Nach unseren heute doch sehr guten Kenntnissen der chemischen Elemente ist es schwerlich vorzustellen, daß Leben entstehen und existieren könnte, wenn keine Polymere aus dem Element Kohlenstoff (selbstverständlich unter Mitverwendung der Elemente H, O, N und S) vorhanden sind. Die einzigartigen Eigenschaften des Elements Kohlenstoff, die diesen zum Aufbau von „Biopolymeren" prädestinieren, zeigt kein zweites Element im Periodensystem. Eine eingehendere Diskussion dieser Problematik findet man in: R.W. Kaplan: „Der Ursprung des Lebens", Thieme Verlag, 1978.

[11] Nach der Kondensation der Materie zur Erde sind die gasförmigen leichten Elemente, insbesondere Wasserstoff und Helium (primäre Erdatmosphäre) wegen der vorhandenen hohen Temperaturen und der zu geringen Gravitation sehr bald in den Weltraum diffundiert. Die sekundäre Atmosphäre der Erde, die als „Uratmosphäre" bei der Synthese von Mikromolekülen die entscheidende Rolle gespielt hat, ist im Verlaufe der Erdabkühlung durch vulkanische Ausgasungen entstanden, wobei der Wasserdampf beim Absinken der Temperatur unter 100 °C zu flüssigem Wasser kondensierte. Die zurückbleibende „sekundäre Atmosphäre" enthielt dann in der Hauptsache Kohlendioxid, Methan, Stickstoff, Ammoniak mit anteilsmäßigem Wasserdampf, daneben vielleicht auch noch etwas Kohlenmonoxid, Schwefelwasserstoff und Wasserstoff. Später kam es als Folge des Lebens (Photosynthese) zur Bildung von Sauerstoff. So entstand die heutige „tertiäre Erdatmosphäre".

[12] Durch das heute vorhandene Ozon (chemische Formel: O_3) in den oberen Schichten der Atmosphäre dringen praktisch keine energiereichen (mit Wellenlängen kleiner als 320 nm), chemische Moleküle zur Reaktion aktivierende, aber auch organische Verbindungen zerstörende, ultraviolette Strahlen bis zur Erdoberfläche vor. Heute bildet die Ozonschicht ein Strahlenschild zum Schutze des Lebens auf dem Lande, denn andere Bestandteile der Atmosphäre (O_2, H_2O, CO_2) absorbieren ultraviolette Strahlen erst unterhalb von ca. 200 nm, so daß wir sehr energiereichen, schädlichen, ultravioletten Strahlen mit Wellenlängen von 200 bis 320 nm ausgesetzt wären, gäbe es diese Ozonschicht nicht.

1. Kapitel   Weltentstehung und Evolution

[13] Stanley L. Miller: "A Production of Amino Acids Under Possible Primitive Earth Conditions" in Science **117** (1953) 528–529: Miller verwendete die Gase H_2, CH_4 und NH_3 im Verhältnis 1:2:2, außerdem Wasserdampf.
[14] Man bezeichnete die Urmeere vielfach als „Ursuppe", weil man früher annahm, es entstand eine relativ dicke (bis zu 10%ige) Lösung organischer Moleküle in den Weltmeeren. Diese Auffassung kann man heute aus thermodynamischen und organisch-chemischen Überlegungen nicht mehr aufrechterhalten, so daß man die Urmeere höchstens als dünne Suppe bezeichnen könnte. Wahrscheinlich haben sich aber an einigen Stellen die organischen Stoffe stärker angereichert (z. B. Konzentrierung durch Austrocknung).
[15] Reinhard W. Kaplan: Ursprung des Lebens, Georg Thieme Verlag, Stuttgart, 1978.
[16] Die ursprüngliche deutsche Abkürzung für Desoxyribonucleinsäure lautet DNS. Sie wird heute noch häufig benutzt. In der Literatur setzt sich jedoch immer mehr die englische Abkürzung DNA von desoxyribonucleic acid durch; sie wird auch in diesem Buch verwendet. Analog lautet die Abkürzung für die Ribonucleinsäuren RNA statt RNS.
[17] H. Kuhn, Angewandte Chemie **84** (1972) 838.
[18] M. Eigen: Selforganization of Mater and the Evolution of Biological Macromolecules in „Die Naturwissenschaften" **58** (1971) 465–523.
[19] Oligomere enthalten nur wenige z. B. zehn, Polymere dagegen viele z. B. hundert Grundbausteine (Monomere).
[20] Prokaryonten sind einfachste, einzellige Lebewesen, die noch keinen Zellkern enthalten. Zu ihnen gehören die Bakterien und die Blaualgen.
[21] Sidney W. Fox: "A Theorie of Macromolecular and Cellular Origins" in Nature (Lond.) **205** (1965) 328–340.
[22] Durch Erhitzen von trockenen Aminosäure-Mischungen erhält man eiweißähnliche Polymere, die Fox „Proteinoide" bezeichnete. Wird z. B. auf 180 °C erhitzt, so benötigt man dazu nur etwa 3–6 Stunden. Bei Temperaturen von z. B. 80 °C braucht man dazu mehrere Tage, jedoch kann auch bei diesen tieferen Temperaturen durch Zusatz von Polyphosphaten, ferner Lava oder Sand die Reaktionszeit erheblich verkürzt werden. Löst man die so entstandene dunkle Masse in Wasser, so entstehen Microspheres von einheitlicher Größe, je nach Reaktionsbedingungen mit Durchmessern von etwa 1–2 Mikrometer.
[23] Sidney W. Fox: "Self-Ordered Polymers and Propagative Cell-like Systems", in: „Die Naturwissenschaften", **56** (1969) 1–9.
[24] S. Francis, L. Margulis und E.S. Barghoorn: "On The Experimental Silification of Microorganisms and on the Time of Appearance of Eucaryotic Organisme in the Fossil Record". in: Precambrian Research, **6** (1978) 65–100.

1. Kapitel   Weltentstehung und Evolution

Die Autoren zeigen durch künstliche Versteinerungsversuche, die sie mit Hilfe von Tetraethylorthosilicat an Eukaryonten, Prokaryonten und Microspheres durchführten, daß eine Unterscheidung zwischen den eben genannten Zellformen aus den Versteinerungen nicht möglich war. Solche Versteinerungsversuche sind aussagekräftig, denn hier laufen wahrscheinlich ähnliche chemische Reaktionen in sehr kurzer Zeit ab, wie sie sich bei den normalen Versteinerungen von Organismenresten über Jahrtausende und Jahrmillionen ereignen. Die durch diese Versuche gewonnenen Erkenntnisse entkräften Vermutungen, die man aus Versteinerungen zu ziehen glaubte, daß sich Eukaryonten schon wesentlich früher als vor 680 Millionen Jahren bildeten. Über Entfaltung des Lebens siehe auch Abb. 15 auf S. 49.

[25] Mutation (Darwin nannte es Variation) ist eine sprunghafte Änderung der Erbeigenschaften, wie wir heute wissen, eine Änderung der genetischen Information in der DNA.
Selektion bedeutet, daß die am besten an die Umweltbedingungen und ihre Erfordernisse angepaßten Exemplare auch am besten überlebten und sich vermehrten. Bei den im Text genannten „Überkreisen" sind es diejenigen, die sich am schnellsten reproduzieren konnten.

[26] Aus spektralanalytischen Untersuchungen des zu uns gelangenden Lichtes vom gesamten Kosmos können wir schließen, daß überall die gleichen Elementarteilchen und chemischen Elemente der materiellen Welt zugrunde liegen.

[27] antipus, antipodos, gr. = Gegenfuß. Optische Antipoden können dann vorhanden sein, wenn an einem Kohlenstoffatom vier ungleiche Bindungspartner hängen, in Abb. 14 sind die voneinander verschiedenen Atomgruppierungen in den Ecken des Tetraeders an das im Zentrum gelegene Kohlenstoffatom gebunden.

[28] Anaerobier sind in Abwesenheit von Sauerstoff lebensfähig.

[29] Blaualgen, auch als Cyanobakterien bezeichnet, sind „Prokaryonten", also primitive Lebewesen, die keinen Zellkern enthalten, die DNA ist in diskreten Regionen des Cytoplasmas enthalten. Algen sind Eukaryonten, höher entwickelte Lebewesen, wo die DNA in einem Zellkern vereinigt ist. Beide (Blaualgen und Algen) können wegen des in ihnen enthaltenen Chlorophylls durch Photosynthese organische Stoffe aus Kohlendioxid mit Hilfe des Sonnenlichtes aufbauen.

[30] Charles Robert Darwin: "On the Origin of Species by Means of Natural Selection or the Preservation of Favoured Races in the Struggle of Life" (1859) und "The Descent of Man" (1871). Beide Bücher sind vielfach ins Deutsche übersetzt worden.

[31] entnommen aus: Wieland-Pfleiderer: „Molekularbiologie", Umschau Verlag, Frankfurt/Main, 1967, S. 129.

1. Kapitel   Weltentstehung und Evolution

[32] Gehirnvolumen (Zahlenangaben wurden entnommen aus J. Th. Groiss: „Die Evolution der Hominiden" in R. Siewing (Hrsg.): „Evolution".
Schimpanse ca. 394 ccm
Australopithecus ca. 500 ccm
Homo habilis 680–700 ccm
Homo erectus 780–1225 ccm
heutiger Mensch 1000–1700 ccm

[33] Ökologische Nische bezeichnet die Funktion und die Rolle, die eine Lebewesensart in der gegenseitigen Wechselwirkung der Lebewesen zueinander einnimmt, vergleichbar dem Beruf eines Menschen in der Gesellschaft. Der Mensch hat durch die Verwendung von Hilfsmitteln und später durch die Technik nicht nur die Herrschaft über alle Lebewesen angetreten, sondern auch die Fähigkeit erlangt, durch Ausbau der Zivilisation seine Art über die gesamte Erde auszudehnen.

[34] Es gibt eine sehr große Zahl von Beispielen, daß heute lebende Menschenaffen „Erfindungen" machen, die dann durch Nachahmen von anderen Individuen oder ganzen Horden übernommen werden. Vergl. hierzu H. Hofer (und G. Altner): „Die Sonderstellung des Menschen", G. Fischer Verlag, Stuttgart, 1972, S. 106–128.

[35] Eine interessante Unterscheidung zwischen „Mensch" und „Tier" bringt das Unterkapitel 3.3.

[36] Die systematische Einordnung des Menschen, wie sie derzeit üblich ist, wird durch das vereinfachte Schema auf S. 202 wiedergegeben.
Die Spezialisierung, welche beim Tier genetisch begründet ist, setzt beim Menschen durch die Kultur und Technik ein. Eine Differenzierung in die vielen menschlichen Kulturen ist deswegen vergleichbar mit der Auffaltung der Arten im Tierreich, so daß man daher beim Menschen von einer Scheinartenbildung, einer Pseudospeziation bei den Kulturen und Ständen (Ackerbauern, Hirtenvölker, Fischer, Industrievölker) sprechen kann.
Wenn der Mensch vergleichbar einer Klasse oder einem Stamm im Tierreich einzugruppieren wäre, liegt es vor allem an seinen vielfältigen Anpassungsmöglichkeiten und an seiner Fähigkeit, durch Lernen erworbene Informationen zu tradieren, so daß er mit seinen kulturellen Fähigkeiten viele „ökologische Nischen" belegen kann, während Tiere nur jeweils einen spezialisierten „Beruf" (= ökologische Nische) ausfüllen können. Vgl. hierzu Günther Osche: „Die Sonderstellung des Menschen in biologischer Sicht: Biologische und kulturelle Evolution" in: Rolf Siewing (Hrsg.): „Evolution", G. Fischer Verlag, Stuttgart, 1978, S. 392 ff.
Nach J. S. Huxley gilt für die Einteilung (taxonomy) in Hinsicht auf den Evolutionsprozeß, daß nicht nur eine phylogenetische Divergenz (Verästelung

1. Kapitel Weltentstehung und Evolution

der Stammeslinien: „Cladogenesis"), sondern auch eine Anagenesis zu „Grades" (Höherentwicklung zu stabilen Organisationsstufen, den „Grades") zu berücksichtigen ist. Der Mensch hat mit der neuen Stufe: „Grade der Psychozoa" eine völlig neue Ebene der Evolution erreicht: „The new grade is of very large extent, at least equivalent in magnitude to all the rest of the animal Kingdom, though I prefer to regard it as covering an entirely new Sector of the evolutionary process, the psycho-social, as against the entire non-human biological Sector." (vgl. S. 36 aus J. S. Huxley: „Evolutionary Processes and Taxonomy with special Reference to Grades" (S. 21–39) in „Systematics of to-Day", Proceedings of a Symposium, herausgegeben von Olov Hedberg, Uppsala Universitets Årsskrift 1958:6, Uppsala und Wiesbaden (Otto Harrassowitz).

Derzeit gebräuchliches Einteilungsschema

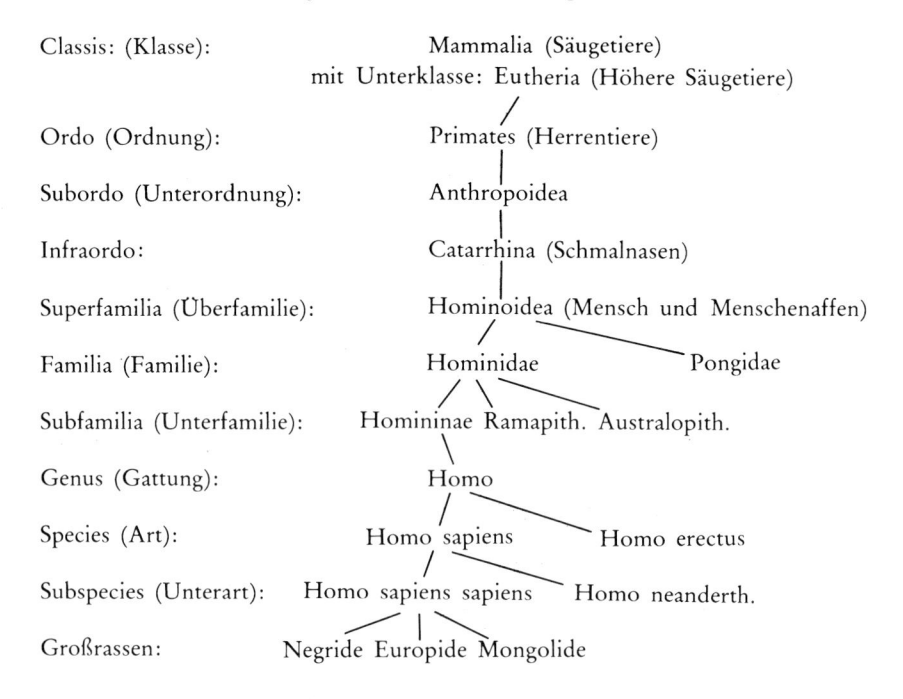

Classis: (Klasse):   Mammalia (Säugetiere)
  mit Unterklasse: Eutheria (Höhere Säugetiere)

Ordo (Ordnung):   Primates (Herrentiere)

Subordo (Unterordnung):   Anthropoidea

Infraordo: Catarrhina (Schmalnasen)

Superfamilia (Überfamilie):   Hominoidea (Mensch und Menschenaffen)

Familia (Familie):   Hominidae   Pongidae

Subfamilia (Unterfamilie):   Homininae Ramapith. Australopith.

Genus (Gattung):   Homo

Species (Art):   Homo sapiens   Homo erectus

Subspecies (Unterart):   Homo sapiens sapiens   Homo neanderth.

Großrassen: Negride Europide Mongolide

[37] Vergl. Pius XII: „Humani generis", päpstliches Rundschreiben vom 12.8.1950, zitiert nach Neuner-Roos: „Der Glaube der Kirche", 9. Aufl.,

1. Kapitel   Weltentstehung und Evolution

1975, Verlag Fr. Pustet, S. 205 (Nr. 332): „... bezüglich der Seele gebietet uns der katholische Glaube daran festzuhalten, daß sie unmittelbar von Gott geschaffen ist."

[38] Bei der Reinkarnation sei hier nicht gedacht an die Vorstellung der indischen Religion über die Seelenwanderung, die auch nichtmenschliche Lebewesen einschließt, und schwerlich mit verschiedenen Gegebenheiten der stofflichen Wirklichkeit zu vereinbaren ist, sondern vielmehr an merkwürdige Berichte, daß gewisse Personen sich an ein früheres Leben „erinnern" und darüber auch genaue detaillierte Angaben machen können, die durch Nachprüfung auch tatsächlich bestätigt werden können. Überlegungen dieser Art mit Hinweisen auf Originalliteraturstellen finden sich in dem Buch von Nils-Olof Jacobson: „Leben nach dem Tod?", Edition Sven Erik Bergh, 2. Aufl., S. 216–250. Es besteht jedoch Zweifel an der Reinkarnationshypothese. Insbesondere die spektakulären Berichte von Thorwald Dethlefsen, der vorgibt, Menschen durch Hypnose (teilweise auch bei vollem Bewußtsein) in frühere Leben zurückzuversetzen, und dieses in einigen Büchern publiziert hat, zeigen in den Details massive Hinweise dafür, daß bei solchen Berichten eine psychische (eventuell auch parapsychologische) Beeinflussung vorliegt, zumindest, daß dieses als viel wahrscheinlicher anzusehen ist, als eine vorgegebene Rückerinnerung an ein früheres Erdenleben. Dethlefsens Haltung und sein Vorgehen sind esoterisch, jedoch in keinem Fall als wissenschaftlich zu bezeichnen.

[39] Vor wenigen Jahrzehnten hätte man es nicht für möglich gehalten, daß die Materie auch Information (was schon hinweist auf eine nichtstoffliche Komponente) dadurch enthalten, speichern und tradieren kann, daß bestimmte Bausteine in unverwechselbarer Reihenfolge aneinandergehängt werden, und daß durch einen „Selbstorganisationsprozeß" der Materie Leben (ebenfalls etwas Neuartiges, was mehr ist als die Summe der in den Lebewesen ablaufenden biochemischen Reaktionen) auf der Erde entstehen konnte (vgl. Unterkapitel 1.2).

Wir kennen die Beschaffenheit der Materie zu wenig, um es prinzipiell auszuschließen, daß sie auch Eigenschaften besitzen könnte, die zu einem immateriellen, losgelöst von der Materie existenzfähigen Seienden führen könnte (was wir in der christlichen Religion dann mit dem Wort „unsterbliche Seele" bezeichnen). Könnte nicht der Schöpfer der Welt die Materie so erschaffen haben, daß er die „Seelen" nicht jedesmal durch seinen eigenen, persönlichen Akt nachträglich in den Menschen hineinlegen muß, sondern, daß sich vielmehr diese unsterblichen Komponenten durch die der Materie inhärenten Eigenschaften bei der Entstehung eines neuen menschlichen Lebewesens gewissermaßen „von selbst" bilden. Eine solche Auffassung widerspricht zwar formell dem Wortlaut von „Humani generis" (vergl. Anmerkung 37), doch

1. Kapitel   Weltentstehung und Evolution

kann man, wenn man diese Möglichkeit konsequent durchdenkt, feststellen, daß auch hier Gott letztlich der Urheber der menschlichen Seele ist, nur daß er nicht selber „Hand anlegt", um jede einzelne Seele aus dem „Nichts" zu schaffen, sondern, daß er durch die Gesetzmäßigkeiten der materiellen Welt wirksam wird.

[40] Einen gut gelungenen Versuch in dieser Richtung enthält das 1978 in deutscher Übersetzung erschienene Buch von R. E. Leakey und R. Lewin: „Wie der Mensch zum Menschen wurde" (Verlag Hoffmann und Campe, 1978).

[41] *Homo sapiens* weist schon weitgehend die Kennzeichen heutiger Menschen auf. Zu den frühesten bekannten Sapiens-Formen gehört (oft auch als "*Praesapiens*" eingestuft) der *Homo sapiens steinheimensis*, der vor 200 000 bis 230 000 Jahren gelebt hat. Mit *Homo sapiens sapiens* wird der heute lebende Mensch bezeichnet. Früheste Funde des *Homo sapiens sapiens* stammen aus der Zeit vor 34 000 Jahren.

[42] Im Rundschreiben von Papst Pius XII.: "Humani generis" (1950) heißt es (Deutsche Übersetzung, zitiert nach Neuner-Roos: „Der Glaube der Kirche", 9. Aufl., 1975, Verlag Friedrich Pustet, Regensburg, S. 231, Nr. 363): „Wenn man aber von einer anderen Hypothese spricht, dem sogenannten Polygenismus, so steht den Kindern der Kirche keineswegs die gleiche Freiheit zu. Denn die Gläubigen können nicht die Ansicht halten, deren Vertreter behaupten, es habe nach Adam auf unserer Erde wirkliche Menschen gegeben, die nicht aus ihm, als dem Stammvater aller, auf dem Wege natürlicher Zeugung ihren Ursprung hätten, oder »Adam« bedeute eine Mehrheit von Stammvätern. Denn es ist durchaus nicht ersichtlich, wie sich eine derartige Ansicht vereinbaren läßt mit dem, was die Quellen der geoffenbarten Wahrheit und die Äußerungen des Lehramts über die Erbsünde lehren, die ihren Ursprung hat in der in Wirklichkeit von dem einen Adam begangenen Sünde und die, durch Zeugung auf alle übertragen, in jedem als ihm eigene Sünde vorhanden ist."

[43] Heute versteht man, auf der einen Seite, wie noch eingehender im Unterkapitel 1.6 dargelegt wird, die entsprechenden Bibeltexte besser einzuordnen: Die Erzählung vom Sündenfall gehört vom Text her teils in die Gattung der Fabel (Schlange als sprechendes Tier), teils zählt sie zu den Ätiologien (in diesem Fall will sie den Zustand des Menschen durch eine bildliche Erzählung des Ursprungs erklären).
Zum zweiten wurde bei der theologischen Aufarbeitung dieser Problematik insbesondere von Karl Rahner deutlich gemacht, daß die kirchliche Erbsündenlehre sowohl mit dem Monogenismus als auch mit dem Polygenismus zu vereinbaren ist. Siehe hierzu: Karl Rahner: „Theologisches zum Monogenismus" in den „Schriften zur Theologie", Benzinger-Verlag, Einsiedeln, 1954,

1. Kapitel   Weltentstehung und Evolution

S. 253–322 und insbesondere den Exkurs von Karl Rahner: „Erbsünde und Monogenismus", der in den Quaestiones Disputatae: „Theologie der Erbsünde" (S. 176–223) von Karl-Heinz Weger enthalten ist (Herder-Verlag, Freiburg, 1970). Dort heißt es auf S. 205: „Auch in einer polygenistisch entstanden gedachten humanitas originans läßt sich in einem einzelnen ihrer Subjekte oder in allen zusammen das Subjekt denken, das als erstes schuldig wurde und so jene Unheilssituation für die ganze humanitas originata begründete, die wir Erbsünde nennen . . . Es scheint somit auch kein Grund gegeben zu sein, der gebietet, daß das kirchliche Lehramt zum Schutz der dogmatischen Erbsündenlehre in den Streit um den Polygenismus eingreift."
[44] UNESCO – United Nations Educational, Scientific and Cultural Organisation.
[45] Diese Frage nach dem Ursprung der Menschheit ist auch bekannt geworden unter der Fragestellung Monophyletismus oder Polyphyletismus? Im ersteren Fall wäre der Übergang zum Menschen an einer Stelle unserer Erde erfolgt, beim Polyphyletismus hätten sich menschliche Wesen an mehreren Stellen unabhängig voneinander aus Vorformen entwickelt.
[46] Zitiert nach M. Grison: „Geheimnis der Schöpfung", Rex-Verlag, München, 1960, S. 292.
[47] Ein Auszug dieser Erklärung sowie eine eingehendere Beschreibung der Rassenfrage findet sich in: Erich Steitz: „Die Evolution des Menschen", 1974, Verlag Chemie, Weinheim.
[48] Nach E. Steitz [47] ist eine Ausbreitung und Differenzierung der heutigen Großrassen möglicherweise erst vor 40 000 bis 10 000 Jahren erfolgt.
[49] Heinrich Vogt: „Das Sein in der Sicht des Naturforschers", Morus-Verlag, Berlin, 1964, S. 34 f.
Die in Anführungsstriche (»«) gesetzten Wörter hat Vogt entnommen aus: N. P. Barabašev, Bor'ba s idealizmom v oblasti kosmogoničeskich i kosmologičeskich gipotez. – Der Kampf mit dem Idealismus auf dem Gebiet der kosmogonischen und kosmologischen Hypothesen. Char'kov 1952.
[50] H.-J. Treder, Potsdam-Babelsberg, Zentralinstitut für Astrophysik der AdW der DDR: „ Boltzmanns Kosmogonie und die hierarchische Struktur des Kosmos" in Astrn. Nachr. **297** (1976) 120.
[51] Anmerkungen zum Treder-Zitat: Unter „Metagalaxis" versteht der Autor den gesamten, uns bekannten Kosmos, unter der „Teragalaxis" ein übergeordnetes System, das in „unseren Kosmos" und eine (z. B. aus Antiteilchen bestehende) andere Welt zerfallen sein könnte, wobei uns von letzterer kein Signal mehr erreicht. Es wird angespielt auf die Überlegungen von Alfvén über die Existenz von Koino-Materie und Antimaterie (vgl. H. Alfvén: „Kosmologie und Antimaterie", Umschau-Verlag, Frankfurt/Main).

1. Kapitel Weltentstehung und Evolution

[52] Die Texte der Bibel sind eine beschränkte Auswahl aus der reichen damaligen Literatur, zu denen auch die „Apokryphen"[66] gehören.
Im vorliegenden Buch wurden die wörtlichen Zitate der sog. „Jerusalemer Bibel" in der Übersetzung von Arenhoevel, Deissler und Vögtle entnommen (Herder, Freiburg-Basel-Wien, 1978).
[53] Über die verschiedenen Verfasser des Alten Testaments und die Zeit und Art der Entstehung vgl. die kurzgefaßte Einführung in das Alte Testament von Christoph Goldmann: „Ursprungssituationen biblischen Glaubens", Verlage: Vandenhoeck & Ruprecht, Göttingen, bzw. Benziger, Zürich.
[54] Claudius Ptolemäus, etwa von 75 bis 160 n. Chr., lebte in Alexandria (Ägypten) und beschrieb in seinem Buch "Megale Syntaxis" (arab.: "Almagest") den Aufbau der Welt. Die auf Hipparch zurückgehenden Berechnungen der Planetenbahnen in diesem geozentrischen Weltbild gestatteten es, die Stellung der Planeten im Voraus zu berechnen. (Vgl. z. B. die deutsche Übersetzung des Werkes von Karl Manitius, Teubner-Verlag, Leipzig, 1963: „Ptolemäus: Handbuch der Astronomie"). Das „Weltbild" von Ptolemäus blieb bis über das Mittelalter hinaus die Vorstellung über den Aufbau des Universums.
[55] Der Name „Adam" leitet sich im Hebräischen vom Wort "adama" = Erdboden ab. Es bedeutet der „Erdgeborene" und ist auch ein Hinweis, auf Gen 3,19, daß der Mensch wieder zum Erdboden, von dem er genommen ist, zurückkehrt.
[56] Die gegenseitige Zuordnung von Mann und Frau kommt auch in den hebräischen Wörtern zum Ausdruck: isch (Mann) und ischscha (Frau, = oft übersetzt „Männin").
[57] Wenn der paradiesische Zustand und die Vertreibung aus dem Paradies geschildert wird, bedeutet das nicht, daß die Natur des Menschen früher eine andere gewesen sei. Vgl. dazu das im 2. Kapitel dieses Buches auf S. 113 abgedruckte Zitat von Herbert Haag aus Haag/Haas/Hürzeler: „Evolution und Bibel", Herder, Freiburg, 1962, S. 47 und 50.
[58] Vgl. Dogmatische Konstitution über die göttliche Offenbarung ("Dei Verbum"), 2. Vaticanum, deutsche Übersetzung im Paulus Verlag, Recklinghausen.
[59] Christus ist die lateinische Übersetzung des hebräischen Maschiach (Messias) und bedeutet „Gesalbter", der nach dem babylonischen Exil (597–538 v. Chr.) und insbesondere im Gefolge der Makkabäerkriege (2. Jahrh. v. Chr.) als ein von Gott Gesandter erwartet wurde.
[60] Wenn auch in der Exegese umstritten ist, inwieweit sich Jesus seinen Jüngern als Messias zu erkennen gegeben hat, weil die Texte des Neuen Testaments erst in der nachösterlichen Zeit geschrieben wurden und das Osterereignis voraussetzen, so bleibt doch festzuhalten, daß Jesus als Messiasprätendent (also einer, der vorgab der Messias zu sein), gleichbedeutend mit

1. Kapitel   Weltentstehung und Evolution

der damaligen Bezeichnung „König der Juden" verurteilt worden ist (vgl. auch Kapitel 3.2).
[61] Es läßt sich heute nicht mehr feststellen, welche Wunder Jesus tatsächlich gewirkt hat und welche Wunderberichte möglicherweise bildliche Einkleidungen für die Verkündigung sind, daß Jesus als Herr der Welt auch Macht über die stoffliche Welt hat. Daß Jesus Wunder gewirkt hat, daran dürfte nicht zu zweifeln sein, denn diese Wundertaten hatten auch zu seiner Verurteilung geführt (z. B. Sabbatheilungen), und auch in der jüdischen Literatur (im babylonischen Talmud) wird dies erwähnt: „Er soll gesteinigt werden, weil er *Zauberei* getrieben und Israel verführt und verleitet hat" (zitiert nach Alfons Weiser in: „Was die Bibel Wunder nennt", KBW Stuttgart, 1976, S. 160).
[62] Neben vielen anderen sind die bekanntesten Stellen der Psalm 22 und das vierte Gottesknechtlied Js 52,13 bis 53,12.
[63] Bekannte Beispiele, wo Menschen, an die Offenbarungen ergangen sind, über Berufungserlebnisse schreiben, sind Jr 1–19; Ez 2,1 ff; Apg 9,1 ff.
[64] Einen Versuch, außersinnliche Wahrnehmungen verschiedener Art nach neueren Erkenntnissen der Parapsychologie besser verstehen zu lernen, bringt das Buch „Leben nach dem Tod?" von Nils-Olof Jacobson, Verlag Bergh, 1973. Dort wird gezeigt, daß Wahrnehmungen des Menschen sich nicht nur auf die bekannten physischen Sinne beschränken. Um außersinnliche Wahrnehmungen und Erfahrungen mit Gott könnte es sich auch bei solchen Berufungsberichten und bei Offenbarungen Gottes handeln.
[65] Auch im intensiven Nachdenken und beim Suchen nach der Wahrheit könnten durchaus Offenbarungen Gottes enthalten sein, wenngleich besonders hier der Mensch vielen Täuschungen erliegen kann. Über eines der interessantesten Erlebnisse solch einer „Offenbarung" schreibt Ignatius von Loyola in „Bericht des Pilgers" (Nr. 30), hier zitiert in der Übersetzung von Burkhart Schneider, Herder-Verlag, 1955: „Wie er" (Ignatius berichtet von sich selbst in der 3. Person) „nun so dasaß, begannen die Augen seines Verstandes sich ihm zu eröffnen. Nicht als ob er irgendeine Erscheinung gesehen hätte, sondern es wurde ihm das Verständnis und die Erkenntnis vieler Dinge über das geistliche Leben sowohl wie auch über die Wahrheiten des Glaubens und über das menschliche Wissen geschenkt. Dies war von einer so großen Erleuchtung begleitet, daß ihm alles in neuem Licht erschien. Und das, was er damals erkannte, läßt sich nicht in Einzelheiten darstellen, obgleich es deren sehr viele waren. Nur daß er eine große Klarheit in seinem Verstand empfing. Wenn er im ganzen Verlauf seines Lebens nach mehr als zweiundsechzig Jahren alles zusammennimmt, was er von Gott an Hilfen erhalten und was er jemals gewußt hat, und wenn er all dies in eines faßt, so hält er dies alles doch nicht für so viel, wie er bei jenem einmaligen Erlebnis empfangen hat. Dieses Ereignis war so nachdrücklich, daß sein Geist wie ganz erleuchtet blieb. Und es

2. Kapitel Über das Weltende

war ihm, als sei er ein anderer Mensch geworden und habe einen anderen Verstand erhalten, als er früher besaß."

[66] Als Apokryphe (= verborgene Schriften) bezeichnet man solche Schriften über angebliche Offenbarungen, die keine allgemeine Anerkennung in der Liturgie und Theologie gefunden haben. Als Beispiel: „Die apokryphen Evangelien des Neuen Testaments", herausgegeben von Daniel-Rops, Verlag: Die Arche, Zürich, 1956.

[67] Exegese und Hermeneutik bezeichnen zwei Methoden der Schrifterklärung: Die Exegese (gr. = Auslegung) versucht „Gottes Wort" aus den historischen Texten herauszufinden. Die hermeneutische Methode will die Aussagen im Kontext mit anderen Schriftstellern unter Beschreibung des damaligen Weltverständnisses und im Zusammenhang mit der Vorstellungswelt der Textschreiber begreifen und in heutigen Denkkategorien erklären.

[68] Vgl. hierzu die ähnlich lautenden Formulierungen des 1. Vatikan. Konzils (1870) in Neuner-Roos: „Der Glaube der Kirche", 9. Auflage, 1975, S. 49 (Nr. 40).

[69] Erst im Jahre 1835! wurde das Buch „De revolutionibus orbium coelestium" von Nikolaus Kopernikus (1473–1543), in dem das neue, heliozentrische Weltbild begründet wurde, vom „Index librorum prohibitorum", dem Verzeichnis der Katholiken allgemein verbotenen Bücher gestrichen.

[70] Charles R. Darwin: "On the Origin of Species by Means of Natural Selection", 1859. Bei der Übersetzung ins Deutsche haben die englischen Texte der "Encylopaedia Britannica" aus der Reihe "Great Books of the Western World", 1952, Bd. 49, zugrunde gelegen: a) S. 239, b) S. 243.

[71] Die Bücher von A. Ernest Wilder-Smith wurden ins Deutsche übersetzt und sind im Hänssler-Verlag, Neuhausen-Stuttgart (Telos) erschienen.

[72] Zitiert nach: Gavin de Beer: „Bildatlas der Evolution", Bayrischer Landwirtschaftsverlag, München, 1966, S. 5.

2. Kapitel: Über das Weltende

[1] Dennis Meadows: „Die Grenzen des Wachstums", Bericht des Club of Rome zur Lage der Menschheit, Deutsche Verlags-Anstalt, Stuttgart, 1972.

[2] Nigel Calder: „Eskalation der neuen Waffen" in der Reihe: „Modelle für eine neue Welt" (Band 8), herausgegeben von Robert Jungk und Hans Josef Mundt, Verlag Kurt Desch, München, 1969. Dieses allerdings schon aus dem Jahre 1968 (engl. Original-Ausgabe: "Unless Peace Comes") stammende Buch gibt einen umfassenden Überblick über die damals bekannten und technisch möglichen Waffensysteme sowie Formen der zukünftigen Kriegsführung. Es ist kein Handbuch für Waffenproduzenten, sondern will vielmehr anregen, neue Formen in den Auseinandersetzungen und Konfliktbewältigungen zu

2. Kapitel   Über das Weltende

suchen, damit der Friede erhalten bleibt, damit nicht das, was wir erreicht haben und was wir noch schaffen könnten, verlorengeht.
[3] In historischer Zeit haben sich in dem optisch überschaubaren Teil unseres Milchstraßensystems (wir können wegen der interstellaren Absorption nur etwa 1/10 des gesamten Milchstraßensystems überblicken) wahrscheinlich erst drei solcher Ausbrüche ereignet, und zwar noch vor Erfindung des Fernrohrs: 1054 haben die Chinesen beobachtet, daß an der Stelle, wo heute der Crab-Nebel (vgl. Abb. 4, S. 23) ist, für kurze Zeit ein Stern aufleuchtete, der fünfmal heller als die Venus zur Zeit ihres größten Glanzes war und 23 Tage lang sogar am hellen Tage gesehen werden konnte. 1572 beobachtete Tycho Brahe einen solchen nur kurzzeitig sichtbaren Stern. 1604 hat Kepler im südlichen Teil des Schlangenträgers zwischen Skorpion und Schütze ebenfalls eine solche Supernova beobachtet. Heute ist an dieser Stelle noch ein nebelartiges Gebilde zu sehen.
[4] Entropie leitet sich ab vom griechischen entrepein, was soviel bedeutet, wie sich nach etwas hinwenden. Die Entropie bezeichnet einen Vorgang, der freiwillig nur in einer Richtung abläuft, und zwar „hingewendet" zu einem Zustand größerer Unordnung.
[5] Wilhelm H. Westphal: „Physik", 18. und 19. Auflage; Springer-Verlag, Berlin, Göttingen, Heidelberg, 1956, S. 270 f.
[6] Albert Einstein, 1879–1955, veröffentlichte im Jahre 1905 die Mitteilung: „Elektrodynamik bewegter Körper", die unter dem Stichwort „spezielle Relativitätstheorie" bekannt geworden ist. 1916 erschien schließlich die Abhandlung „Die Grundlagen der allgemeinen Relativitätstheorie", welche Aussagen über die Schwerkraft oder Gravitation macht. Einstein erhielt 1921 den Nobelpreis für Physik. Beide „Relativitätstheorien" haben unser physikalisches Weltbild entscheidend verändert.
[7] Der Vergleich ist entnommen aus Bernhard Philberth: „Der Dreieine", Christiana-Verlag, Stein am Rhein, 1970, S. 140.
[8] Die Dichte eines solchen „Zwergsternes" läge bei einigen Tonnen pro Kubikzentimeter.
[9] Die Materie muß sich soweit verdichten, daß der „Schwarzschild-Radius" für solche Sterne unterschritten wird. Dann dringt kein Signal von diesem Stern mehr nach außen. Um welch hohe Verdichtungen es sich dabei handeln müßte, kann man durch folgende Beispiele verdeutlichen: Bei der Erde wäre der Schwarzschild-Radius nicht ganz ein Zentimeter, d. h. die gesamte Erdmaterie wäre auf eine Kugel von weniger als einem Zentimeter zusammengeschrumpft! Bei der Sonne betrüge der Schwarzschild-Radius knapp drei Kilometer. Von welcher Größe an ein Stern zum Schwarzen Loch wird, vgl. J. Audouze / S. Vauclair: „Die Entstehung der Elemente", 1974, Deutsche Verlags-Anstalt, Stuttgart.

2. Kapitel Über das Weltende

[10] Das babylonische Exil dauerte von 597 bis 538 v. Chr. Die in der Tabelle 2 angegebenen Texte des Propheten Jesaja (ca. 765 bis ca. 700 v. Chr.) stammen nicht von diesem selbst, sondern von einem zur Exilzeit lebenden, sogen. „Deuterojesaja" (Kap. 40–55), während die Kapitel Js 56–66 in Jerusalem etwa zwischen 538 und 510 v. Chr. von dem sogen. „Tritojesaja" geschrieben werden. Auch die in der Tabelle 2 angeführten Texte Js 13,10; Js 34,4 sind spätere Einfügungen und stammen nicht von Jesaja selbst.

[11] Eine kurz gefaßte Einführung bringt Josef Schreiners „Alttestamentlich-jüdische Apokalyptik", Kösel-Verlag, München, 1969.

[12] Eine ausführliche Besprechung der neutestamentlichen Prophetie zum Ende der Welt enthält die Monographie von Anton Vögtle: „Das Neue Testament und die Zukunft des Kosmos", Patmos-Verlag, Düsseldorf, 1970.

[13] Der 2. Petrusbrief ist nach den heutigen Kenntnissen der Exegese, aufgrund seiner literarischen Eigenart, wegen bestimmter verwendeter Wörter und Formeln, frühestens erst gegen Ende des 1. Jahrhunderts entstanden. Er wird als „pseudoepigraphisch" angesehen; dies ist ein früher übliches Stilmittel, mit dem der Verfasser den Brief einem großen Manne (in diesem Fall dem Apostel Petrus) zuschreibt und darin das zum Ausdruck bringt, was jener unter den damals herrschenden Verhältnissen und zu der betreffenden Zeitproblematik gesagt haben könnte.

[14] Es sind die „Sibyllinischen Orakel". Eine Anspielung auf diese Weissagungen enthält noch die Sequenz der Totenmesse: *"Dies irae, dies illa, solvet saeclum in favilla, teste David cum Sibylla"* (Tag des Zornes, Tag der Zähren, wirst die Welt in Asche kehren, wie Sibyll und David lehren). Über die jüdische apokalyptische Literatur vgl. die Literaturangabe unter Anm. [11].

[15] Werner Bröker: „Der Sinn von Evolution", Patmos-Verlag, Düsseldorf 1967, a) S. 55, b) S. 141, c) S. 108 ff und 163 ff, d) S. 168 ff, e) S. 168 ff, f) S. 168 f, g) S. 164 ff.
h) Um das Schriftbild nicht zu sehr zu komplizieren, werden, sofern nicht ganze Sätze zitiert werden, einzelne von Bröker verwendete Wörter oder Satzteile im Text nicht besonders durch Anführungsstriche gekennzeichnet.

[16] Sigmund Freud (1856–1939): „Totem und Tabu" und „Die Zukunft einer Illusion". Einen Auszug der entscheidendsten Texte von S. Freud mit seiner Kritik der Tiefenpsychologie an der Religion, sowie die wichtigsten Gegenargumente von drei evangelischen Theologen (Oskar Pfister, Karl Barth und Paul Tillich) enthält das Arbeits- und Studienheft: „Religion – eine Illusion? zur Psychoanalyse Sigmund Freuds", herausgegeben von Peter H./A. Neumann, Calwer Verlag, Stuttgart, 1971.

[17] Karl Marx: „Zur Kritik der Hegelschen Rechtsphilosophie", Einleitung, geschrieben um die Jahreswende 1834/44. Vgl. hierzu: Günther Brakelmann und Klaus Peters: „Karl Marx über Religion und Emanzipation", Gütersloher

2. Kapitel Über das Weltende

Verlagshaus Gerd Mohn, 1975, Band 1, S. 108.
[18] Demokrit aus Abdera (zwischen 460 und 380 v. Chr.); vgl. z. B.: Walther Kranz, „Die Griechische Philosophie", Carl Schünemann Verlag, Bremen, 1962, S. 83 ff.
[19] Man mache sich die Zeitverhältnisse durch folgenden Vergleich klar: Denkt man sich ein Jahr als eine Zehntel Sekunde, so dauerte ein Menschenleben 7 Sekunden. Mit dieser Vergleichsskala wäre dann:
Alter der Welt (18 Milliarden Jahre) = 57 Jahre
Alter der Erde (4,8 Milliarden Jahre) = 15,2 Jahre
Leben auf der Erde (vor 3,5 Milliarden Jahren) = 11 Jahre
„Werkzeugmacher" (seit 2,5 Millionen Jahren) = 7 Stunden
„denkende" Menschen (seit 35 Tausend Jahren) = ca. 1 Stunde
Länge eines Menschenlebens (70 Jahre) = 7 Sekunden
[20] Hubertus Mynarek: „Der Mensch – Sinnziel der Weltentwicklung", Verlag Ferdinand Schöningh, München, Paderborn, Wien, 1967.
[21] Wie groß die Wahrscheinlichkeit ist, daß sich im Universum auf einem anderen Planeten auch denkende Lebewesen befinden, ist schwer zu schätzen, weil wir die Bedingungen, unter denen sich Planeten bilden können, kaum kennen. Eine sehr vorsichtige Rechnung zeigte folgendes Bild:

Unsere Milchstraße (eine Galaxie) hat	10^{11} Sterne
Im Universum gibt es	10^{10} Galaxien
Das ergibt etwa	10^{21} Fixsterne

Wenn jeder Millionste Stern einen Planeten in ähnlichem Abstand und ähnlicher Größe wie die Erde hätte und davon jeder Millionste einen Planeten mit der chemischen Zusammensetzung wie die Erde, so gäbe es immer noch eine Milliarde erdähnlicher Planeten, auf denen Leben entstehen könnte. Und wenn von diesen jeder Millionste Planet wiederum denkende Lebewesen in einer Evolution wie auf der Erde hervorgebracht hätte, gäbe es immer noch Tausend Planeten mit intelligenten Lebewesen im Kosmos, wobei dann solche in unserer Milchstraße kaum wahrscheinlich wären.
Wenn man die Wahrscheinlichkeit um einige Zehnerpotenzen höher ansetzen würde, könnte man auch in unserer Milchstraße Welten mit intelligenten Lebewesen erwarten, jedoch wäre ein körperlicher Kontakt mit diesen nicht möglich. Man denke nur an das auf S. 14 angegebene Kürbismodell der Größenverhältnisse (Erde erbsengroß, der nächste Fixstern von dieser erbsengroßen Erde soweit entfernt wie von Europa nach Australien): Ein Flug zum Mond (von der erbsengroßen Erde nur 16 cm entfernt!) dauert mit heutigen Möglichkeiten schon zweieinhalb Tage! Der nächste Fixstern ist für Menschen mit einer begrenzten Lebensdauer auch bei weiterer Vervollkommnung der Raumfahrttechnik nicht zu erreichen! Ein körperlicher Kontakt mit eventuell

2. Kapitel Über das Weltende

im Kosmos noch lebenden Intelligenzen ist demnach für das Lebensziel des Menschen nicht relevant.
Alle Überlegungen, die über einen Besuch unseres Planeten durch intelligente Lebewesen anderer Planeten angestellt werden (z. B. von E. von Däniken) oder die vermeindlichen „Erforschungen" des Ufo-Phänomens in der Hoffnung „Besucher aus dem All" (Adolf Schneider) nachzuweisen, entbehren jeglichem naturwissenschaftlichen Realismus.
[22] Claude Tresmontant: „Biblisches Denken und Hellenistische Überlieferung", Patmos-Verlag, Düsseldorf, 1956, S. 165. a) S. 165, b) S. 99 ff.
[23] Im Konzil von Nicäa, 325, wird die Wesensgleichheit „des Sohnes" (= Christus) mit dem Vater durch verschiedene, auch in das „Credo" der Messe eingegangene Formulierungen, z. B. durch „ ...wahrer Gott vom wahren Gott..." wiedergegeben. Das 1. Konzil von Konstantinopel, 381, bezeichnet den Heiligen Geist als „den Herrn und Lebendigmacher, der vom Vater* ausgeht, der mit dem Vater und mit dem Sohne zugleich angebetet und verherrlicht wird, der durch die Propheten gesprochen hat." Die sich anschließenden christologischen Konzilien sagen über Christus aus: er ist „Gott und Mensch" (Ephesus, 431), in ihm sind die zwei Naturen, die göttliche und die menschliche unvermischt und unverwandelt vereinigt (Chalcedon, 451), und zwei natürliche Wirkungsweisen (Willen) unvermischt, wobei der menschliche sich dem göttlichen unterordnet (3. Konzil von Konstantinopel, 680–681). Näheres siehe z. B. in Neuner-Roos: „Der Glaube der Kirche", Friedrich Pustet Verlag, Regensburg.
[24] Einen sehr interessanten Versuch in dieser Richtung hat Bernhard Philberth in seinem Buch „Der Dreieine", Christiana-Verlag, Stein am Rhein, 1970, unternommen, wo aufgezeigt wird, daß wir bei vielem in der materiellen Wirklichkeit einer merkwürdigen Ausprägung in jeweils drei Erscheinungsformen begegnen, d. h. alles Seiende trägt das Zeichen des dreieinen Gottes, so z. B. die Dreiheit der Dimensionen in der materiellen Wirklichkeit als Raum, Zeit und Energie. Philberth bringt auch einige andere Beispiele.
[25] Der Apostel Paulus deutet die Einheit in der ehelichen Zweierbeziehung zwischen Mann und Frau als sinnbildhafte Darstellung der Einheit zwischen Christus und der Kirche (Epheserbrief 5, 32).
[26] Jerusalemer Bibel, Verlag Herder, Freiburg, Basel, Wien, 1978, S. 14.
[27] Vgl. Neuner-Roos: „Der Glaube der Kirche", 9. Aufl., 1975, Verlag Fr. Pustet, Regensburg, Nr. 353 und 354.

---

* Der Zusatz „Filioque" (und vom Sohne) wurde dem Glaubensbekenntnis zuerst in Spanien eingefügt, zur Zeit der Karolinger wurde er im ganzen Frankreich gebräuchlich und schließlich von Benedikt VIII. in der römischen Kirche offiziell bestätigt.

3. Kapitel Leben nach dem Tode?

[28] Herbert Haag in Haag/Haas/Hürzeler: „Evolution und Bibel" Herder-Bücherei, Freiburg, Basel, Wien, 1962, S. 47 und 50.
[29] Einen Versuch in dieser Richtung findet man unter dem Stichwort „Urstandsgnade", verfaßt von J. Feiner, im Lexikon für Theologie und Kirche, Bd. 10, Verlag Herder, Freiburg, 1965, S. 574: „ ... sie zielt auf die totale Durchherrschung der geistig-leiblichen Existenz des Menschen in allen ihren Dimensionen... Ohne die Sünde käme diese ungebrochen zu ihrer Auswirkung, im irdischen Leben allerdings in einer dem Pilgerstand entsprechenden Weise. Unsterblichkeit des urständigen Menschen bedeutet also nicht, daß die Urstandsgnade das Ende des irdischen Lebens verhindert hätte; aber dieses Ende hätte nicht den Charakter des leidvollen Sündentodes gehabt, sondern wäre in ungebrochener Anheimgabe des Menschen an den gnädigen Gott erfolgt."
[30] Pierre Smulders: „Theologie und Evolution", Hans Driewer Verlag, Essen, 1963, S. 149.

3. Kapitel: Leben nach dem Tode?

[1] Der Gedanke, daß die gescheiterten menschlichen Leben der ewigen Verderbnis, der ewigen Finsternis preisgegeben sind, haben starke Zweifel an der Vereinbarkeit dieser ewigen Strafe mit der alles übersteigenden Güte Gottes aufkommen lassen, so daß sich einzelne Theologen (angefangen von Origines bis Ernst Staehelin und Karl Barth) eine letztendliche Allversöhnung vorgestellt haben, bei der nicht nur die vielen menschlichen Seelen, die eine Läuterung durchzumachen haben, sondern schließlich alle gerettet werden. Einige nähere Ausführungen zu dieser Thematik findet man z. B. bei Adolf Köberle: „Allversöhnung oder ewige Verdammnis" in dem Buch: „Leben nach dem Sterben" von Alfons Rosenberg (Hrsg.), Kösel-Verlag, München, 1974. Die offizielle Lehrmeinung der katholischen Kirche spricht sich aus gewichtigen Gründen gegen die Auffassung einer „Allversöhnung" aus (vgl. z. B. Joseph Ratzinger: „Eschatologie, Tod und ewiges Leben", Verlag Pustet, 1978, S. 176 ff).
Es bestünde weiterhin auch noch die Möglichkeit, daß die verdammten menschlichen Seelen nach „Bestrafung" für die im Leben begangenen Verbrechen (man müßte besser sagen: nachdem sie die innerseelischen Folgen ihrer egoistischen, haßerfüllten Grundeinstellung auszuhalten hatten) für immer ausgelöscht werden. Eine solche Auffassung sieht immerhin Parallelen zu der Frage, was nach dem „Weltende" mit der noch vorhandenen Materie geschehen würde: Eine Lehre, daß die Welt nur so lange bestehen kann, wie Gott sie am Dasein erhält, könnte auch implizieren, daß die dem ewigen Verderben anheimgefallenen menschlichen Seelen einmal aufhören könnten zu bestehen. Jedoch finden sich für eine solche Auffassung keine Anhaltspunkte weder in

3. Kapitel Leben nach dem Tode?

den Texten der Bibel noch in der Lehre der Kirche. Vielleicht gilt in dieser Frage am besten der Grundsatz, den A. Köberle am Schluß des oben genannten Artikels angegeben hat: „Lebe, was dich persönlich betrifft, als ob es keine Allversöhnung für dich geben wird! Und wage gleichzeitig zu hoffen, daß Gott alle retten kann, die in dieser Weltzeit durch eigene oder fremde Schuld davon abgehalten worden sind, ihm zu begegnen" (S. 136).

[2] Während ich diese Zeilen niederschreibe, wird in Turin das Grabtuch nach sehr langer Zeit wieder einmal ausgestellt (vom 27. 8. bis 8. 10. 1978). Dieses war mir eine willkommene Gelegenheit, jenes einzigartige Zeugnis mit eigenen Augen zu sehen.

[3] Eine umfangreiche Dokumentation der Forschungsberichte und Untersuchungen bis etwa zum Jahre 1954 bringt das mit sehr vielen Quellenangaben versehene, im Verlag Josef Knecht, Frankfurt am Main, erschienene Buch von Werner Bulst: „Das Grabtuch von Turin" (1. Auflage: 1955, 2. Auflage: 1959). Im September 1978 erschien vom gleichen Autor im Badenia-Verlag, Karlsruhe, eine weitere Publikation von Werner Bulst, ebenfalls unter dem Titel: „Das Grabtuch von Turin". Diese gibt einen kurzen Überblick über die wichtigsten früheren Forschungsergebnisse, dann aber auch insbesondere über die neuesten Untersuchungen. Beide Bücher sind mit viel Bildmaterial ausgestattet. Mein Buch bezieht sich teilweise auf die frühere, umfangreiche Dokumentation, verwendet aber auch die neueren Gesichtspunkte aus dem 1978 erschienenen Buch. Eine interessante, jedoch nicht wissenschaftliche, sondern journalistisch aufgemachte Publikation stammt von Robert K. Wilcox: „Das Turiner Grabtuch", Econ-Verlag, Düsseldorf u. Wien, 1978: Ein Journalist, der „um die halbe Welt gereist" ist, berichtet über die Gespräche, die er mit den verschiedensten Experten gehabt hat.

[4] Werner Bulst: „Das Grabtuch von Turin" 2. Auflage, 1959, Verlag Josef Knecht, Frankfurt/Main, a) S. 89, b) S. 93/94.

[5] Die Art und Beschaffenheit der vorhandenen Blutspuren, wo in Simulationsexperimenten normalerweise beim Ablösen immer noch Reste verkrusteten Blutes im Tuch zurückbleiben, haben vielfach auch die Vermutung nahegelegt, daß hier ein weiterer, einzigartiger Vorgang an der Entstehung der Bildspuren beteiligt gewesen sein müßte, der sich im Gefolge der „Auflösung" des Leichnams Jesu ereignete. In diesem Zusammenhang steht auch die vom naturwissenschaftlichen Standpunkt wohl nicht zu beantwortende Frage nach dem Verbleib der materiellen Bestandteile des Leichnams Jesu, wenn es sich bei seiner Auferstehung um den Übergang in eine andere, nichtmaterielle Daseinsweise gehandelt hat, wie es noch ausführlich unter Punkt c) erörtert werden soll.

[6] Pollen sind die in den männlichen Staubgefäßen von Blütenpflanzen entstehende, kleinste Partikel mit Durchmesser von 0,0025 bis 0,25 mm, die in

3. Kapitel Leben nach dem Tode?

großer Menge zur Blütezeit durch die Luft geweht werden und sich überall als feinster Staub niedersetzen. Da sich die Pollen der verschiedensten Pflanzenarten erheblich voneinander unterscheiden, ermöglicht die Pollenanalyse eine sehr gute geographische Bestimmung für den Aufenthaltsort von Gegenständen.

[7] Werner Bulst: „Das Grabtuch von Turin", Badenia-Verlag, Karlsruhe 1978.
a) S. 75, b) S. 105 ff, c) S. 121, d) die S. 158–159 zeigen einige Kopien, die vom Turiner Grabtuch angefertigt wurden, e) S. 110 ff.

[8] Ethelbert Stauffer: „Jerusalem und Rom im Zeitalter Jesu Christi", Francke-Verlag, Bern, 1957. a) Kapitel XI: Die Kreuzesstrafe im antiken Palästina, S. 123–127. b) Kapitel X: Die jüdischen Ketzergesetze S. 113–122.

[9] Mt 27, 57–60; Mk 15, 42–46; Lk 23, 50–53; Jo 19, 38–42.

[10] Es hat manchmal den Anschein, als wenn sich heute einige Exegeten mit der positivistisch angehauchten und psychologisch verbrämten Denkweise unseres 20. Jahrhunderts so sehr in die Texte der Bibel vertiefen und dabei die Erkenntnisse der Naturwissenschaften nicht berücksichtigen, daß man Parallelen zu jenen Zeiten sehen könnte, als es um Kontroversen über das Alter der Erde in biblischen und naturwissenschaftlichen Aussagen ging (vgl. S. 80). Die Ironie des Schicksals will es, daß die naturwissenschaftlich belegbaren Forschungsergebnisse um das Grabtuch von Turin die Realität und Historizität der Auferstehung Jesu Christi nahelegen, während einige Exegeten und Theologen (ist es eine gewisse Angst, sich auf die exakten Methoden der Naturwissenschaften einzulassen und sich auf sie zu verlassen?) es vorziehen, naturwissenschaftliche Erkenntnisse zu ignorieren und lieber auf das Gebiet der psychischen Deutung ausweichen, wobei dann aber bei ihnen die Auferstehung zu einem nur symbolhaften Interpretament werden kann!

[11] Rudolf Bultmann: „Zum Problem der Entmythologisierung" (Kerygma und Mythos, VI, 1, 1963, S. 19–27) und „Jesus Christus und die Mythologie" (Stundenbuch 47, Furche-Verlag, Hamburg 1964, S. 7–101), erschienen als Gesammelte Aufsätze: „Glauben und Verstehen", 4. Band, Verlag J. C. B. Mohr (Paul Siebeck), Tübingen, 3. Auflage, 1975, S. 128–137 und 141–189.

[12] In einer mythischen Ausdrucksweise spricht man von Himmel und Hölle. Diese werden als Orte lokalisiert, und zwar der Himmel als Reich Gottes oben und die Hölle als der Ort der Verdammten unter der Erde. So entspricht es auch dem Ptolemäischen Weltbild (vgl. Abb. 20, S. 69). Wenn man diese Vorstellung nicht „entmythologisiert", kann man wie der erste russische Kosmonaut zu verkehrten Schlüssen kommen, der z. B. gesagt haben soll, er sei auf seinen Erdumkreisungen Gott nicht begegnet.

3. Kapitel Leben nach dem Tode?

[13] Eine sehr interessante Diskussion über die Entmythologisierungsfrage bietet das Buch: „Die Frage der Entmythologisierung", welches eine Stellungnahme von Karl Jaspers unter dem Titel: „Wahrheit und Unheil der Bultmannschen Entmythologisierung", die Antwort von Rudolf Bultmann und eine Erwiderung von Karl Jaspers enthält. Verlag R. Piper, München, 1954. Hieraus soll ein kurzer Abschnitt von Karl Jaspers zitiert werden (S. 89): „Man fragt, was Mythus sei, was mythisch heiße. Es ist das Sprechen in Bildern, Anschaulichkeiten, Vorstellungen, in Gestalten und Ereignissen, die übersinnliche Bedeutung haben. Dieses Übersinnliche aber ist allein in diesen Bildern selber gegenwärtig, nicht so, daß die Bilder interpretiert werden könnten durch Aufzeigen ihrer Bedeutung. Eine Übersetzung in bloße Gedanken läßt die eigentliche Bedeutung des Mythus verschwinden."
[14] Vgl. z. B. Rudolf Bultmann: „Das Verhältnis der urchristlichen Christusbotschaft zum historischen Jesus" in der Reihe: Sitzungsberichte der Heidelberger Akademie der Wissenschaften, Universitätsverlag Carl Winter, 1960.
[15] Das leere Grab wird in den frühesten schriftlichen Zeugnissen nicht erwähnt (vgl. z. B. 1 Kor 15), so daß man annehmen kann, daß die Auffindung des leeren Grabes höchstwahrscheinlich nicht den Osterglauben begründet hat. Selbstverständlich war es für die Ausbreitung der Kunde von der Auferstehung notwendig, daß das Grab leer war, daß man nicht gleichzeitig auf den im Grabe verwesenden Leichnam hinweisen konnte. Näheres hierüber vgl. A. Vögtle/R. Pesch: „Wie kam es zum Osterglauben?", Patmos-Verlag, Düsseldorf, 1975, S. 85–98.
[16] Willi Marxsen: „Die Auferstehung Jesu von Nazareth", Gütersloher Verlagshaus Gerd Mohn, 1968.
[17] Ausführliche Überlegungen zu diesem Punkt finden sich in der wissenschaftlichen Publikation: Anton Vögtle/Rudolf Pesch: „Wie kam es zum Osterglauben?", Patmos-Verlag, Düsseldorf, 1975, sowie in einer vierteiligen Veröffentlichung, die unter dem Titel: „Wie kam es zur Artikulierung des Osterglaubens?", in der Zeitschrift „Bibel und Leben" erschienen ist (14, 1973, S. 231–244; 15, 1974, S. 16–37; 102–120; 174–193).
[18] André Frossard: „Gott existiert. Ich bin ihm begegnet", Verlag Herder, Freiburg, Basel, Wien, 1970; franz. Originalausgabe: «Dieu existe. Je l'ai rencontré», Paris, 1969.
[19] Franz Werfel: „Das Lied von Bernadette", S. Fischer-Verlag, Frankfurt, 1941.
[20] C. Barthas: „Fatima", Verlag Herder, Freiburg, Basel, Wien, 1960 (aus dem Französischen übersetzt).
[21] Eine interessante wissenschaftliche Untersuchung von Wunderberichten, insbesondere eine kritische Auseinandersetzung mit allen (auf der ganzen Welt und zu allen Zeiten) berichteten Wunderheilungen bringt das Buch: „Theolo-

3. Kapitel Leben nach dem Tode?

gie des Wunders" von L. Mondon. Die deutsche Übersetzung der niederländischen Originalausgabe (1958) ist im Herder-Verlag 1961 erschienen.
[22] Régine Pernoud: „Jeanne d' Arc", Zeugnisse und Selbstzeugnisse, Verlag Herder, Freiburg, Basel, Wien, 1965 (aus dem Französischen übersetzt).
a) S. 217, b) S. 220.
[23] Nobelpreisträger Sir John C. Eccles hat diese Forschungsergebnisse mehrfach publiziert, z. B. in der Zeitschrift „Die Naturwissenschaften", 1973, S. 167–176, unter dem Titel: "Brain, Speech and Consciousnes". Eccles Bücher, die ebenfalls hierüber berichten, sind auch ins Deutsche übersetzt worden: J.C. Eccles: „Das Gehirn des Menschen" (6 Vorlesungen für Hörer aller Fakultäten), 1976, Verlag Piper. Ebenfalls im Piper-Verlag erscheint Anfang 1979 die deutsche Übersetzung von Popper u. Eccles: "The Self and His Brain" (1977 im Springer-Verlag erschienen). Außerdem ist das in Anmerkung 24 angegebene Buch sehr aufschlußreich.
[24] Was mit dieser Welt 3 gemeint ist, kann man sich am besten an folgenden, von Karl R. Popper gegeben „Gedankenexperimenten" verdeutlichen (zitiert aus der deutschen Übersetzung von Eccles "Facing Reality") deutscher Titel: „Wahrheit und Wirklichkeit", Springer-Verlag, 1975, S. 234: „Experiment (1). All unsere Maschinen und Werkzeuge sind zerstört, ebenso all unser subjektives Wissen, einschließlich unserer subjektiven Kenntnisse von Maschinen und Werkzeugen und der Art und Weise, wie sie gebraucht werden. Aber Bibliotheken und unsere Fähigkeit aus ihnen zu lernen bestehen weiter. Ganz sicher würde unsere Welt nach vielem Leiden wieder in Schwung kommen. Experiment (2). Wie in Experiment (1) sind alle Maschinen und Werkzeuge zerstört, unser subjektives Wissen und unsere subjektiven Kenntnisse von Maschinen, Werkzeugen und ihrem Gebrauch eingeschlossen. Aber diesmal sind auch alle Bibliotheken zerstört, so daß unsere Fähigkeit, aus Büchern zu lernen, nutzlos ist.
Wenn Sie diese zwei Experimente überdenken, dann wird Ihnen die Realität, die Signifikanz und der Grad der Autonomie der dritten Welt vielleicht ein bißchen klarer. Denn im zweiten Fall gäbe es kein Wiedererstehen unserer Zivilisation für Tausende von Jahren."
[25] John C. Eccles: „Wahrheit und Wirklichkeit", Springer-Verlag, 1975.
a) S. 108, b) S. 109, c) S. 112.
[26] Diese Folgerungen haben in scharfsinniger Weise schon die alten griechischen Philosophen gezogen und daraus auf die Unsterblichkeit der menschlichen Seele geschlossen. Vgl. z. B. Platon (426–347 v. Chr.) in seinem „Phaidon".
[27] Auch hierüber finden wir in Platons „Phaidon" einige Überlegungen. Es ist heute noch lohnend und aktuell, die Hauptwerke Platons zu lesen, sie

3. Kapitel Leben nach dem Tode?

werden in deutscher Übersetzung auch immer wieder verlegt, z. B. im Verlag A. Kröner, Stuttgart: „Platons Hauptwerke".

[28] Claude Tresmontant: „Biblisches Denken und Hellenische Überlieferung" (aus dem Französischen übersetzt), Patmos-Verlag, Düsseldorf, 1956, insbesondere S. 99 ff.

[29] Man ist versucht, Parallelen zu der Natur der Elementarteilchen zu sehen (vgl. Kapitel 4.1), die den merkwürdigen Dualismus Welle – Korpuskel zeigen, also entweder nur als Welle oder nur als kleinste Masseteilchen aufzufassen sind. So gehen auch hier die beiden erwähnten „Menschenbilder" die wahre Natur des Menschen insbesondere in bezug auf seine „Seele", einseitig und damit falsch wieder.

[30] hypostasis (gr.) = Grundlage, konkrete Wirklichkeit, wahres Wesen. Die „hypostatische Union" wurde als theologischer Fachausdruck eingeführt, um das Geheimnis in Jesus Christus, welches in einer „unvermischten, unverwandelt und ungetrennten" Vereinigung und bleibenden Einheit einer menschlichen Natur mit der göttlichen Person des Logos, der 2. Person der Trinität besteht, formulieren zu können.

[31] Die wichtigsten kirchlichen Aussagen über die Person Jesu Christi findet man zusammengestellt in: Neuner-Roos: „Der Glaube der Kirche", 9. Aufl., 1975, Verlag Fr. Pustet, S. 117–156 (Nr. 155–247). Die Lehrentscheidung des Konzils von Chalcedon richtet sich gegen die „Monophysiten", welche die Auffassung vertraten, daß Christus nur eine einzige Natur habe: Neuner-Roos, Nr. 178, S. 129 f.

[32] Neuner-Roos: „Der Glaube der Kirche", 9. Aufl., 1975, Verlag Fr. Pustet, S. 132–134 (Nr. 182–184) und S. 147 f (Nr. 220–221).

[33] Nils-Olof Jacobson: „Leben nach dem Tod?"; Untertitel: „Über Parapsychologie und Mystik", Edition Sven Erik Bergh, aus dem Schwedischen übersetzt, Econ-Verlag, 2. Auflage, 1973.
a) S. 341, b) S. 342, c) S. 343, d) S. 344, e) S. 345.

[34] Vgl. hierzu z. B. Joseph Ratzinger: „Eschatologie – Tod und ewiges Leben", Verlag Friedrich Pustet, Regensburg, 2. Auflage, 1978, S. 179–190.

[35] Raymond A. Moody: „Leben nach dem Tod", 1977 und „Nachgedanken über das Leben nach dem Tod", 1978, beide im Rowohlt Verlag erschienen.

[36] Der Auferstehungsleib des Menschen müßte dann ähnlich beschaffen sein wie derjenige von Jesus Christus (vgl. hierzu Unterkapitel 3.1c). Die Art und Weise, wie die Auferstehung zu verstehen ist, erläutert Paulus im 15. Kap. des 1. Briefes an die Korinther. Er arbeitet insbesondere den Unterschied des Auferstehungsleibes zum stofflichen Leibe in den Versen 35 bis 49 heraus, was zusammengefaßt am besten der Vers 44 wiedergibt: „Gesät wird ein sinnenhafter Leib, auferweckt ein geistiger Leib."

4. Kapitel (Freiheit und Lebenssinn) und Epilog

[37] Alfons Rosenberg: „J.F. Oberlin, Die Bleibestätten der Toten", Turm Verlag, Bietigheim.
a) S. 140, b) S. 150.

4. Kapitel: (Freiheit und Lebenssinn) und Epilog

[1] (Sir) Isaac Newton, 1642–1727, hat in seinem Buche „Philosophiae naturalis principia mathematica" (Mathematische Grundlagen der Naturwissenschaft) die bekannten und von ihm entdeckten Grundgesetze der Mechanik zusammengestellt. Es sind dies insbesondere die drei Bewegungsgesetze (Newtonsche Axiome): 1) Trägheitsgesetz (ein Körper verharrt in Ruhe oder gleichförmiger Bewegung, wenn keine Kräfte auf ihn einwirken), 2) Beschleunigungsgesetz (Kraft = Masse × Beschleunigung), 3) Wechselwirkungsgesetz (actio = reactio) und davon abgeleitet das universelle Gravitationsgesetz der gegenseitigen Anziehung von Massen. Mit solchen, nur wenigen, einfachen Voraussetzungen, die durch die sowohl von ihm als auch Leibniz entwickelte Infinitesimalrechnung verfeinert wurden, ergab sich ein durchsichtiges, klares Bild vom Universum.
[2] Benannt nach dem berühmten französischen Astronom und Mathematiker Pierre-Simon Marquis de Laplace (1749–1827). Eine ausführliche Beschreibung des materialistisch-deterministischen Weltbildes und seine Überwindung durch die Physik des 20. Jahrhunderts findet man in dem unter Anmerkung [6] dieses Kapitels angegebenen Buch von P. Jordan und darin enthaltend auch näheres über den „Laplaceschen Geist" auf S. 80 ff.
[3] Werner Karl Heisenberg, 1901–1976, Physik-Nobelpreis 1932 für die Entdeckung der Unschärferelation.
[4] Niels Bohr, 1885–1962, Physik-Nobelpreis 1922 für seine neue Theorie über den Atombau, mit der die Spektrallinien sehr gut erklärt werden konnten. 1927 veröffentlichte Bohr sein Komplementaritätsprinzip, mit dem die Teilchen- und Wellennatur der Elektronen verständlich gemacht werden sollte: Diese beiden Aspekte der Elementarteilchen sind in ihrer Begriffswelt voll gültig, schließen aber eine *gleichzeitige* Anwendung aus.
[5] Die Quantenmechanik wurde von Max Planck (1858–1947, Physik-Nobelpreis 1918) Anfang dieses Jahrhunderts begründet; sie bot eine befriedigende Erklärung für die Intensitätsverteilung der Strahlung eines schwarzen Körpers und war Grundlage für den von Einstein 1905 gedeuteten Photoeffekt sowie für das 1913 von Bohr veröffentlichte Atommodell.
Die Planckschen Erkenntnisse haben durch ihre neue Sichtweise das Weltbild der Physik verändert. Ihnen zufolge wird die Energie im atomaren Bereich nicht in kontinuierlichen Beträgen, sondern nur in kleinsten Einheiten (Quanten) übertragen. Näheres hierzu siehe in Physik-Lehrbüchern; zu empfehlen

4. Kapitel (Freiheit und Lebenssinn) und Epilog

ist das leicht verständlich, anschaulich geschriebene: „Knaurs Buch der modernen Physik" von Walter R. Fuchs, Verlag Droemer Knaur.
[6] Vgl. Pascual Jordan: „Der Naturwissenschaftler vor der religiösen Frage", Gerhard Stalling Verlag, Oldenburg/Hamburg, 6. Auflage, 1972, S. 144.
[7] John C. Eccles: „Wahrheit und Wirklichkeit", Springer-Verlag, Berlin, Heidelberg, New York, 1975, darin insbesondere das Kapitel VIII (Mensch, Freiheit, Kreativität), S. 163–186. a) Eccles zitiert auf S. 173 A. S. Eddington.
[8] Es gibt auf jeden Fall zu denken, daß gerade in totalitären Staaten, wo man sich die größte Mühe gibt, Menschen durch massive Beeinflussung in einer gewollten Richtung zu erziehen, immer wieder Menschen aufstehen, die aus den Denkkategorien einer erfolgten Indoktrination ausbrechen und tiefste menschliche Werte mutig auch gegen härteste Androhung von Gewalt, ja bis zum gewaltsamen Tod verteidigen.
[9] Thomas Morus (1478–1535) ist geradezu die Symbolfigur der Gewissensfreiheit geworden und 1935 zu den „Ehren der Altäre" erhoben worden.
[10] Vgl. hierzu das Kapitel: „Die Ablehnung Gottes im Namen der Freiheit. Der existentialistische Atheismus. J.P. Sartre – A. Camus" aus Horst Pöhlmann: „Der Atheismus oder der Streit um Gott", Gütersloher Verlagshaus Gerd Mohn, 1977, S. 149–168.
[11] Der Molismus, benannt nach Luis de Molina, einem spanischen Jesuiten (1535–1600) versucht das Zusammenwirken des menschlichen freien Willens mit der Allmacht Gottes zu erklären: Gott weiß in einem „mittleren Wissen" (scientia media), wie der Mensch unter verschiedenen konkreten Umständen frei handeln würde, und führt die entsprechenden Situationen souverän herbei, damit der Mensch einen wirklich freien Willensentschluß realisiert, dabei unterstützt ihn Gott durch seine helfende „Gnade" zu einer guten Entscheidung. Die Wirksamkeit der Göttlichen Gnade ist aber von der Zustimmung des menschlichen freien Willens abhängig.
[12] Der Bañezianismus (D. Bañez OP, 1528–1604) oder Thomismus (Thomas von Aquin OP, 1225–1274) sagt, daß beim Zusammenwirken zwischen Gottes Allmacht und dem menschlichen freien Willen Gott durch seine Gnade den menschlichen Willen im voraus bewegt. Der menschliche freie Willensakt ist eine Verwirklichung dieser göttlichen Vorausbewegung.
[13] Vgl. Denzinger – Schönmetzer: „Enchiridion symbolorum definitionum et declarationum de rebus fidei et morum", Nr. 1997 (+ 1090).
[14] Besonders der Calvinismus lehrt eine doppelte Prädestination: als absolute (unabänderliche) Vorherbestimmung der Menschen durch Gott, entweder zum Heil oder zur Verdammnis.
[15] Die Erkenntnisse der Quantenphysik (vgl. S. 156f) zeigen, daß ein Eingreifen Gottes in das weltliche Geschehen möglich wird, ohne daß dabei Gott die innerweltlichen Naturgesetzmäßigkeiten und Kausalbeziehungen durchbre-

4. Kapitel (Freiheit und Lebenssinn) und Epilog

chen müßte. (Näheres hierüber findet man z. B. in dem Buch des Physikers Werner Schaaffs: „Theologie und Physik vor dem Wunder", R. Brockhaus Verlag, Wuppertal, 1973).
[16] Röm 2, 15 und 2 Kor 4, 6.
[17] Ignatius von Loyola, 1491–1556, ein spanischer (baskischer) Offizier, der wegen einer Verwundung bei der Belagerung von Pamplona aus dem Militärdienst ausscheiden mußte und durch eine Reihe wundersamer Erlebnisse wichtige Kriterien zur „Unterscheidung der Geister" gewonnen hat. Er hat als Gründer des Jesuitenordens auf Drängen seiner Mitbrüder seinen Lebensweg in knappen, markanten Umrissen, in einem nüchternen und prägnanten Stil verfaßt („Der Bericht des Pilgers", neuaufgelegt im Herder-Verlag 1978 erschienen) und darin auch beschrieben, wie und warum er zu dieser „Unterscheidung der Geister" gekommen ist (vgl. auch Anmerkung [65] zum 1. Kapitel).
[18] Ignatius von Loyola: „Geistliche Übungen", übersetzt von A. Feder und E. Raitz von Frentz, Herder-Verlag, 13. Aufl., 1961.
[19] Ladislaus Boros: „Befreiung zum Leben", Herder-Verlag, Freiburg/Basel/Wien, 1977.
[20] Wenn hier herausgestellt wird, daß nicht das „Was", sondern daß das „Wie" das Entscheidende ist, so darf man nicht verkennen, daß selbstverständlich auch gerade die tatsächlich vollbrachte Tat, die objektiv feststellbare Leistung des Menschen von eminenter Bedeutung ist.
Den Christen hat man oft den Vorwurf gemacht, daß sie zu sehr nach dem Jenseits schielten und dabei die wichtigen Aufgaben auf der Erde vernachlässigten. Eine solche Haltung, die nur das eigene Seelenheil in den Vordergrund rückt (Egoismus), entspricht letztlich nicht einer christlichen Grundhaltung. Es braucht hier nicht betont zu werden, daß es gerade Christen waren, die sich in Geschichte und Gegenwart für die Besserung der irdischen Verhältnisse in Richtung mehr Menschlichkeit eingesetzt haben. Selbstverständlich findet man solches bei Menschen anderer Religionen, auch bei Atheisten, die dann das in exzellenter Weise verwirklicht haben, was zum Kern der christlichen Ethik gehört, während umgekehrt viele, die sich Christen nannten, entgegen den christlichen Grundsätzen gehandelt haben.
[21] Diese gegensätzlichen Haltungen von Egoismus und Liebe finden im Neuen Testament auch Parallelen unter sinnbildhaften Bezeichnungen, wie z. B. Fleisch und Geist, vgl. hierzu Gal 5, 19–24: „Offenkundig sind die Werke des Fleisches, nämlich Unzucht, Unlauterkeit, Ausschweifung, Götzendienst, Zauberei, Feindschaft, Zank, Eifersucht, Zorn, Hader, Zwistigkeiten, Parteiungen, Neid, (Mord), Trunkenheit, Schlemmerei und dergleichen. Von diesen Dingen sage ich im voraus, was ich auch früher schon gesprochen habe: die solches tun, werden das Reich Gottes nicht erben. Die Frucht des

4. Kapitel (Freiheit und Lebenssinn) und Epilog

Geistes aber ist: Liebe, Freude, Friede, Langmut, Milde, Güte, Treue, Sanftmut, Enthaltsamkeit ... ".
[22] Wenn man heute von einem materialistischen Zeitalter spricht, so ist das nicht nur berechtigt in Hinblick auf einen militanten atheistischen Materialismus, sondern auch in Anbetracht eines beinahe noch gefährlicheren praktischen Materialismus, wie er gerade in den westlichen Demokratien vorherrscht. In diesem Zusammenhang sei an die mahnenden Worte von Walter Heitler im Vorwort zu seinem Buche: „Die Natur und das Göttliche" (Verlag Klett und Balmer, Zug, 1974) erinnert, wenn er schreibt (S. 15): „Ich glaube nicht, daß die Menschheit an einer Katastrophe vorbeigehen wird. Der Einsichtigen sind zu wenige und die Großmacht der Hab- und Machtgier zu mächtig. Nachher aber wird die Welt eine andere Struktur haben müssen, wenn sie weiter existieren soll, einen anderen Geist. Die Überlebenden werden anders denken müssen als heute. Ist es zu früh, auf die wirklichen, Mensch und Menschsein tragenden Werte, die manchmal auch die »ewigen« genannt werden, hinzuweisen?"
[23] Eine Würdigung dieser tiefsten sittlichen Werte und Wahrheiten in den anderen Weltreligionen erfolgte z. B. durch das 2. Vatikanische Konzil in der „Erklärung über das Verhältnis der Kirche zu den nichtchristlichen Religionen" (vgl. z. B. die deutsche Übersetzung der Konzilsdekrete, Paulus-Verlag, Recklinghausen, 4. Aufl., 1966, **2**, S. 27–33).
[24] 2. Vatikanische Konzil: „Erklärung über die Religionsfreiheit", deutsche Übersetzung der Konzilsdekrete, Paulus-Verlag, Recklinghausen, 4. Aufl., 1966, **2**, S. 7–25.
[25] Johannes Paul I.: „Ihr ergebener Albino Luciani", Verlag Neue Stadt, München, Zürich, Wien, 1978, a) S. 37, b) S. 30.

Fachworterklärungen

abiotisch: nicht mit Leben zusammenhängend
Absorption: (hier:) Aufnahme von (Licht-)Energie
Ätiologie: (von gr. aitia = Ursache): Sie will das Bestehende von der Ursache, vom Ursprung her erklären
akausal: nicht durch eine Ursache bedingt
Alte Welt: Europa (mit Asien und Afrika), im Gegensatz zur Neuen Welt (Amerika)
Aminosäuren: Bausteinmoleküle der Eiweißverbindungen (Proteine)
anaerob: in sauerstofffreier Umgebung lebensfähig
Anthropologie: Lehre vom Menschen
anthropomorph: menschlich gestaltet, ausgedrückt oder vorgestellt
apokalyptisch (von gr. apokalyptein = offenbaren): die Endzeit der Menschheit und des Kosmos betreffende Offenbarungsgeheimnisse
Apokryphe: „verborgene" religiöse Schriften, die keine allgemeine, öffentliche Anerkennung in der Liturgie und der kirchlichen Verkündigung gefunden haben
apologetisch: die verstandesmäßige Rechtfertigung und Verteidigung des Glaubens betreffend
Apostat: einer, der vom Glauben, von einer Lehre oder von einer Ideologie abgefallen ist
Arten: Lebewesensformen, die aufgrund ihrer Erbanlagen sich untereinander fortpflanzen können
Basen: Bestandteile der Nucleotide in den Nucleinsäuren: Sie bilden die vier verschiedenartigen „Buchstaben", welche kettenförmig aneinandergereiht, durch ihre spezifische Aufeinanderfolge (Basensequenz) die Erbinformation in den Lebewesen enthalten
biogen: von Lebewesen erzeugt
Biokatalysatoren: Es sind eiweißhaltige Stoffe (Enzyme), welche die chemischen Reaktionen in den Zellen beschleunigen und damit überhaupt erst mit der notwendigen Geschwindigkeit ablaufen lassen
Biopolymere: Makromoleküle, die in Lebewesen vorkommen: Proteine und Nucleinsäuren

Chromosomen: Sie enthalten die Erbinformation. Die Chromosomengarnitur bedeutet die Erbausstattung eines Lebewesens
Corpus callosum: Verbindung der rechten und linken Gehirnhälfte
Detektor: Dieses Wort wird hier im folgenden Sinn gebraucht: Im menschlichen Gehirn gibt es „Detektoren", die in der Lage sind, die Regungen des menschlichen Personenkerns zu „enthüllen", „aufzudecken".
determiniert: genau (vorher)bestimmt
dialektischer Materialismus: Er bildet den philosophischen Kern des Marxismus: Die Materie besteht und bewegt sich aus sich selbst und wird erst im Menschen zur „Idee"
DNA: internationale Abkürzung für Desoxyribonucleinsäure (DNS)
Dualismus Welle – Korpuskel: Die Elementarteilchen zeigen zwei verschiedene, gegensätzliche Eigenschaften, nämlich 1) Wellennatur auf der einen Seite und 2) Körpernatur auf der anderen Seite
Elementarteilchen: kleinste Teilchen, aus denen Atome aufgebaut sind (insbesondere: Protonen, Neutronen und Elektronen)
Elemente: chemische Grundstoffe der Materie, die durch keine chemische Reaktion in einfachere Bestandteile zerlegt werden können
Entropie: bezeichnet einen Vorgang, der freiwillig nur in einer Richtung abläuft, und zwar „hingewendet" zu einem Zustand größerer Unordnung
Enzyme: beschleunigen und ermöglichen als Biokatalysatoren die biochemischen Reaktionen in den Organismen
Eukaryonten: (gr. eu = gut, karyon = Kern): Lebewesen, die einen Zellkern enthalten (im Gegensatz zu den Prokaryonten, die keinen Zellkern haben). Zu den E. zählen die Prostiten (Einzeller), Pilze, Pflanzen und Tiere
Evolution: langsam fortschreitender Entwicklungsvorgang, Höherentwicklung zu immer komplexeren Formen: Die kosmische und nukleare Evolution führt zur Gestaltwerdung des Kosmos und zum Aufbau der chemischen Atome aus den Elementarteilchen; durch die chemische E. gingen die chemischen Verbindungen hervor, aus denen sich lebende Systeme entwickeln konnten. Als E. im engeren Sinne wird die biologische Entwicklung bezeichnet, die vom Einzeller zu den hochentwickelten Pflanzen, Tieren und schließlich zum Menschen vorangeschritten ist. Die kulturelle E. schließlich ist die Entwicklung der menschlichen Kultur
Expansion: Ausdehnung

exzitatorisch: anregend, erregend
Exegese: wissenschaftliche Bibelerklärung, die nach „Gottes Wort" in den konkreten, historischen Texten fragt
Fabel: lehrhafte Erzählung, oft mit Tieren als Akteure
fossil (von lat. fossilis = ausgegraben): versteinert
Galaxie: Milchstraßensystem
Gene: Erbinformationsträger
Genesis: 1. Buch Mose, das 1. Buch des „Alten Testaments"
genetisch: erblich bedingt
Grundprämisse: Grundvoraussetzung
Hominiden: Familie in der Ordnung der Primaten, zu der auch der Mensch neben seinen Vorformen seit der Abzweigung von der Affen-Linie (Pongiden) gehört
Hominisation: entwicklungsgeschichtliche Menschwerdung
homologe Organe haben gleiche Baupläne, sind aber oft unterschiedlicher Ausprägung bei verschiedenen Arten, sie zeigen Verwandtschaft aufgrund gleicher stammesgeschichtlicher Herkunft
Hypothese: unbewiesene wissenschaftliche Annahme
Ideologie: unechte, unwahre Weltanschauung, die hauptsächlich machtpolitischen Interessen dienen soll
implizieren: mit einschließen
indeterminiert: unbestimmt, nicht festgelegt
Indoktrination: ideologische Beeinflussung und Durchdringung
inhärent: anhaftend, einschließend
Interpretament: Deutungsmittel
interstellar: zwischen den Sternen befindlich
Invarianz: Unveränderlichkeit
ius gladii (lat.): Das Recht, mit dem Tode (dem Schwert) zu bestrafen
Kanon (sem. = Maßstab, Richtschnur): Liste der kirchlich anerkannten biblischen Schriften
Katalyse: Beschleunigung einer chemischen Reaktion
Katalysatoren: Stoffe, die chemische Reaktionen beschleunigen
Kausalitätsprinzip: nach Ursache – Wirkung fragender Grundsatz
Kerygma: Verkündigung des Glaubens
Kohärenz: Zusammenhang
Kommissur: Verbindung (der beiden Gehirnhälften)
Konsens: Übereinstimmung
Kosmologie: Lehre und Theorie von der Entstehung des Kosmos

Makromoleküle: große (oft aus vielen tausend Atomen bestehende), meist kettenförmige Moleküle
Membranen: Trennwände, Abgrenzung der Zellen gegenüber anderen Zellen, nach außen
Messiasprätendent: Einer, der behauptet, der Messias zu sein
metastabil sind chemische Stoffe, die so langsam zerfallen, abgebaut werden, daß sie stabil zu sein scheinen
Mikromoleküle: kleine, aus nur wenigen Atomen bestehende Moleküle
militant: kämpferisch
Molekularbiologie: Sie erforscht die biochemischen Reaktionen bei Lebewesen in Abhängigkeit von den Informationsinhalten in den Zellen
Mutationen: sprunghafte Veränderungen der Erbanlagen
Mutterlauge: nach der Kristallisation (hier nach Ausbildung der Microspheres) zurückbleibende Flüssigkeit
Mythen: Erzählungen von Göttern, Welt- und Lebenszusammenhängen; Einzahl: Mythos oder Mythus
Neuronen: Nervenzellen
Neutronen: elektrisch nicht geladene Atomkernbestandteile
Nucleinsäuren: Makromoleküle, die die Erbinformation enthalten
Nucleotide: Bestandteile (Grundbuchstaben) der Nucleinsäuren
ökologische Nische: Rolle (vergleichbar dem Beruf eines Menschen), die ein Lebewesen in der Natur spielt
Oligomere: größere Moleküle, die jedoch nur aus einer begrenzten, kleinen Anzahl von Grundbausteinen aufgebaut sind
Ontogenie: Entwicklung des Einzel-Lebewesens
optisch aktive Stoffe drehen die Schwingungsebene von linear-polarisiertem Licht
out-of-the-body-experience: Erfahrungen, die Menschen gemacht haben, daß ihr Personenkern sich außerhalb ihres Körpers befunden hat
Parapsychologie: Wissenschaft, die sich methodisch und experimentell mit den nichtphysischen und außersinnlichen Erscheinungen (z. B.: Hellsehen, Telepathie, Telekinese) befaßt
parasitär: schmarotzerhaft
Phylogenie: stammesgeschichtliche Entwicklung
Physis: das Körperliche
Polymere: Makromoleküle, bestehend aus kettenförmig aneinander gereihten, gleichen oder ähnlichen Grundbausteinen

pontifikale Nervenzelle: gemeint ist eine einzelne, übergeordnete Nervenzelle
Population: Gesamtheit der in einem begrenzten Gebiet untereinander fortpflanzungsfähigen Lebewesen
positivistisch: man läßt nur das mit den Sinnen Erfahrbare (Materielle) wirklich gelten
Potential: (hier:) elektrisches Kraftfeld der Nervenzellen
Praezellen: leblose Vorstufen der (ersten) lebenden Zellen
Prokaryonten: (einzellige) Organismen, die keinen Zellkern enthalten (Bakterien und Blaualgen); die DNA (Erbinformationsträger) liegt im Zellplasma vor! Gegensatz: Eukaryonten, die als höher entwickelte Lebewesen die DNA in einem Zellkern enthalten
Prostiten: einzellige, einen Zellkern enthaltende Lebewesen
Proteine: Eiweißstoffe
Proteinoide: eiweißähnliche Stoffe; zum Unterschied von den Proteinen liegen die Aminosäuren (Grundbausteine) nicht in spezifischer Reihenfolge vor
Protonen: elektrisch positiv geladene Atomkernbestandteile
Protozellen: erste lebende Zellen auf der Erde
Psyche: Seele (heute meist in einer materialistischen Deutungsweise verfälscht), das eigentliche Lebensprinzip im Menschen
psychosomatische Effekte: feststellbare Wechselwirkung zwischen Psyche (Seele) und Körper (z. B. psychische Ursachen für körperliche Funktionsstörungen)
Purgatorium: Fegefeuer, Reinigungsort für verstorbene Menschenseelen

Quantenphysik: Lehre und Erkenntnis, daß ebenso, wie im Materiellen (Atome, Elementarteilchen) so auch im energetischen Geschehen kleinste, nicht mehr weiter zerlegbare Akte vorhanden sind. Diese können nicht kleiner als das Plancksche Wirkungsquantum h sein (Wirkung = Produkt aus der umgesetzten Energie und der Zeitdauer des Vorganges)

Radium: radioaktives chemisches Element
Reaktionskinetik: Teilgebiet der Physikalischen Chemie, das sich mit dem zeitlichen Ablauf und dem Mechanismus chemischer Reaktionen befaßt
Reanimation: Wiederbelebung
Reinkarnation: Wiedergeburt

RNA (RNS): Ribonucleinsäure; Biopolymeres, durch Aneinanderreihung von vielen (vier Typen) Grundbausteinen aufgebaut

Rotverschiebung der Spektrallinien: Die charakteristischen Spektrallinien erscheinen zum langwelligeren, roten Bereich verschoben, wenn eine Galaxie sich von uns entfernt

sacrificium intellectus (lat.): „Opfer des Intellekts", Aufgabe des rationalen Erkenntnisvermögens

Savannen: Grasfluren mit vereinzelten Bäumen, Baumgruppen

Selektion: Auslese und Überleben der am besten an die Umweltbedingungen angepaßten Lebewesen

Sequenz: Aufeinanderfolge

Simulationsexperimente: Versuche, in denen Bedingungen (z. B. der Früherde, bei der Entstehung des ersten Lebens auf der Erde) nachgeahmt werden

Spektrum: nach den verschiedenen Wellenlängen (Farben) zerlegtes Licht

subatomar: unterhalb der Größe von Atomen

subhuman: vormenschlich

Supernovaexplosion: Explosion eines (massereichen) Sternes

Synapse: Verbindungsstelle zwischen zwei Nervenzellen

Synhedrium: Hoher Rat (Ratsversammlung) der Juden

Synopse: vergleichende Übersicht, Zusammenschau

Taxonomie: Lehre von den Regeln zur systematischen Einteilung der Lebewesen

Terminus: Fachausdruck, Fachwort

Thermodynamik: Lehre von den makroskopisch feststellbaren Wechselwirkungen zwischen Wärme und Arbeit (Kraft)

Transmitter: Überträger

Vesikeln: kleine Bläschen

Weiterführende Literatur

1. Kapitel: Weltentstehung und Evolution

- Rolf Siewing (Hrsg.): „Evolution" (Bedingungen, Resultate, Konsequenzen), XX, 450 S., G. Fischer Verlag, Stuttgart. Kurz gefaßtes Symposium von 18 Autoren über das Gesamtgebiet der Evolution, angefangen von der kosmischen über die chemische und biologische bis zur kulturellen Evolution mit vielen Hinweisen auf weiterführende Literatur.
- Peter von der Osten-Sacken: „Die neue Kosmologie", 2. Aufl., 1976, 317 S., Econ Verlag, Düsseldorf und Wien. Eine übersichtliche Zusammenstellung und kritische Wertung der Theorien zur Entstehung des Kosmos, der Galaxien und der Sterne.
- Hans-Heinrich Voigt: „Abriß der Astronomie", 2. Aufl., 1975, 556 S., Bibliographisches Institut, Mannheim/Wien/Zürich. Hochschulskriptum, eine stichwortartig gefaßte Einführung in die Astronomie.
- „Meyers Handbuch über das Weltall", 5. Aufl., 1973, 780 S., Bibliographisches Institut Mannheim/Wien/Zürich. Ein Standardwerk zum Nachlesen von Sachverhalten aus dem Gebiet der Astronomie.
- Jean Audouze und Sylvie Vauclair: „Die Entstehung der Elemente", Einführung in die Nuklear-Astrophysik (aus dem Französischen übersetzt), 1974, 164 S., Deutsche Verlags-Anstalt GmbH, Stuttgart. Das Buch wendet sich an einen weiten Leserkreis, der jedoch geringe naturwissenschaftliche Kenntnisse besitzen sollte, und beschreibt die Entstehung der chemischen Elemente beim Beginn des Weltalls und den Aufbau höherer Atomkerne in den Sternen.
- Klaus Dose und Horst Rauchfuß: „Chemische Evolution und der Ursprung lebender Systeme", 1975, 217 S., Wissenschaftl. Verlagsgesellschaft, Stuttgart. Verständlich geschriebene Abhandlung über den Weg zu lebenden Organismen. Geringe chemische Grundkenntnisse sind bei der Lektüre von Nutzen.
- Reinhard W. Kaplan: „Der Ursprung des Lebens", 2. Aufl., 1978, 318 S., G. Thieme Verlag, Stuttgart. Eine überblickende Darstellung der „Biogenetik", die jedoch einige wenige naturwissenschaftliche Grundkenntnisse, insbesondere der Chemie, verlangt.
- Eberhard Lindner: „Einführung in die Molekularbiologie", 1976, 32 S., M. Lindner Verlag, Karlsruhe. Leicht verständlich geschriebener, kurzer Einblick in wichtige Erkenntnisse der Molekularbiologie.

- G. Heberer, W. Henke, H. Rothe: „Der Ursprung des Menschen", 4. Aufl., 1975, 144 S., G. Fischer-Verlag, Stuttgart. Kurz gefaßte Beschreibung der wichtigsten archäologischen Funde und deren heutige Interpretationen.
- H. Hofer und G. Altner: „Die Sonderstellung des Menschen", 1972, 231 S., G. Fischer-Verlag, Stuttgart. Das Buch zeigt die Sonderstellung des Menschen von verschiedenen naturwissenschaftlichen und geisteswissenschaftlichen Standpunkten.
- Horst Georg Pöhlmann: „Der Atheismus oder der Streit um Gott", 2. Aufl., 1978, 191 S., Gütersloher Verlagshaus Gerd Mohn. Das Taschenbuch vermittelt sachliche Informationen über die vielfältigsten Formen des Atheismus und ihre Ursachen und Anliegen, die letztlich auch Vorurteile abbauen helfen sollen.
- Die Bibel (Die Heilige Schrift des Alten und Neuen Bundes), Deutsche Ausgabe mit den Erläuterungen der Jerusalemer Bibel, herausgegeben von Arenhoevel, Deissler und Vögtle, Verlag Herder, 1968. Diese Ausgabe enthält die aus dem Französischen ins Deutsche übersetzten, zum Verständnis der Texte wichtigen exegetischen Erläuterungen und Kurzkommentare der «Ecole Biblique de Jerusalem».
- „Praktisches Bibellexikon", herausgegeben von Anton Grabner-Haider, 1977, Verlag Herder, Freiburg. Dieses von katholischen und evangelischen Theologen verfaßte Nachschlagewerk und Arbeitsbuch ist nicht nur ein Schlüssel zu biblischen Texten, sondern es bringt auch für den theologisch nicht vorgebildeten Leser in prägnanter Weise formengeschichtliche, bibeltheologische und hermeneutische Begriffe.
- Alois Stöger „Gott und der Anfang", 1964, 180 S., Verlag J. Pfeiffer, München. Eine leicht verständliche Auslegung der Genesis, 1. bis 11. Kapitel. Das Buch ist nicht mehr im Buchhandel, sondern nur noch in Bibliotheken erhältlich.
- H. Haag / A. Haas / J. Hürzeler: „Evolution und Bibel", 4. Aufl., 1966, Rex-Verlag, Luzern. Drei Wissenschaftler Haag – Alttestamentler, Haas – Naturphilosoph und Hürzeler – Paläontologe behandeln aus drei Perspektiven unser heutiges Verständnis von Schöpfung und Evolution.
- Helmut Aichelin, Gerhard Liedke (Hrsg.): „Naturwissenschaft und Theologie", 3. Aufl., 1975, 304 S., Neukirchener Verlag, Neukirchen-Vluyn. Das Buch bietet eine große Zahl von Originaltexten und entsprechende Kommentare verschiedener Wissenschaftler zu Fragen im Grenzgebiet zwischen Naturwissenschaft und Theologie.
- Ernst Föhr: „Naturwissenschaftliche Weltsicht und christlicher Glaube", Herder Verlag, Freiburg, Basel, Wien, 2. Aufl., 1976, 302 S. Der katholische Theologe bietet eine informative Handreichung, um den christlichen Glauben und das Weltbild der modernen Naturwissenschaft in Einklang zu bringen.

Weiterführende Literatur

1. Kapitel: Weltentstehung und Evolution

- Rolf Siewing (Hrsg.): „Evolution" (Bedingungen, Resultate, Konsequenzen), XX, 450 S., G. Fischer Verlag, Stuttgart. Kurz gefaßtes Symposium von 18 Autoren über das Gesamtgebiet der Evolution, angefangen von der kosmischen über die chemische und biologische bis zur kulturellen Evolution mit vielen Hinweisen auf weiterführende Literatur.
- Peter von der Osten-Sacken: „Die neue Kosmologie", 2. Aufl., 1976, 317 S., Econ Verlag, Düsseldorf und Wien. Eine übersichtliche Zusammenstellung und kritische Wertung der Theorien zur Entstehung des Kosmos, der Galaxien und der Sterne.
- Hans-Heinrich Voigt: „Abriß der Astronomie", 2. Aufl., 1975, 556 S., Bibliographisches Institut, Mannheim/Wien/Zürich. Hochschulskriptum, eine stichwortartig gefaßte Einführung in die Astronomie.
- „Meyers Handbuch über das Weltall", 5. Aufl., 1973, 780 S., Bibliographisches Institut Mannheim/Wien/Zürich. Ein Standardwerk zum Nachlesen von Sachverhalten aus dem Gebiet der Astronomie.
- Jean Audouze und Sylvie Vauclair: „Die Entstehung der Elemente", Einführung in die Nuklear-Astrophysik (aus dem Französischen übersetzt), 1974, 164 S., Deutsche Verlags-Anstalt GmbH, Stuttgart. Das Buch wendet sich an einen weiten Leserkreis, der jedoch geringe naturwissenschaftliche Kenntnisse besitzen sollte, und beschreibt die Entstehung der chemischen Elemente beim Beginn des Weltalls und den Aufbau höherer Atomkerne in den Sternen.
- Klaus Dose und Horst Rauchfuß: „Chemische Evolution und der Ursprung lebender Systeme", 1975, 217 S., Wissenschaftl. Verlagsgesellschaft, Stuttgart. Verständlich geschriebene Abhandlung über den Weg zu lebenden Organismen. Geringe chemische Grundkenntnisse sind bei der Lektüre von Nutzen.
- Reinhard W. Kaplan: „Der Ursprung des Lebens", 2. Aufl., 1978, 318 S., G. Thieme Verlag, Stuttgart. Eine überblickende Darstellung der „Biogenetik", die jedoch einige wenige naturwissenschaftliche Grundkenntnisse, insbesondere der Chemie, verlangt.
- Eberhard Lindner: „Einführung in die Molekularbiologie", 1976, 32 S., M. Lindner Verlag, Karlsruhe. Leicht verständlich geschriebener, kurzer Einblick in wichtige Erkenntnisse der Molekularbiologie.

- G. Heberer, W. Henke, H. Rothe: „Der Ursprung des Menschen", 4. Aufl., 1975, 144 S., G. Fischer-Verlag, Stuttgart. Kurz gefaßte Beschreibung der wichtigsten archäologischen Funde und deren heutige Interpretationen.
- H. Hofer und G. Altner: „Die Sonderstellung des Menschen", 1972, 231 S., G. Fischer-Verlag, Stuttgart. Das Buch zeigt die Sonderstellung des Menschen von verschiedenen naturwissenschaftlichen und geisteswissenschaftlichen Standpunkten.
- Horst Georg Pöhlmann: „Der Atheismus oder der Streit um Gott", 2. Aufl., 1978, 191 S., Gütersloher Verlagshaus Gerd Mohn. Das Taschenbuch vermittelt sachliche Informationen über die vielfältigsten Formen des Atheismus und ihre Ursachen und Anliegen, die letztlich auch Vorurteile abbauen helfen sollen.
- Die Bibel (Die Heilige Schrift des Alten und Neuen Bundes), Deutsche Ausgabe mit den Erläuterungen der Jerusalemer Bibel, herausgegeben von Arenhoevel, Deissler und Vögtle, Verlag Herder, 1968. Diese Ausgabe enthält die aus dem Französischen ins Deutsche übersetzten, zum Verständnis der Texte wichtigen exegetischen Erläuterungen und Kurzkommentare der «Ecole Biblique de Jerusalem».
- „Praktisches Bibellexikon", herausgegeben von Anton Grabner-Haider, 1977, Verlag Herder, Freiburg. Dieses von katholischen und evangelischen Theologen verfaßte Nachschlagewerk und Arbeitsbuch ist nicht nur ein Schlüssel zu biblischen Texten, sondern es bringt auch für den theologisch nicht vorgebildeten Leser in prägnanter Weise formengeschichtliche, bibeltheologische und hermeneutische Begriffe.
- Alois Stöger „Gott und der Anfang", 1964, 180 S., Verlag J. Pfeiffer, München. Eine leicht verständliche Auslegung der Genesis, 1. bis 11. Kapitel. Das Buch ist nicht mehr im Buchhandel, sondern nur noch in Bibliotheken erhältlich.
- H. Haag / A. Haas / J. Hürzeler: „Evolution und Bibel", 4. Aufl., 1966, Rex-Verlag, Luzern. Drei Wissenschaftler Haag – Alttestamentler, Haas – Naturphilosoph und Hürzeler – Paläontologe behandeln aus drei Perspektiven unser heutiges Verständnis von Schöpfung und Evolution.
- Helmut Aichelin, Gerhard Liedke (Hrsg.): „Naturwissenschaft und Theologie", 3. Aufl., 1975, 304 S., Neukirchener Verlag, Neukirchen-Vluyn. Das Buch bietet eine große Zahl von Originaltexten und entsprechende Kommentare verschiedener Wissenschaftler zu Fragen im Grenzgebiet zwischen Naturwissenschaft und Theologie.
- Ernst Föhr: „Naturwissenschaftliche Weltsicht und christlicher Glaube", Herder Verlag, Freiburg, Basel, Wien, 2. Aufl., 1976, 302 S. Der katholische Theologe bietet eine informative Handreichung, um den christlichen Glauben und das Weltbild der modernen Naturwissenschaft in Einklang zu bringen.

2. Kapitel Über das Weltende

- Anton Vögtle: „Das Neue Testament und die Zukunft des Kosmos", 1970, 260 S., Patmos-Verlag, Düsseldorf. Der Autor geht in sehr detaillierter Analyse auf die Aussagen der einzelnen Weltuntergangstexte des Neuen Testaments ein, wobei der 2. Teil des Buches auch gewisse fachwissenschaftliche Vertiefungen bietet.
- Werner Bröker: „Der Sinn von Evolution", 1967, 184 S., Patmos-Verlag, Düsseldorf. Dieser naturwissenschaftlich-theologische Diskussionsbeitrag eines Wissenschaftlers, der sowohl in der Theologie als auch auf dem Gebiet der Naturwissenschaften promovierte, gibt in dieser bahnbrechenden, mit dem Preis der theologischen Fakultät der Universität Münster ausgezeichneten Dissertation eine grundlegende Orientierungshilfe bei der Frage nach dem Sinn der Weltentwicklung.

3. Kapitel: Leben nach dem Tode?

- Werner Bulst: „Das Grabtuch von Turin", 1978, Badenia Verlag, Karlsruhe. Das Buch bietet einen Überblick über die wichtigsten Forschungsergebnisse um das Turiner Grabtuch. Quellenangaben in den Anmerkungen ermöglichen eine Weiterverfolgung und eine Vertiefung der Kenntnisse über diesen einzigartigen Zugang zum historischen Jesus. Noch umfangreicher sind die Literaturangaben in dem Vorgänger dieses Buches, 1959, (Knecht-Verlag, Frankfurt).
- Anton Vögtle / Rudolf Pesch: „Wie kam es zum Osterglauben?", 1975, 184 S., Patmos-Verlag, Düsseldorf. Diese wissenschaftliche Durchleuchtung der neutestamentlichen Texte geht der zentralen Glaubensaussage der Auferstehung Christi nach.
- Nils-Olof Jacobson: „Leben nach dem Tod?", 392 S., 1. Aufl. 1973, z. Z. 3. Auflage, Edition Erik Bergh. Der schwedische Arzt und praktizierende Psychiater versucht von der parapsychologischen Seite her den vielen berichteten Phänomenen über eine Existenz des menschlichen Personenkerns, getrennt vom Leibe, nachzugehen, er befaßt sich also auch mit einem Leben nach dem körperlichen Tod. Umfangreiche Literaturhinweise machen dieses Buch, das auch ohne besondere Vorkenntnisse gelesen werden kann, zu einem Wegweiser zu diesen Grenzgebieten unserer Erkenntnis. Interessant ist das Buch auch deswegen, weil es das Thema nicht vom christlichen Standpunkt angeht, jedoch zu Ergebnissen kommt, die die christliche Auffassung bestätigen können.
- Alfons Rosenberg (Hrsg.): „Leben nach dem Sterben", 1974, 144 S., Kösel-Verlag, München. 8 Autoren referieren von verschiedenen Standpunkten über dieses aktuelle Thema.

- K. R. Popper / J. C. Eccles: „The Self and Its Brain", 1977, 597 S., Verlag Springer, New York, Berlin, Heidelberg. Dieses vom Philosophen Popper und vom Gehirnphysiologen Eccles geschriebene Buch vermittelt gerade in unserer Zeit, wo die Sichtweite des Menschen durch den Materialismus verzerrt ist, ein den Realitäten besser entsprechendes Menschenbild.
Das Buch erscheint demnächst im Piper-Verlag in deutscher Übersetzung.
- John C. Eccles: „Das Gehirn des Menschen", 6 Vorlesungen für Hörer aller Fakultäten, 1976, 291 S., Verlag Piper. Eccles beschreibt nicht nur die Funktionsweise des menschlichen Gehirns, sondern er verweist auch auf die bahnbrechenden Versuche, die die eigentliche, nichtstoffliche Komponente des menschlichen Personenkerns aufzeigen.

4. Kapitel: Freiheit und Lebenssinn

- Pascual Jordan: „Der Wissenschaftler vor der religiösen Frage: Abbruch einer Mauer", 1978, 364 S., Parkland Verlag, Stuttgart.
Das Buch beschreibt in leicht verständlicher Weise das Werden naturwissenschaftlicher Erkenntnis, insbesondere geht es auf die Physik des 20. Jahrhunderts ein und zieht Folgerungen dieser Erkenntnisse auf die Fragen nach Gott und seinem Wirken in der Welt.
- John C. Eccles: „Wahrheit und Wirklichkeit", 1975, 285 S., Springer-Verlag Berlin, Heidelberg, New York. Dieses Buch vermittelt wichtige Forschungsergebnisse der Gehirnphysiologie. Dabei wird insbesondere eingegangen auf die Wechselwirkung zwischen dem Gehirn und dem bewußten Selbst. Von hier aus ergeben sich neue Aspekte für das Verständnis der menschlichen Seele. Ein zentrales Anliegen des Buches ist ferner die menschliche Freiheit, jenes hohe Gut, welches in der Gegenwart großen Gefahren ausgesetzt ist.
- Ladislaus Boros: „Befreiung zum Leben" (Die Exerzitien des Ignatius von Loyola als Wegweisung für heute), 1977, 231 S., Verlag Herder, Freiburg, Basel, Wien. Das Buch bringt in neuzeitlicher Deutung die bewährten Methoden des Ignatius von Loyola zur Erhellung menschlicher Existenz; es kann dem heutigen Menschen Anregungen geben und Wegweisung sein, um das Ziel des Lebens zu finden.